EEN TWEELING
OP KOMST!

Dr. Carol Cooper

Deltas

Original title: *Twins and Multiple Births*
First published in the United Kingdom in MCMXCVII by Vermilion.
Text copyright © Dr Carol Cooper MCMXCVII.
Illustration copyright © Random House UK Ltd MCMXCVII.
All rights reserved.
© Zuidnederlandse Uitgeverij N.V., Aartselaar, België, MMI.
Alle rechten voorbehouden.

Deze uitgave door: Deltas, België-Nederland
Nederlandse vertaling: Emmy Middelbeek-van der Ven
Omslagfoto: © MMI PhotoDisc, Inc.
D-MMI-0001-14
Gedrukt in de EU
NUGI 733/721

Inhoud

DANKBETUIGING

Ik ben veel dank verschuldigd aan TAMBA (Britse Vereniging voor Tweeling- en Meerlinggeboorten), dat eerst meeging in het feit dat er behoefte was aan dit boek en me vervolgens het schrijven ervan toevertrouwde. Ik zou al snel na de eerste bladzijde gestrand zijn zonder de fantastische hulp van hun vrijwilligers, die informatie en advies gaven, en me lieten kennismaken met hun werk en ideeën.

Ik zou in het bijzonder willen noemen dr. John Buckler, Jane Ellison, Peter Hendy-Ibbs, Rachel Hudson, Judi Linney, Pat Preedy, Audrey Sandbank, Gina Siddons, Jane Spillman en Jill Walton. Ik ben ook heel veel dank verschuldigd aan dr. Elizabeth Bryan en de MBF (een Londense organisatie voor meerlinggeboorten) voor al het onderzoek en de ondersteuning, professor David Hay en AMBA (de Australische Vereniging voor Meerlinggeboorten), die me hebben geholpen en me toestemming gaven te citeren uit La Trobe Study, professor Jim Stevenson en dr. Peter Tymms. Natuurlijk zijn de toelichtingen en de interpretaties in dit boek van mij, en deze worden niet expliciet bekrachtigd door de TAMBA of enige andere organisatie.

Heel veel tweelingen, drielingen en hun familie zijn zo vriendelijk geweest spontaan hun verhaal en hun gedachten met me te delen. Al met al hebben heel veel mensen me gestimuleerd en geholpen mijn ideeën vorm te geven, en te koersen naar wat begon als opvoeding tot een levenslange belangstelling, maar ook avontuur. Ik hoop dat ik niemand ben vergeten.

Carol Cooper

Voorwoord

De publicatie van dit nieuwe boek op het gebied van meerlingen en meerlinggeboorten is heel welkom, omdat ouders en begeleiders altijd behoefte hebben aan actuele informatie. Toen de TAMBA (of zoals het toen heette – TCA – Twins Club Association of Vereniging van Tweelingclubs) in 1978 werd opgericht, bestonden er maar weinig boeken over de verzorging en opvoeding van kinderen die als meerling waren geboren. De boeken die er waren, waren mateloos verouderd; bovendien gebruikten ze termen die voor velen zeker onbekend waren.

In de jaren na de oprichting van de TAMBA is dat veranderd en zijn er vele uitstekende boeken geschreven en gepubliceerd, die overeenkwamen met de nieuwe situaties. Toch is het alweer een aantal jaren geleden dat het laatste, praktijkgerichte boek op de markt kwam. De 'wereld' van meerlingbevallingen is veranderd, zoals er zoveel veranderd is. Men is zich bewust van de enorme praktische, financiële en emotionele behoeften van gezinnen met meerlingen. De medische wereld heeft de ontwikkeling van nieuwe en opwindende technieken beïnvloed, waarvan vele direct effect hebben gehad op meerlingzwangerschappen. Onder andere de medische en technologische vooruitgang hebben ertoe geleid dat veel meer baby's, die zijn geboren als gevolg van meervoudige conceptie, konden overleven. Voor veel meer mensen met een onvervulde kinderwens is het mogelijk gebleken zwanger te worden – hoewel helaas niet voor iedereen – en velen van hen hebben tweelingen, drielingen of meerlingen! Dit heeft geresulteerd in de toename van het aantal meerlinggeboorten, en onderzoek heeft aangetoond dat maar weinig artsen en verpleegkundigen zich realiseren wat het inhoudt om twee of meer baby's onder je verantwoordelijkheid te hebben.

Dr. Carol Cooper heeft haar boek geschreven om een moderne visie op moderne situaties te geven. Ze biedt openhartigheid in zaken op gebieden waarover in vroegere tijden niet met aanstaande ouders, of zij die dat wilden worden, werd gesproken. Heel veel zaken waren alleen bekend bij medici – en dan alleen nog bij hen die direct betrokken waren bij de specialistische zorg van dergelijke zwangerschappen – maar zijn nu publiek bezit. Net als de medische vooruitgang, is de informatie die ouders nu krijgen veel gedetailleerder en opener dan enkele decennia geleden.

Dr. Cooper heeft een boek het licht doen zien dat gemakkelijk te lezen is, meer aangepast aan de drukbezette ouders van twee- of meerlingen, en dat aandacht besteedt aan de diverse stadia van ouderschap en kinderlijke ontwikkeling. Hoewel de meeste lezers moeders zullen zijn, weet ik zeker dat heel veel vaders en kinderverzorgers het boek ook zullen doorbladeren om te zien wat hen nu weer te wachten staat!

Het boek begint met een pittige inleiding, die de lezer duidelijk zal maken dat de rest van de inhoud toegankelijk en de moeite waard is om verder te lezen. De hoofdstukken volgen de natuurlijke ontwikkeling in het leven van alle meerlinggezinnen: van de periode voorafgaand aan de conceptie tot en met de opvoeding. Er is vaak gezegd dat twee- of meerlingen opvoeden niet gemakkelijker gaat, maar anders! Dit boek belicht dit basisgegeven, hoewel u niet moet vergeten dat het hebben van twee, drie of meer baby's tegelijkertijd iets bijzonders is en dat het, hoewel in de eerste maanden ongelooflijk vermoeiend, kan leiden tot veel genoegens die ouders, die zijn gezegend met kinderen die op verschillende momenten geboren zijn, nooit zullen beleven.

Dit boek zal van grote waarde blijken, omdat het een totaaloverzicht geeft van de praktische begeleiding van kinderen die met twee, drie of meer tegelijk geboren zijn.

Jane Ellison
voorzitster TAMBA (Britse Vereniging voor
Tweeling- en Meerlinggeboorten)

Inleiding

Aangezien bepaalde onderwerpen algemene belangstelling opwekken, zou ik eigenlijk bij het begin al moeten zeggen dat dit boek zal gaan over seks en geld. Twee- en meerlingen beginnen meestal met seks en kosten altijd heel veel geld.

Toen ik mijn tweeling verwachtte, realiseerde ik me hoezeer het proces van bevalling en ouderschap was gericht op het hebben van slechts één baby tegelijk. Het was ongelooflijk frustrerend om te lezen over borstvoeding en het krijgen van een emotionele band, waarbij helemaal geen aandacht werd geschonken aan het feit dat voor veel moeders hun kind ter wereld zou komen met ten minste één maatje.

Ik kwam gelukkig in contact met een vereniging voor tweeling- en meerlinggeboorten die gezinnen met meerlingen begeleidt door middel van lokale bijeenkomsten en grote specialistische gespreksgroepen. Ik leerde heel veel en legde er de basis voor langdurige vriendschappen.

Hoewel de meeste verenigingen voor ouders van tweelingen en meerlingen heel verschillend zijn, spelen ze bijna allemaal ook een rol in het propageren van publiek en professioneel bewustzijn van de behoeften van meerlingen. Als ik op mijn eigen ervaring mag afgaan, is er veel meer bewustzijn nodig omdat het grootste deel van de mensheid onwetend is en soms zelfs niet in staat is tot een rekensommetje. Een op de vier moeders, die toch beter zouden moeten weten, vroeg me of het anders was om een tweeling te hebben dan gewoon één baby. Een toch heel intelligente vriendin zei sceptisch: 'Als het hebben van een twee- of een drieling zo moeilijk is als jij zegt, waarom zeggen mensen dan altijd dat je boft?' Buiten de schoolpoort meende een andere moeder dat het veel gemakkelijker was om een tweeling te hebben dan één kind tegelijk. Volgens haar logica zou het leven met een vierling dan een makkie zijn.

Als je een tweeling hebt, is iedereen in je omgeving verrukt. En je bent zelf ook ontroerd. Of niet? Als u nog geen kinderen hebt, zult u niet in de zevende hemel zijn bij het vooruitzicht van een kant-en-klaar gezin en zou u misschien liever rustig aan begonnen zijn, zoals de meeste ouders. Hebt u al een of meer kinderen, dan zult u ontdekken dat u nog meer armen en tijd tekortkomt. Mensen bewonderen een tweeling en onbekenden stoppen met praten, maar ze bieden maar zelden aan om te helpen, en soms, bekaf door de veeleisende zorg voor de kinderen, werd ik groen van afgunst als ik moeders met één kind zag.

De reden is duidelijk. Bij een tweeling heeft wat de een nodig heeft, de ander ook nodig en min of meer tegelijkertijd! Een tweelingzwangerschap is lichamelijk, en vaak ook geestelijk, zwaarder, en bij de bevalling van een tweeling moet veel vaker medisch ingegrepen worden. Omdat ze vaker te vroeg geboren of kleiner zullen zijn, worden baby's van een meerling soms op een speciale afdeling verzorgd. Daarna worden de ouders geconfronteerd met uitputting door een ontwricht slaappatroon, de uitdaging van het voeden van twee baby's tegelijkertijd, de logistiek van het uitgaan en de extra energie die het opvoeden van meer dan één kind tegelijk vergt. Heel veel moeders genieten van deze uitdagingen, terwijl andere ze nauwelijks weten op te lossen.

Naarmate ik meer te weten kwam over tweelingen, zowel uit praktisch als uit medisch oogpunt, en zowel als ouder als als huisarts, begreep ik dat dingen voor een aantal tweelingouders heel anders uitgepakt zouden zijn als ze eerder een andere benadering hadden gekozen. Heel veel moeders, ingenomen met het idee van een tweeling, zullen zich te veel richten op het tweeling-zijn van de kinderen, op het nadeel van hun ontwikkeling en soms ook op het welzijn van de andere broers en zusjes. Met een beetje gegoochel kunnen ouders wel een meerling aan, maar wat gebeurt er met de rest van het gezin? Het vergt handigheid en inzicht om de behoeften van een tweeling in evenwicht te brengen met die van de andere gezinsleden.

Ik heb diverse uitstekende boeken over meerlingen gevonden, maar een aantal, geschreven vanuit het standpunt van de ouders, waren wat ouderwets en daar wilde ik iets aan doen. Daarbij was ik me ervan bewust dat, net als in mijn werk als arts, het advies dat de een zo goed helpt, niet voor iedereen van toepassing kan zijn. Dit werd me heel duidelijk uit stukken van diverse deskundigen op het gebied van kinderverzorging en ik kreeg zo bijvoorbeeld vooral het beeld dat een aantal moeders geen keuze had en weer aan het werk moest. Dit is steeds minder waar omdat tegenwoordig veel moeders zich moreel verplicht voelen om te werken en andere dat juist willen.

Er zijn heel veel andere gebieden waar de ideale strategie van één enkele auteur al snel een keurslijf wordt voor anderen. De maatschappij is heel hard voor moeders die niet perfect zijn en ik heb nogal wat moeite met enkele handboeken, waarin ouders voorgehouden wordt dat ze tekortschieten als ze niet alles op een bepaalde manier doen of bepaalde emoties voor hun kinderen voelen.

Als twee mensen kinderen hebben, zullen ze onvermijdelijk veranderingen moeten aanbrengen in hun levensstijl. Dat is zeker het geval als ze een meerling hebben. Ik heb geprobeerd deze veranderingen aan de orde te stellen. Door het schrijven van dit boek wil ik echter niet zozeer mijn eigen filosofie met lezers delen, maar mijn ervaring en medische kennis. Zelfs als u voor het eerst ouder geworden bent, zult u uw eigen benadering hebben en u zult al snel leren naar uw eigen intuïtie te luisteren in plaats van naar de mijne. Bij de opvoeding is de weg die u moet gaan, een hobbelig pad. Een deel van de route staat goed aangegeven, maar de rest is grotendeels onbekend gebied. Bent u voor het eerst ouders geworden en bovendien ook nog eens van een meerling, dan zult u het gevoel hebben dat u in het buitenland bent. Dit boek beschrijft de reis door het ouderschap zo accuraat mogelijk. Ik heb gebruikgemaakt van de plattegronden van vele mensen en het boek geïllustreerd met notities van andere reizigers. Ik hoop dat u van de schoonheid van het landschap kunt genieten, maar ook leert hoe u een aantal valkuilen kunt vermijden.

Een laatste opmerking: net als in de andere handboeken over kinderverzorging wordt in dit boek gesproken over een vrouwelijke ouder met een jongen als kind. Dit is natuurlijk gedaan omwille van het gemak en de duidelijkheid.

Hoofdstuk 1

In den beginne

In de jaren '70 liep het aantal meerlinggeboorten steeds verder terug als gevolg van maatschappelijke veranderingen en medische vooruitgang (die later in dit hoofdstuk aan de orde komen), maar tegenwoordig loopt het weer op. In het laatste decennium is er een enorme toename geweest, zodat het cijfer nu staat op een meerling op elke 70 levend geboren kinderen. In 1998 werden in Nederland 3600 tweelingen geboren. In hetzelfde jaar werden in Vlaanderen 1149 tweelingen geboren, wat neerkomt op 1,9 % van alle bevallingen. Dit is de hoogste frequentie van alle geïndustrialiseerde landen. Het aantal drielingen bedroeg 19 op een totaal van 61.000 bevallingen. Ondertussen is het aantal drielingen in Nederland al jaren hetzelfde: 100 drielingen op het totaal van zo'n 193.000 geboorten per jaar.

Nog meer kinderen tegelijk komt minder voor, maar het gebeurt wel. Het grootste aantal zou de negenling zijn die Geraldine Brodrick in Sydney, Australië, in juni 1971 ter wereld bracht. Haar negen baby's (vier meisjes en vijf jongens) leefden echter maar enkele dagen.

Misschien is het omdat tweelingen zo boeiend zijn, dat er zoveel misvattingen over bestaan. In de loop der tijden was men er stellig van overtuigd dat tweelingen getuigden van grote vruchtbaarheid, dat de tweelingen zelf onvruchtbaar zouden zijn of dat ze, in het geval van jongen-meisje, in de baarmoeder een incestueuze relatie hebben gehad. Vooral in het middeleeuwse Europa dacht men dat een vrouw die een tweeling baarde, een overspelige relatie zou hebben gehad.

Diverse mythologische en religieuze figuren waren tweelingen, zoals de Griekse goden Castor en Pollux, het bijbelse paar Jacob en Ezau, de Scandinavische goden Hoder en Balder, en Romulus en Remus, die werden opgevoed door een wolvin. Beroemde tweelingen waren Carol en Mark Thatcher, en June en Jennifer Gibbons (de stomme tweeling uit het boek van Marjorie Wallace met dezelfde naam). Er zijn genoeg tweelingen die gebruikgemaakt hebben van het feit dat ze een tweeling waren. De eeneiige tweeling Ross en Norris McWhirter bijvoorbeeld waren zowel goede sportlieden als medeschrijvers van *The Guinness Book of Records*, en Peter en Michael Ball waren bisschoppen van twee bisdommen. De bekendste overlevende helft van een tweeling is waarschijnlijk Elvis Presley, maar er is ook nog Liberace, die in mei 1919 in Milwaukee, Wisconsin, werd geboren als Wladziu Valentino en bijna 6 kg woog, terwijl zijn broer doodgeboren werd.

Soorten tweelingen

Uw eigen tweeling zal waarschijnlijk nooit beroemd of berucht worden, maar zal wel heel bijzonder zijn en altijd aandacht trekken. Een van de eerste vragen die mogelijk gesteld zullen worden, is: 'Is het een eeneiige tweeling?'

Vrijwel iedereen weet tegenwoordig dat er twee soorten tweelingen zijn – eeneiige (of identieke) en twee-eiige – hoewel men niet altijd begrijpt waardoor dat veroorzaakt wordt.

Identieke of eeneiige tweelingen ontwikkelen zich uit het splitsen van een enkele zygoot of bevrucht eitje, en worden vaak monozygote (MZ) of monovulaire tweelingen genoemd. Deze tweelingen lijken bijna altijd heel erg op elkaar en kunnen vaak met succes grapjes uithalen met nietsvermoedende mensen. Eeneiige tweelingen zijn altijd van hetzelfde geslacht, een feit dat Shakespeare niet voldoende besefte toen hij de tweeling Viola en Sebastian in de *Twelfth Night* beschreef. Toch had hij het misschien moeten weten, omdat hij zelf een jongenmeisjetweeling had. Eeneiige tweelingen kunnen alleen maar van verschillend geslacht zijn als er op het moment van de eisplitsing iets is misgegaan, zodat een van de X-chromosomen verloren is gegaan. Dit is echter heel ongebruikelijk.

Niet-identieke of twee-eiige tweelingen komen ongeveer twee keer zoveel voor als eeneiige en lijken niet meer (of minder) op elkaar in uiterlijk en karakter dan broers en zusjes in het algemeen. Ze zijn verwekt door twee verschillende spermatozoïden bij twee verschillende eitjes, dus groeien ze uit twee bevruchte eitjes (zygoten) en worden dan ook dizygotische (DZ) of twee-eiige tweelingen genoemd.

Omdat de ene spermatozoïde een X-chromosoom en de andere een Y-chromosoom kan hebben, kunnen DZ-tweelingen van verschillend geslacht zijn; en de helft is dat ook. Omdat twee derde van alle tweelingen DZ is, en de helft daarvan jongen-meisje, is in het totaal een derde van alle tweelingen van verschillend geslacht.

DZ-tweelingen hebben gemiddeld de helft van de genen hetzelfde – soms meer, soms minder – wat verklaart waarom sommige twee-eiige tweelingen heel erg op elkaar lijken en andere niet. Ze hoeven zelfs niet dezelfde vader te hebben. In 1978 baarde een Duitse vrouw twee twee-eiige jongens, waarvan de ene blank was en de andere zwart, allebei verwekt op dezelfde dag door verschillende mannen. Het is niet heel ongewoon dat de twee helften van een tweeling van een ander ras zijn. De meest voor de hand liggende oorzaak is niet promiscuïteit, maar gewoon dat de ene of de andere ouder van gemengd ras is en daarmee een enorm uitgebreid gamma genen ter beschikking heeft om zijn of haar kinderen mee te geven.

DZ-tweelingen hoeven niet beslist op dezelfde dag verwekt te zijn. Ze kunnen op verschillende dagen verwekt zijn, bij een verschijnsel dat superfecundatie of overbevruchting genoemd wordt. Dit gebeurt omdat een vrouw in elke menstruatiecyclus meerdere dagen vruchtbaar kan zijn. Misschien komt het daardoor dat stellen met een actiever seksleven meer kans hebben op een tweeling.

DZ-tweelingen kunnen ook op verschillende momenten in de baarmoeder worden ingeplant, soms met twee of meer jaar ertussen in het geval van vruchtbaarheidstechnieken, waarbij een embryo wordt ingevroren voor later gebruik. Dit zijn alleen tweelingen in de zin dat ze tegelijkertijd verwekt zijn. Ze lijken niet meer op elkaar dan wanneer ze op verschillende momenten verwekt zouden zijn. In de Bourn Hall Fertility Clinic in Cambridge werden twee embryo's van dezelfde vrouw twee jaar na elkaar ingeplant bij verschillende draagmoeders, waardoor ze medische geschiedenis schreven, maar wat ook uitmondde in wat de roddelpers de 'tijdvermomde tweeling' noemde. Er zullen echter weinig ouders zijn die hen als tweeling beschouwen, omdat het opvoeden van deze kinderen niet anders is dan het opvoeden van twee aparte kinderen.

Het derde type tweeling wordt ook wel dispermisch genoemd. In de meeste westerse landen is ongeveer een derde van alle tweelingen eeneiig, terwijl twee derde twee-eiig is, maar er is vrijwel zeker ook nog een derde soort, die is ontstaan toen één eicel zich in tweeën splitste, waarna elke helft om zo te zeggen werd bevrucht door verschillende spermatozoïden. In dit geval is de bijdrage van de moeder aan de genen van de tweeling dezelfde, maar die van de vader kan voor elk van de twee verschillend zijn. Omdat de chromosomen van de vader de sekse van het nageslacht bepalen, kunnen deze tweelingen van verschillend geslacht zijn.

Het is bekend dat dit soort tweelingen ook voorkomt bij andere zoogdieren. Als het verschijnsel zich bij mensen voordoet, dan zou je verwachten dat de tweeling iets meer op elkaar lijkt dan vele twee-eiige tweelingen, maar minder dan eeneiige. Het is niet helemaal duidelijk hoe vaak dit derde type voorkomt, maar sommige tweelingen, zoals de mijne, willen graag denken dat ze op die manier ontstaan zijn. Wat ze het leukste vinden, is de verbaasde blik van mensen als ze zeggen dat ze 'half-identiek' zijn.

Waardoor ontstaan tweelingen?

Er is heel veel onderzoek gedaan naar deze vraag, vooral de afgelopen twintig jaar, maar het volledige antwoord is nog niet bekend. In het geval van DZ-tweelingen heeft de wetenschap een aantal nieuwe factoren naar voren gehaald, zoals:

- ras
- familiegeschiedenis
- leeftijd van de moeder
- hoeveel kinderen ze al heeft gebaard
- haar lengte
- verhoogde vruchtbaarheid
- verminderde vruchtbaarheid (indien behandeld)

Terwijl het aantal MZ-tweelingen vrij constant staat op ongeveer 3,5 per 1000 bevallingen (of voldragen zwangerschappen), is er een groot geografisch verschil in het aantal DZ-tweelingen.

In bepaalde delen van Afrika bestaat het hoogste aantal tweelingen. Vergeleken met een vrouw uit de Benelux zou een Nigeriaanse vrouw ongeveer vier keer zoveel kans op een tweeling hebben, terwijl in Zuidoost-Azië in het algemeen en Japan in het bijzonder, het aantal DZ-tweelingen laag is. Dit wijzigt echter als gevolg van sociale veranderingen waaronder vruchtbaarheidsbehandelingen. De frequentie van MZ-tweelingen komt overeen met die in de Benelux.

Ook binnen de Benelux is de geografische plaats belangrijk, hoewel in mindere mate. Onderzoek in Vlaanderen door het Studiecentrum voor Perinatale Epidemiologie heeft uitgewezen dat in de provincie Vlaams-Brabant vrouwen meer meerlingen baren dan in de andere vier Vlaamse provincies. In Antwerpen, Limburg en Oost- en West-Vlaanderen was het gemiddelde in de periode 1993-1997 17 à 18 meerlingen op 1000 bevallingen. Vlaams-Brabant daarentegen kende een gemiddelde van 23 per 1000 bevallingen. Dit houdt onmiskenbaar verband met de aanwezigheid in deze provincie van twee belangrijke universitaire centra en dus met de beschikbaarheid van behandeling bij vruchtbaarheidsproblemen.

Er zijn overal kleine, verspreid liggende gebieden waar tweelingen vooral veel voorkomen, maar dit is meestal niet meer dan toeval; er is geen echt bewijs voor 'iets in het water' zoals de plaatselijke bevolking beweert.

Twee-eiige tweelingen komen vaak meerdere malen in dezelfde familie voor. Er wordt wel gezegd dat ze een generatie overslaan, van oma naar kleindochter, maar dat is niet waar. Het betekent alleen dat een familiegeschiedenis met tweelingen het meer waarschijnlijk maakt, maar niet onvermijdelijk. Bent u er zelf een van een tweeling, hebt u een tweeling als broer of zus, of al eerder een tweeling gehad, dan is de kans dat u een twee-eiige (DZ) tweeling krijgt vele malen hoger dan die van de gemiddelde vrouw.

De moederskant van een familie is bepalend voor de hoeveelheid eicellen die een vrouw voortbrengt. Mannen ovuleren immers niet. En een man produceert bij elke ejaculatie tussen de 150 miljoen en 1 miljard spermatozoïden, veel meer dan nodig is om slechts twee baby's te verwekken.

Deze beweringen laten zien hoeveel onwetendheid er nog bestaat rond tweelingen. In feite levert de vader ook zijn bijdrage, dus als mannen in de kroeg pochen over het feit dat ze een tweeling hebben, is dat niet helemaal irreëel. Er is een klassiek Russisch verhaal over Vassilief, een man die twee vrouwen na elkaar had en in totaal 84 kinderen, waaronder vier vierlingen en zeven drielingen. Nu zegt de wetenschap dat sperma iets zou doen met het ovum (de eicel) waardoor dit gemakkelijker zou splijten. Misschien verklaart dat hoe in een gezin eeneiige tweelingen via de mannelijke lijn zijn ontstaan.

Beide types tweelingen kunnen in dezelfde familie voorkomen, hoewel het niet zeker is hoe. Nieuw onderzoek in Zweden toont aan dat elke moeder die zelf tot een tweeling behoort – hetzij MZ of DZ – een grotere kans heeft op een tweeling. De genetische factoren lijken geheel onafhankelijk, maar vrouwen met DZ-tweelingen in de familie baren meer tweelingen van het DZ-type, terwijl moeders met MZ-tweelingen in de familie meer MZ-tweelingen krijgen.

Een vrouw die een tweeling draagt, is vaak ouder. De meeste tweelingen worden geboren uit vrouwen tussen de 25 en 34 jaar, maar de kans op een tweeling in elke zwangerschap is groter bij vrouwen tussen de 35 en 40, omdat dan een dubbele ovulatie waarschijnlijker is. Het blijkt dat tweelingen op deze leeftijd mogelijk meer voorkomen en er meer baby's worden geboren bij vrouwen van 40 en ouder. Sommige vrouwen beginnen tegenwoordig pas aan een gezin als ze achterin de 30 zijn en, omdat het aantal bevallingen onder de twintigers is gedaald, loopt het aantal baby's uit vrouwen van 40 en ouder op tot meer dan 50 procent in 10 jaar.

De oudere moeder kijkt niet altijd uit naar de komst van de tweeling. Haar eigen familie zal ouder zijn, dus is ze niet zo blij met een uitgebreid gezin en ze kan mogelijk zelf geconfronteerd worden met gezondheidsproblemen. Ze kan zich zelfs ingeklemd voelen tussen een generatie vrouwen die moet zorgen voor aftakelende ouders en tegelijk haar eigen kinderen moet opvoeden. Aan de andere kant is de oudere moeder vaak volwassener, sociaal stabieler, hoger opgeleid en in betere financiële omstandigheden om twee baby's op te voeden.

Door haar hogere leeftijd en grotere vruchtbaarheid zal een vrouw die zwanger is van een tweeling al vaak enkele kinderen hebben (ze is wat artsen noemen multipara). Ze is vaak ook langer dan gemiddeld. Dit wijst waarschijnlijk eerder op goede voeding dan op iets anders – gezonde vrouwen zullen waarschijnlijk twee of meer baby's kunnen dragen tot ze levensvatbaar zijn. In het dierenrijk doet zich het omgekeerde voor – kleinere zoogdieren blijken de meeste meerlingen te baren – ongetwijfeld omdat kleine dieren meer gevaar lopen en daarom grotere nesten moeten hebben om de soort te doen overleven.

Ongeacht haar leeftijd of lengte is een tweelingmoeder gemiddeld vruchtbaarder. Volgens cijfers uit Canada, Schotland, Denemarken en elders zat er negen maanden na het einde van de Tweede Wereldoorlog een piek in meerlinggeboorten. De piek in tweelinggeboorten kwam eigenlijk twee of drie maanden eerder dan de naoorlogse babyboom in zijn geheel, wat erop wijst dat deze vrouwen waarschijnlijk heel gemakkelijk zwanger werden.

Helaas waren niet alle vrouwen die een tweeling verwachtten van plan om zwanger te worden. In een van haar onderzoeksprojecten ontdekte Jane Spillman, verloskundig adviseur van de TAMBA, dat gemiddeld zo'n 16 procent van de tweelingmoeders niet van plan was geweest zwanger te worden. Velen van hen gebruikten anticonceptie, maar die had gefaald.

Studies hebben uitgewezen dat moeders van tweelingen vruchtbaarder zijn omdat ze over het algemeen minder maandelijkse problemen hebben dan de meeste vrouwen en hun hypofyse meer van het follikelstimulerend hormoon (FSH) afscheidt, waardoor ze heel waarschijnlijk twee eicellen in één cyclus produceren. Het FSH-niveau neemt toe met het klimmen der jaren en dat kan verklaren waarom leeftijd een risicofactor is bij tweelinggeboorten.

Een interessante theorie omtrent het grote aantal tweelingen bij de Yoruba-stam in Nigeria heeft te maken met yams, die daar een belangrijk onderdeel vormen van het dagelijkse voedsel en mogelijk een hormoonachtig effect hebben. Yoruba-vrouwen die naar de grote stad vertrekken en een meer stads voedingspatroon aannemen, blijken niet langer een opvallend groot aantal tweelingen te baren. Het is echter niet zeker dat het voedsel hiervan de oorzaak is.

Overigens blijkt de hormoontoestand van vrouwen met tweelingen nog meer belangrijke gevolgen te hebben. Hoewel het nog lang niet bewezen is, suggereren onderzoeken dat vrouwen die een tweeling hebben gebaard, een kleinere kans op borstkanker hebben.

Hoe zal uw tweeling eruitzien?

Zult u een eeneiige tweeling krijgen of niet? Er is een gemiddelde kans van twee op drie dat de tweeling twee-eiig (DZ) zal zijn en als hij van verschillend geslacht is, dan geeft dit de doorslag: per definitie kunnen jongen-meisjetweelingen niet eeneiig zijn. Zijn ze van hetzelfde geslacht, dan is er een aantal handige aanwijzingen om op te letten, hoewel een aantal ook misleidend is.

Veel mensen, waaronder ook gynaecologen, denken nog altijd dat twee placenta's betekenen dat de tweelingen twee-eiig zijn, terwijl één placenta betekent dat ze eeneiig zijn. Dit is niet altijd waar, zoals het schema hierna laat zien.

Bij twee-eiige (DZ) tweelingen heeft ongeveer de helft van het aantal tweelingen een gezamenlijke placenta, terwijl de rest twee aparte placenta's heeft. Bij een derde van de eeneiige (MZ) tweelingen met een dichoriale placenta zijn deze waarschijnlijk samengesmolten, maar ze kunnen ook een aparte placenta hebben. Alleen bij eeneiige tweelingen kan er maar één dichoriaal vlies aanwezig zijn. Daarom moet de tweeling wel eeneiig zijn, als de vliezen na de bevalling zorgvuldig zijn onderzocht en er slechts één chorion blijkt te zijn. (Het ziekenhuis kan dit onderzoeken – vraag er van tevoren naar.)

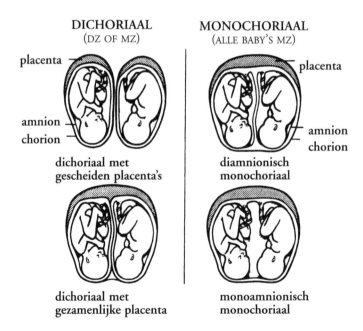

Soorten tweelingen met hun placenta

Wat er in een MZ-tweelingzwangerschap gebeurt, hangt af van het feit wanneer het bevruchte eitje, of de zygoot, zich in tweeën deelt.

- Doet de deling zich voor binnen drie dagen na de bevruchting, dan is de tweeling dichoriaal.
- Doet de deling zich voor tussen drie en negen dagen na de bevruchting, dan zal de tweeling monochoriaal, maar diamnionisch zijn. Met andere woorden: er zullen nog altijd twee aparte vruchtwaterzakken in de baarmoeder zijn.
- Doet de deling zich voor tussen negen en twaalf dagen na de bevruchting, dan is de tweeling monochoriaal en monoamnionisch (ze delen hetzelfde vlies).
- Doet de deling zich voor na twaalf dagen (sommige deskundigen zeggen vijftien dagen), dan zou het een Siamese tweeling kunnen zijn.

Siamese tweeling (dubbelmonstrum)

Er zijn vrouwen die zich zorgen maken over de mogelijkheid dat ze een Siamese tweeling zullen baren, zo genoemd omdat de oorspronkelijke Siamese tweeling, Chang en Eng, geboren in 1811, afkomstig was uit Siam (het huidige Thailand).

De geboorte van een Siamese tweeling staat van tijd tot tijd in de krant, maar het is echt een heel zeldzame gebeurtenis. Gemiddeld is de kans een op elke 50.000 tot 100.000 zwangerschappen. Dergelijke gevallen worden meestal wel ontdekt door een echoscopie tijdens de zwangerschap, vaak omdat de baby's in een vreemde positie blijken te liggen. Een enkele keer echter wordt een Siamese tweeling pas ontdekt bij de bevalling.

Om de een of andere reden zijn het vaker meisjes dan jongens. De verbinding is meestal maar klein en gering, en bestaat bijvoorbeeld uit een vliesdun strookje op borsthoogte. Maar soms is de verbinding veel ingewikkelder of zelfs moeilijk ongedaan te maken zonder dat een van de twee moet sterven. In zeldzame gevallen delen ze een of meer vitale organen. Soms zijn de verbonden oppervlakten wel groot, maar niet levensbedreigend. In dat geval kan de tweeling vaak een heel bevredigend leven leiden inclusief huwelijk en kinderen. Begrijpelijkerwijs is het daarbij onvermijdelijk dat de tweeling compromissen sluit.

Hoe identiek is identiek?

De zogenaamde identieke of eeneiige tweeling wordt vaak beschreven als 'twee druppels water', maar ze hoeven niet beslist identiek te zijn. Wie wat beter kijkt, zal altijd enkele verschillen zien.

> Hoewel mijn dochters officieel eeneiig zijn, heb ik ze altijd uit elkaar kunnen houden, behalve op foto's van toen ze nog heel klein waren en ik me niet meer kan herinneren wie wat droeg! Voor mij lijken en klinken Rachel en Zoe anders en ze voelen zelfs anders. Als een van de twee 's nachts de slaapkamer insluipt voor een knuffel, dan weet ik altijd wie het is!

Niemand weet zeker waarom eeneiige tweelingen niet altijd identiek zijn. Het is waarschijnlijk dat er verschillende redenen zijn die van toepassing zijn op verschillende tweelingen, zoals:

- verschillen in geboortegewicht
- verschillen in bloedtoevoer in de baarmoeder
- verschillen in ligging in de baarmoeder
- volgorde van geboren worden (volgens diverse laboratoriumproeven)
- spiegeling
- chromosomeninactiviteit

Spiegeling is een onschuldig, maar boeiend verschijnsel, dat mogelijk op een kwart van de eeneiige tweelingen van toepassing is. Bij gespiegelde tweelingen kunnen haarpatroon, links- en rechtshandigheid en vingerafdrukken omgekeerd worden, letterlijk alsof je in een spiegel kijkt. Dit hoeft niet noodzakelijk gepaard te gaan met eventuele interne omkeringen, zoals situs inversus waarbij belangrijke organen van links naar rechts zijn verplaatst en omgekeerd. Eigenlijk geeft dit helemaal geen problemen, behalve dan het tamelijk voor de hand liggende feit dat als een linkshandig kind aan de rechterkant van een rechtshandig kind zit, geen van beide gemakkelijk kan schrijven of eten. Ongeveer 35 procent van de MZ-tweelingen is linkshandig, eens zoveel als gemiddeld voorkomt, dus het is een belangrijk praktisch punt. De oorzaak van spiegeling is niet bekend, maar het blijkt een van de dingen te zijn die tot de algemene verbeelding spreken.

Chromosomeninactiviteit heeft betrekking op het feit dat, hoewel eeneiige tweelingen dezelfde chromosomen hebben, er een soms slapende is, wat verklaart waarom zelfs overerfde zaken, zoals spierdystrofie, niet beide 'identieke' tweelingen treft.

Zygotisch – eeneiig of niet?
Hebt u een tweeling van hetzelfde geslacht, dan kunnen de kinderen heel erg op elkaar lijken, zoals dat bij broers en zusjes het geval kan zijn. Door zorgvuldig naar bepaalde punten te kijken, krijgt u een goed beeld of ze wel of niet eeneiig zijn. Eeneiige tweelingen kunnen verschillen in gewicht, lengte en vorm van het hoofd, maar ze hebben dezelfde:

- haarkleur
- kleur ogen
- huidskleur
- bloedgroep

Verschillen tweelingkinderen op een van deze punten, dan zijn ze niet eeneiig. De vorm van de oren zou een goede indicatie vormen, omdat die minder beïnvloed zou zijn door de ligging in de baarmoeder dan de vorm van het hoofd in zijn geheel; oren zouden daarom vaak dezelfde vorm hebben bij eeneiige tweelingen.

Vrij eenvoudige laboratoriumonderzoeken – onderzoek van placenta en vliezen, en controleren van bloedgroep – zijn tot 80 procent zuiver bij het bepalen van de identiciteit (of zygositeit, zoals het wetenschappelijk heet). Dus wat is zeker?

DNA-vingerafdrukken

DNA (afkorting van het Engelse deoxyribonucleic acid, in het Nederlands deoxyribonucleïnezuur, afkorting DNZ) is drager van de genetische code en wordt ook wel beschouwd als bouwsteen van het leven. Een DNA-vingerafdruk is een manier om vele verschillende DNA-eigenschappen tegelijk te onderzoeken. Eeneiige (MZ) tweelingen hebben dezelfde DNA-vingerafdrukken, terwijl twee-eiige (DZ) tweelingen een kans van ongeveer één op 3×10^{14} hebben dat die hetzelfde zijn; dat is een kans van een op 300.000.000.000.000, dus het resultaat van de test is vrij zeker. Het resultaat kan echter heel misleidend zijn als de test binnen enkele maanden na een bloedtransfusie wordt uitgevoerd.

DNA-vingerafdrukken nemen is een techniek die wordt gebruikt in de gerechtelijke wetenschap en kan worden toegepast op haar, huid, speeksel en sperma van een verdachte. Ook kan het worden uitgevoerd op een placenta of een klein beetje bloed uit de navelstreng van een baby, en zelfs bij een doodgeboren kindje.

De test is vrij duur en op het moment is er geen verzekering die ervoor wil betalen, dus zijn de kosten voor eigen rekening. Weet u niet zeker of u deze test wel wilt, dan zou u het ziekenhuis kunnen vragen wat bloed uit de navelstreng in te vriezen voor later. Is uw tweeling al geboren, dan raden gynaecologen de ouders aan bloedonderzoek goed te overwegen, voordat ze aandringen op DNA-vingerafdrukken.

Is het belangrijk te weten of uw tweeling eeneiig is? Het kan belangrijk zijn als u nog een zwangerschap overweegt, omdat de kans iets groter is dat u nog een tweeling zult krijgen als de eerste DZ is. De meeste ouders willen het echter graag weten, ook al is hun gezin compleet.

Ik weet niet of mijn jongens eeneiig zijn of niet. Het maakte me ook echt niet uit, maar mensen vragen ernaar en ik vind het zo onbenullig dat ik geen zorgvuldig antwoord kan geven. Bovendien vragen de kinderen nu of ze uit hetzelfde eitje komen.

Tweelingen en groei

Het is interessant dat er een groter verschil lijkt te zijn in geboortegewicht tussen eeneiige tweelingen en twee-eiige tweelingen, mogelijk omdat de eersten in de baarmoeder soms de navelstreng delen.

Zelfs als er duidelijk verschil in gewicht of lengte bestaat, verdwijnt dat in het geval van eeneiige tweelingen in de loop der jaren. Twee-eiige tweelingen lijken meer te verschillen naarmate ze opgroeien en er is geen reden dat zij dezelfde lengte zouden hebben, meer dan tussen willekeurig welke broers en zussen ook. Alleen is het zo dat als kinderen precies even oud zijn, de verschillen duidelijker zijn. Tweelingen van dezelfde sekse lijken als volwassenen meer op elkaar dan een jongen-meisjetweeling.

Tweelingen worden net zo lang als eenlingen, hoewel onderzoeken uitwijzen dat ze vaak iets dunner zijn. Zowel MZ- als DZ-tweelingen zitten onder het gemiddelde gewicht, maar zijn wel van gemiddelde lengte. Kinderarts dr. John Buckler, deskundige op het gebied van groei bij tweelingen, geeft aan dat dit kan betekenen dat volwassen tweelingen misschien iets korter zijn dan hun ouders; zoals gezegd zijn die ouders vaak iets langer dan gemiddeld. Om dezelfde reden zijn tweelingen vaak kleiner van postuur dan hun eenlingbroers of -zussen.

Meisjestweelingen worden om de een of andere mysterieuze reden duidelijk langer dan jongens, maar zelfs dan zal de jongen als man gemiddeld 13 cm langer zijn dan zijn tweelingzus. De groei van drielingen zou gelijk zijn aan die van tweelingen, maar daarover is minder informatie beschikbaar. Buckler is van plan een langetermijnonderzoek (d.w.z. een aantal kinderen volgen over een lange periode) te beginnen om meer te weten te komen over de groei van tweelingen.

Intelligentie

Er wordt wel eens gezegd dat tweelingen niet zo slim zijn als hun eenlingbroers en -zussen en er zijn veel onderzoeken die aantonen dat het IQ (intelligentiequotiënt), zoals in officiële onderzoeken gemeten, bij een tweeling iets lager lijkt te zijn. Er is echter een aantal punten dat in het dagelijks leven – of zelfs het academisch leven – niet terzake doet en deze gemiddelde uitslagen zeggen niets over uw eigen tweeling, waarvan een of allebei heel slim kunnen zijn.

Tweelingen kunnen echter van elkaar verschillen. Een van de langstlopende langetermijnonderzoeken is de Louisville Twin Study in Kentucky. Die is 30 jaar geleden gestart en kijkt naar zowel de fysieke als de mentale ontwikkeling van tweelingen.

Het werk van Louisville en anderen stelt dat, net als in lengte en gewicht, MZ-tweelingen in IQ gelijk zouden zijn, terwijl DZ-tweelingen minder op elkaar lijken met het klimmen der jaren.

Een interessant feit is dat het IQ van een jongen-meisjetweeling meer gelijk is dan dat van DZ-tweelingen van dezelfde sekse. Maar waarom? Misschien omdat een tweeling van dezelfde sekse ver moet gaan om hun individualiteit te kunnen uiten, terwijl jongen-meisjetweelingen dat niet hoeven doen: de verschillen tussen hen zijn duidelijk en behoeven niet te worden benadrukt door ander gedrag.

Dit brengt me op de interactie tussen de genetica en de omgeving – de kern van het debat over natuur versus voeding in het algemeen en het onderzoek van tweelingen in het bijzonder. Neem bijvoorbeeld lezen. Onderzoekers van het Institute of Child Health in Londen die taalproblemen bij tweelingen bestuderen – een thema dat in hoofdstuk 9 wordt besproken – hebben bevestigd dat eeneiige tweelingen vaak dezelfde belemmeringen kennen, terwijl dat bij twee-eiige tweelingen niet het geval is. Een deel van de verklaring kan liggen in het feit dat eeneiige tweelingen vaak meer als eenheid worden behandeld, hoewel dit zeker niet de enige reden is. Een moeder zal waarschijnlijk haar beide kinderen tegelijk voorlezen of hen gelijk benaderen als ze heel erg op elkaar lijken.

Een groot deel van het werk op dit en andere gebieden is in gang gezet. Een organisatie die verantwoordelijk is voor het samenbrengen van alle soorten wetenschap op het gebied van tweelingen is de International Society for Twin Studies, die in 1974 werd ingesteld door de geneticus professor Luigi Gedda en die gevestigd is in Rome, de stad die gesticht zou zijn door Romulus.

Drielingen en meer

Hoe is het om een drie- of meerling te hebben? Als u drie of meer baby's verwacht, dan zult u waarschijnlijk meer meisjes dan jongens krijgen. Hoe meer baby's u tegelijk krijgt, hoe hoger het aantal meisjes. Ongeveer 51 procent van alle eenlingbaby's – maar slechts 46 procent van alle vierlingen – is mannelijk.

Net als tweelingen kunnen ook drielingen op meerdere manieren ontstaan. Ze zijn vaak trizygotisch – ontstaan uit drie bevruchte eitjes. Soms zijn ze dizygotisch (uit twee eitjes, waarvan een zich heeft gesplitst om een monozygoot paar te vormen, dat dan identiek is). Heel sporadisch zijn ze wel monozygotisch (een bevrucht eitje splitst zich en een van die helften splitst zich weer).

Ongeveer hetzelfde gebeurt – hoewel op een ingewikkelder manier – bij nog grotere aantallen. De Dionne-vijfling, die in de jaren '30 in Canada werd geboren, zou eeneiig (MZ) zijn.

Telkens ik met mijn drie kinderen (twee meisjes en een jongen) op stap ging, werd me gevraagd hoe ze verwekt waren. Ik dacht dat ze onwetend waren en vroeg me af of ik verondersteld werd het aanschouwelijk te beschrijven tot ik me realiseerde dat ze natuurlijk wilden weten of het reageerbuisbaby's waren of gewoon eigen werk.

Vruchtbaarheidsbehandelingen en meerlinggeboorten

Slechts een derde, of zelfs minder, van de geboren drie- of meerlingen wordt op de ouderwetse manier verwekt. De rest is het gevolg van diverse vormen van vruchtbaarheidsbehandelingen. Dit kan de enorme toename van drielingen in het laatste decennium verklaren.

Dergelijke technieken werpen allerlei ingewikkelde ethische vragen op, waarvan vele – net als het lot van de bevroren embryo's – buiten het bestek van dit boek vallen. Gewoon kijkend naar praktische zaken is het duidelijk dat grote aantallen meerlinggeboorten, samen met de medische vooruitgang die maakt dat steeds kleinere baby's in leven gehouden kunnen worden, een hoge druk op de ziekenhuiscapaciteit leggen.

Zoals een gynaecoloog in opleiding het zegt:

Een paar jaar geleden was ik op een morgen op de intensieve-zorgenafdeling voor baby's toen ik me realiseerde dat die letterlijk uitpuilde van de drielingen. Ik vroeg me af of meerlingzwangerschappen – met betrekking tot onze methoden in de vruchtbaarheidskliniek – nu een succes of een ramp waren.

Een op de zes stellen zou te maken hebben met vruchtbaarheidsproblemen, waarbij steeds meer mensen hulp zoeken voor hun problemen. Wereldwijd zijn de verschillende technieken verantwoordelijk voor 20 tot 33 procent van de tweelingen of meerlingen.

Op het eerste gezicht is *in-vitrofertilisatie* (I.V.F.) de meest voor de hand liggende oorzaak. Bij die techniek wordt bij de vrouw een superovulatie opgewekt om zoveel mogelijk eitjes (ova) op te wekken. Haar eitjes worden verzameld, in het laboratorium bevrucht en dan als embryo in de baarmoeder teruggezet.

Om de kans op succes zo groot mogelijk te maken, wordt meer dan één embryo teruggezet, maar hoeveel is goed? Te weinig en de techniek faalt. Te veel en het gevolg kan een meerlingzwangerschap zijn met een verhoogde kans om een of meer embryo's te verliezen (en dus mislukking).

Vruchtbaarheidsklinieken worden zich in toenemende mate bewust van het feit dat het terugplaatsen van minder embryo's uiteindelijk kan resulteren in een hoger slagingspercentage gezien het eindresultaat dat speelt voor de aanstaande ouders – niet de kale cijfers over aantallen zwangerschappen die door I.V.F. zijn ontstaan, maar het aantal baby's dat uiteindelijk thuiskomt.

Soms levert I.V.F. meerlingen op van verschillende eitjes, althans in theorie. In de praktijk resulteert het soms in meerlingen die ook eeneiig (MZ) zijn, wat betekent dat drielingen van I.V.F. niet altijd trizygotisch zijn. Vruchtbaarheidsdeskundigen denken nu dat er in de buitenste laag (zona pellucida) van het ovum tijdens de I.V.F iets verandert, zodat de buitenste laag toegankelijker wordt en dus eerder zal splitsen zodat er twee identieke embryo's ontstaan.

Hoeveel embryo's teruggeplaatst worden bij I.V.F., verschilt per land. In Groot-Brittannië worden niet meer dan drie embryo's in de baarmoeder teruggezet. In Frankrijk is er geen controle op het aantal embryo's, maar worden er minder teruggezet dan voorheen. In Nederland is het aantal terug te plaatsen embryo's in principe twee per behandeling. En in België zijn er geen wettelijke of reglementaire normen vastgelegd, maar veel centra geven er nu de voorkeur aan, in gunstige gevallen, één embryo terug te plaatsen.

I.V.F. mag dan nu de vruchtbaarheidstechniek zijn die het beste beheerst wordt, het is niet de enige. Er bestaat bijvoorbeeld ook G.I.F.T. (Gamete Intra-Fallopian Transfer), maar er zijn veel gewonere manieren, waarbij de ovulatie wordt opgewekt. Deze worden niet altijd juist of onder toezicht toegepast.

Eigenlijk zijn nu veel meer drielingen het resultaat van kunstmatig opgewekte ovulatie in plaats van I.V.F., een punt dat sommige artsen al onder ogen zien. The National Study of Triplet and Higher Order Births, opgericht in Groot-Brittannië in 1990, heeft vastgesteld dat bij 35 procent van de moeders met drielingen de ovulatie kunstmatig is opgewekt, en dat dat zelfs bij 70 procent van de moeders van vierlingen het geval was.

Medicijnen die een ovulatie opwekken, zijn een relatief eenvoudige behandeling bij onvruchtbaarheid en gemakkelijk toe te passen, maar ze kunnen problemen veroorzaken als ze zonder juiste begeleiding worden toegediend. Een vrouw zal pas als het te laat is, weten dat ze twee, drie of zelfs meer eitjes in één cyclus produceert in plaats van dat ene gewenste.

Ik ben er heel boos om. Ja, ik werd zwanger toen ik dat wilde, maar ik wilde maar één baby tegelijk.

Er zijn huisartsen en enkele specialisten die ovulatiestimulerende middelen op die manier voorschrijven. Hoewel het een veel snellere manier is om een zwangerschap op te wekken dan te moeten wachten op een afspraak met een specialist, is het duidelijk dat een met medicijnen opgewekte ovulatie vrouwen schade kan berokkenen als ze niet zorgvuldig begeleid worden.

Stellen die voor vruchtbaarheidsproblemen worden behandeld, zouden duidelijk te horen moeten krijgen dat de kans bestaat op een meerlingzwangerschap. Elk centrum waar I.V.F. wordt toegepast, dient dit bij een gesprek toe te lichten, zodat stellen met een kinderwens weten dat ze een tweeling, drieling of meerling kunnen verwachten. Er is echter een groot verschil tussen horen wat er wordt gezegd en het beseffen van de praktische uitvloeisels.

Een stel kan zo wanhopig naar een kind verlangen dat een meerlingzwangerschap niet zo'n grote opoffering lijkt en ze zullen zowel de risico's als de problemen snel onderschatten. Vooral oudere vrouwen hebben het gevoel dat de tijd dringt. Anderen zullen zelfs de gedachte aan een kant-en-klaar gezin toejuichen, vooral als ze grote offers hebben gebracht om de behandeling te kunnen betalen, zoals de velen die de behandeling niet via de ziektekostenverzekering vergoed krijgen.

Afgezien van de kosten van de behandeling zelf, is het opvoeden van kinderen een dure zaak. Grofweg kun je stellen dat het eerste jaar van een kind de ouders zo'n 5000 euro kan kosten. Alleen al aan de benodigdheden voor een baby bent u makkelijk zo'n 1200 euro kwijt, als u denkt aan kleding, een bedje en dergelijke. Omdat u bijna alles dubbel moet hebben (behalve dan dingen als een badje) voor elke baby die tegelijk geboren wordt, kost een drieling het eerste jaar rond de 3500 euro. Dan is er het, mogelijk tijdelijk, wegvallen van het inkomen van een van de ouders, en vaak is er tegelijk een groter huis nodig. Heel veel gezinnen met meerlingen zien zich gedwongen het huis uit te breiden of een hogere hypotheek te nemen als de financiën tijdelijk tekortschieten.

Heel kleine baby's moeten vaak vechten om in leven te blijven. Afgezien van de enorme uitwerking die het heeft op de emotionele en financiële bronnen van een gezin als een of meer baby's gehandicapt zijn en extra zorg nodig hebben, brengen zelfs gezonde meerlingen al heel wat kosten met zich mee. Men schat dat een moeder van een drieling voor de verzorging van de kinderen en de aanverwante huishoudelijke klussen ongeveer 197,5 uur per week nodig heeft, een hoeveelheid uren die zelfs een arts-assistent in een ziekenhuis van zijn stuk zou brengen. Omdat er slechts 168 uur in een week zitten, moet er extra hulp gezocht (en gevonden) worden of er moeten veel taken vervallen.

Het is vrij zwaar om een vruchtbaarheidsbehandeling te ondergaan en als die leidt tot meerlingen, kan een relatie onder druk komen te staan door de vele moeilijkheden waarmee het stel geconfronteerd wordt. Dit is het gewenste ouderschap – bij wie kunnen ze terecht met hun twijfel, kunnen ze toegeven dat ze niet perfect zijn? Mensen zijn niet altijd aardig en zullen zelfs tegen een stel zeggen dat ze zichzelf in de nesten hebben gewerkt. De Nederlandse Vereniging voor Ouders van Meerlingen en de Belgische V.Z.W. Twins bemiddelt bij lotgenotencontact en zal u wellicht in contact kunnen brengen met lokale gespreksgroepen; het kan heel goed zijn om hierover te praten met meerlingouders.

Hoofdstuk 2

De meerlingzwangerschap

De zwangerschap van twee of meer baby's voelt vaak heel anders dan de zwangerschap van één kind, alleen al door de omvang. Tot zo'n 24 à 26 weken van de zwangerschap is de groei van elke tweeling (en mogelijk elke drieling) ruwweg hetzelfde als bij één baby. Dat betekent dat u in elke fase van de zwangerschap iets zwaarder wordt. Met 20 weken bijvoorbeeld is de fundus (het bovenste deel) van de baarmoeder bij een eenlingzwangerschap op 20 cm boven het schaambeen te voelen. Verwacht u een tweeling, dan ligt de fundus waarschijnlijk zo'n 4 cm of meer hoger. Tegen de tijd dat u 28 weken zwanger bent, kunt u zich voelen en er uitzien als een vrouw die 40 weken zwanger is van één kind.

Tegen de tijd dat u uitgerekend bent, kan de omvang van de baarmoeder bijna tweemaal zo groot zijn. Rond die tijd is het volume van de baarmoeder 5 liter bij een eenling en bijna 10 liter bij een tweeling!

Ik was enorm uitgedijd. Vanaf de 30ste week porde er constant iets onder mijn ribben en de aanblik van opzij in de spiegel was angstaanjagend – ik heb foto's gemaakt om het te bewijzen. Rond 37 weken kon ik nauwelijks met mijn benen naast elkaar zitten omdat die bult zoveel ruimte innam.

Gelukkig zult u waarschijnlijk niet zo lang zwanger zijn als van één kind.

- Waar de totale zwangerschapsduur van een eenling 40 weken is, wordt 37 weken als totale zwangerschapsduur voor een tweeling beschouwd, waarbij een-eiige tweelingen vaak iets eerder komen dan twee-eiige.
- Voor drielingen is de gemiddelde duur van de zwangerschap 34 weken.
- Voor vierlingen is dat 33 weken – bijna twee maanden korter dan een eenlingzwangerschap.

De vroeggeboorte, als de baby's eerder komen dan verwacht, is een van de grootste problemen bij een twee- of meerlingzwangerschap. Deze wordt behandeld in hoofdstuk 3. Andere symptomen en complicaties die vaker voorkomen bij meerlingzwangerschappen, worden hier besproken, tegelijk met de belangrijke fysieke en emotionele aanpassingen die nodig zijn voordat de baby's komen.

Dubbel zo zwanger?

Er zijn vrouwen die zwanger zijn van meerdere kinderen, die in sommige gevallen allang voor de eerste echo weten dat ze meer dan één kind dragen. U zult uw zwangerschapskleding al veel eerder aan moeten dan u had gedacht (hoewel dit overigens heel gewoon is bij tweede en volgende zwangerschappen, misschien omdat de onderbuikspieren bij een vrouw dan slapper zijn). Of u zult ontdekken dat u iets anders gevormd bent, met een kleine, maar duidelijke bult naar de zijkanten in plaats van naar voren. U zult misschien ook meer voelen schoppen. Sommige vrouwen vinden het prachtig om hun specialist te slim af te zijn:

Ik wist gewoon dat er iets anders was en al snel nadat ik de zwangerschapstest had gedaan, vroeg ik me hardop af of ik misschien zwanger was van een tweeling. Ik voelde me veel beroerder dan bij de eerste, hoewel een bevriende arts zei dat het deze keer misschien een meisje zou worden. De arts-assistent in het ziekenhuis geloofde me ook niet. Ze stuurde me door voor een echo, waarbij ze op het formulier schreef 'om een tweeling uit te sluiten'. Ik dacht nog: 'Wat een onzin – ze bedoelt natuurlijk om een tweeling vast te stellen.'

Voordat de echo bevestigde dat het om een tweeling ging, werd ik onderworpen aan een kruisverhoor door de gynaecoloog, die dacht dat mijn zwangerschap gewoon wat verder gevorderd was dan ik aannam. Ze vroeg me een paar keer of ik zeker was van de datum van mijn laatste menstruatie en dat was het geval. Ik was, als accountant, eigenlijk beledigd door haar duidelijke beschuldiging en ik antwoordde verontwaardigd dat ik niet alleen de dagen van de week kende, maar ook de maanden van het jaar.

Gewichtsveranderingen

Gewichtstoename in de zwangerschap verschilt, niet alleen naargelang de baby's groeien, maar ook afhankelijk van het (over)gewicht waarmee u begon. Er zijn vrouwen die bijna 25 kilo aankomen bij een tweeling, hoewel dat meestal minder is. Hoeveel *u* gaat aankomen – en wanneer – is moeilijk te zeggen, vooral bij meerlingen, omdat dit gewoon niet vaak genoeg voorkomt om een goed uitgangspunt te hebben. Een aantal onderzoeken bij elkaar geeft echter aan dat een goede of 'aanbevolen' gewichtstoename zou kunnen zijn:

- Voor een tweelingzwangerschap een totaal van 18 kilo, bij voorkeur 11 kilo tot week 24 en daarna 0,6 kilo per week tot de bevalling.
- Voor drielingen een totale gewichtstoename van 22,7 kilo, bij voorkeur 16 kilo tot week 24, daarna 0,6 kilo per week tot de bevalling.
- Voor vierlingen een totale gewichtstoename van 31 kg.

Andere lichamelijke veranderingen

Tegelijk met de toenemende bult verandert er binnenin nog meer. De manier waarop het lichaam van een vrouw zich aanpast aan het dragen en voeden van meer dan één foetus tegelijk, is niet even goed bestudeerd als de gemiddelde eenlingzwangerschap, maar er zijn toch enkele veranderingen bekend.

Hart en bloedsomloop

In de bloedsomloop van de moeder gaat de hoeveelheid bloed (of preciezer gezegd de hoeveelheid plasma, dat is het bloed minus alle cellen die erin zitten) in de eerste drie maanden van de zwangerschap langzaam toenemen. In de volgende drie maanden neemt dit snel toe en dat blijft doorgaan, hoewel veel langzamer, tot een bepaald niveau op enkele weken voor de bevalling. Wie dus maar één baby draagt, heeft een maximale hoeveelheid bloed van bijna 50 procent meer dan voor de zwangerschap. Bij een tweelingzwangerschap echter doet zich het verbazingwekkende feit voor dat het maximum bijna het dubbele is van het niveau van voor de zwangerschap (niet dat u er iets van merkt – de toename zit helemaal binnen de bloedvaten).

Om de toename van de hoeveelheid bloed te kunnen bijhouden en de bloedstroom te kunnen rondpompen, moet het hart veel harder werken bij een meerlingzwangerschap. Dit is niet zo erg, tenzij u al hartproblemen had, of later in de zwangerschap inspannende oefeningen gaat doen. Praktisch gezien betekent dit dat u bijvoorbeeld niet moet gaan squashen tegen het einde van uw tweelingzwangerschap, ook al omdat u daar waarschijnlijk geen zin in zult hebben. Als u zich afvraagt hoeveel u mag en kunt sporten, overleg dat dan met uw arts.

Bloedarmoede

Het dragen van meer dan één baby doet een aanslag op de reserves ijzer en foliumzuur die de moeder heeft. Men schat dat een zwangere vrouw voor zichzelf 570 mg extra ijzer nodig heeft tijdens de zwangerschap plus er nog eens 430 mg bovenop voor elke foetus. De ijzervoorraden van een vrouw zijn hierdoor vaak laag bij een meerlingzwangerschap, hoewel dit alleen door een ingewikkelde test kan worden aangetoond, zoals beenmergonderzoek, wat niet routinematig wordt gedaan.

Een vrouw die zelf goed gevoed is, kan vaak de extra eisen van een tweeling-zwangerschap wel aan zonder bloedarmoede te krijgen. Schots onderzoek toont aan dat bloedarmoede niet méér voorkomt bij een tweeling- dan bij een eenling-zwangerschap. Daarom zijn gynaecologen tegenwoordig geneigd aanstaande moeders niet zonder meer aanvullende ijzertabletten te geven, of ze nu een twee-ling verwacht of niet. Veel andere gynaecologen doen dat echter automatisch wel.

Het is duidelijk dat er iets gedaan moet worden als er sprake is van bloedar-moede (meestal met tabletten, maar soms met injecties). Bloedarmoede is een van de zaken die bij een routinematig, prenataal bloedonderzoek aan het licht komen en u zult uw HB(hemoglobine)-gehalte al wel te horen hebben gekregen. Het HB moet zonder meer beoordeeld worden: het is normaal dat het zakt, maar dat komt omdat de hoeveelheid bloed toeneemt, zoals hiervoor is uitgelegd. Na 20 weken is het gemiddelde HB bij een tweelingzwangerschap bijvoorbeeld zo'n 10 g/dl (het normale HB-niveau is 12 tot 14), niet noodzakelijk omdat de vrouw gevaarlijke bloedarmoede kan krijgen, maar omdat er een grotere hoeveelheid rode bloedcellen rondzwemt. Het is een van de cijfers van het bloedonderzoek (de gemiddelde HB-concentratie *per cel*) die laat zien of er werkelijk sprake is van bloedarmoede.

Zwangerschapssymptomen

Heel veel aanstaande moeders voelen zich op hun best tijdens de zwangerschap, terwijl andere deze blijde tijd verpest zien door een of meer zwangerschapssymp-tomen als:

- misselijkheid of braken
- maagzuur
- constipatie
- hoofdpijn
- spataderen
- aambeien
- rugpijn
- slapeloosheid

In de praktijk kunnen deze voor heel wat narigheid zorgen, maar toch zijn het goed beschouwd kleine problemen (die vaak door artsen worden weggewuifd) omdat ze medisch gezien niet ernstig zijn. Ze worden voornamelijk veroorzaakt door de uitdijende baarmoeder, de zwangerschapshormonen of de manier waar-op uw lichaam zich moet aanpassen. In sommige gevallen geldt dat hoe ernstiger de symptomen zijn, hoe beter de baby's groeien. Het is dus geen wonder dat medici niet erg onder de indruk zijn van uw klachten. Later in dit hoofdstuk vindt u een aantal tips om uzelf te verzorgen en met de zwangerschapssymptomen om te gaan.

Medische complicaties

Afgezien van pijnen en pijntjes is een meerlingzwangerschap vanuit zuiver medisch oogpunt bekeken, ingewikkelder. De mogelijkheid van complicaties, hoe klein die ook mag lijken, is een heel goede reden voor prenatale zorg. Bij een meerlingzwangerschap zal een gynaecoloog u graag wat beter in de gaten houden dan het geval zou zijn bij slechts één baby.

Een tweeling- of meerlingzwangerschap is voor de mens niet de regel, en dat moet de aanstaande moeder (en zij die voor haar zorgen) goed bedenken. Het extra risico dat meespeelt bij een tweelingzwangerschap is een feit dat u moet accepteren, ongeacht hoe gemakkelijk of vlotjes een eventuele eerdere zwangerschap ook verlopen is. Hoewel er geen reden is om wakker te liggen uit zorg over zeldzame kwalen, moet u ook weer niet té onbezorgd gaan doen.

Dit moet een fijne tijd voor u worden. In veel gevallen kan de prenatale zorg worden gedeeld door het ziekenhuispersoneel en de gynaecoloog, maar u zult wat vaker moeten komen en er moeten meer echo's worden gemaakt. Bij elk bezoek zult u misschien meer mensen zien; dat is niet alleen omdat tweelingen voor deskundigen zo boeiend zijn, maar omdat teamwerk een belangrijk onderdeel is van effectieve prenatale zorg en een goede manier vormt om u en uw baby's goed te kunnen begeleiden. Hoewel de meeste vrouwen goed door hun meerlingzwangerschap rollen zonder een of meer van de volgende complicaties, is er statistisch het risico van:

- vaginaal bloedverlies (waaronder miskraam, loslaten van placenta en bloedarmoede voor de bevalling)
- pre-eclampsie (zie blz. 30)
- groeiachterstand van de foetus(sen)
- hydramnion of te veel vruchtwater (zie blz. 31)
- tweeling-transfusiesyndroom (zie Aanhangsel, blz. 231)

Ik moet me verontschuldigen als er nu lezers zijn die schrikken of zelfs gealarmeerd worden door de navolgende toelichting. U kunt ze overslaan als u ze niet wilt lezen. Net zoals vele artsen echter denk ik dat er gewaarschuwd moet worden voor de mogelijkheid van deze complicaties. Het feit dat u zich ervan bewust bent kan, naar mijn mening, het leven van uw baby's redden.

Vaginaal bloedverlies

Dit zou bijna drie keer vaker voorkomen bij een tweelingzwangerschap dan bij een eenlingzwangerschap, hoewel precieze cijfers moeilijk te krijgen zijn. De exacte oorzaak van het verhoogde risico is onbekend. Je zou verwachten dat dat het vaker voorkomen van een placenta praevia (waar een van de twee placenta's heel laag in de baarmoeder ligt) zou zijn, puur omdat er bij een meerlingzwangerschap meer van de uterus in gebruik genomen wordt door de placenta's, maar dit verklaart niet geheel het extra risico van bloedingen bij tweeling- of meerlingzwangerschappen.

Bloedverlies tijdens de zwangerschap komt eigenlijk van de baarmoederwand en niet van de baby's. Wel geldt dat hoe zwaarder het bloedverlies is, des te groter de kans is dat het ernstig is, zoals u wel vermoedde. Heel veel vrouwen die tijdens de zwangerschap hebben gevloeid, baren gezonde baby's, maar daar kan niet van uitgegaan worden. Neem altijd meteen contact op met de gynaecoloog bij bloedverlies tijdens de zwangerschap.

Pre-eclampsie

Niet alle vrouwen kennen het begrip pre-eclampsie (of zwangerschapshypertensie), maar toch is het de meest voorkomende doodsoorzaak onder zwangere vrouwen en kunnen daarbij ook een of meerdere baby's sterven, dus is het belangrijk dit serieus te nemen. Zwangerschapshypertensie komt vaker voor bij primigravidae (vrouwen die voor het eerst zwanger zijn) en zou veroorzaakt kunnen worden door een afwijking in de placenta of placenta's. Het is niet helemaal duidelijk wat het probleem is en het lopende onderzoek is erop gericht het verschijnsel beter te kunnen begrijpen en te behandelen.

Zwangerschapshypertensie beïnvloedt de groei van de foetus en veroorzaakt hoge bloeddruk, proteïne in de urine van de moeder en het vasthouden van vocht. Een vroeg symptoom is vaak overmatige gewichtstoename van bijvoorbeeld meer dan 1 kilo per week. Vroegtijdig signaleren van zwangerschapshypertensie is een van de belangrijkste redenen om de prenatale controles na te komen. Bloeddruk, urine en gewicht moeten elke keer gecontroleerd worden.

Bij tweelingzwangerschappen is zwangerschapshypertensie een veelvoorkomend verschijnsel. Ongeveer een vijfde van alle voor het eerst barende vrouwen in verwachting van een eenling heeft een milde vorm van zwangerschapshypertensie en dat is ongeveer een kwart bij de vrouwen die een tweeling verwachten. Ernstige zwangerschapshypertensie, waarbij proteïne in de urine aangetoond wordt, komt ongeveer half zo vaak voor. Een ernstige zwangerschapshypertensie kan leiden tot hypertensie bij de vrouw. Kenmerkend is dat ze last zal hebben van stuipen (convulsies) en soms blijvende nierbeschadiging oploopt.

Is zwangerschapshypertensie vastgesteld, dan moeten de baby's meestal onmiddellijk geboren worden, aangenomen dat ze groot genoeg zijn om buiten de baarmoeder te kunnen overleven. De beslissing wanneer de bevalling gaat plaatsvinden is bij meerlingen iets moeilijker dan bij één baby. Soms kan het doen dalen van de bloeddruk alleen al helpen de zwangerschapshypertensie te behandelen.

Polyhydramnion

Polyhydramnion (ook wel hydramnion genoemd) is een teveel aan vruchtwater, vaak tot een punt dat het voor de vrouw onaangenaam wordt, maar ook zo dat het voor de gynaecoloog moeilijker wordt om de foetus te voelen.

Hydramnion treft ongeveer 5 procent van de meerlingzwangerschappen. Het aftappen van wat vruchtwater kan het voor de moeder aangenamer maken. Aan de andere kant bestaat daarbij het risico dat daardoor een vroeggeboorte wordt opgewekt. Het echte risico van hydramnion is dat er andere complicaties mee verbonden zijn, vooral het tweeling-transfusiesyndroom. Daarom zult u, als er sprake is van te veel vruchtwater, waarschijnlijk doorgestuurd worden voor een echoscopie om zeker te stellen dat alles in orde is.

Echoscopie

Een echoscopie maakt gebruik van golven van dezelfde soort als geluidsgolven. Toen ze werden ontdekt, nam men aan dat ze absoluut veilig waren omdat er niet gebruikgemaakt wordt van röntgenstralen, maar de laatste jaren zijn er enkele twijfels gerezen over zowel de toenemende rol en de werkelijke veiligheid van echoscopie. Er zijn geen sluitende antwoorden, maar sinds de jaren '70 wordt echoscopie op grote schaal toegepast en er is geen bewijs dat het een schadelijke methode is. Echoscopie dient vele doelen, zoals:

- bevestigen van de te verwachten geboortedatum
- lokaliseren van de placenta (bijvoorbeeld het diagnosticeren van een voorliggende placenta)
- het ontdekken van aangeboren afwijkingen
- het veilig kunnen doen van onderzoeken als amniocentesis (vruchtwaterpunctie) en chorionvillusbiopsie (vlokkentest)
- het vóór de bevalling vaststellen van een stuitligging (dit kan invloed hebben op de methode van bevallen)

Bij meerlingzwangerschappen speelt echoscopie een belangrijke bijkomende rol in:

- het opsporen van twee- of meerlingzwangerschappen op de eerste plaats
- het volgen van de groei van elke baby
- het opsporen van afwijkingen op punten waarop eeñ bloedonderzoek dat niet kan
- het aan het licht brengen van welke tweelingzwangerschappen heel groot risico met zich meebrengen (zie het deel over chorionisme in het Aanhangsel)
- het diagnosticeren van zwangerschapscomplicaties zoals tweeling-transfusie-syndroom (zie ook het Aanhangsel)
- het observeren van de interactie tussen de tweeling voor de geboorte (zie hoofdstuk 8)

Diagnosticeren van meerlingen

Het eerste contact met de echoafdeling zal wel gedenkwaardig zijn, want dit is mogelijk het moment waarop u (officieel) ontdekt dat u meer dan één baby verwacht. In feite moeten alle eerste echo's in een zwangerschap controleren op tweelingen, omdat niet elke vrouw symptomen of een familiegeschiedenis heeft waaruit blijkt dat de kans op meerlingen bestaat.

Meestal wordt de eerste echo rond achttien weken gedaan, maar dat kan eerder zijn als er bijvoorbeeld:

- een vruchtbaarheidsbehandeling is toegepast;
- geen zekerheid bestaat over de datum van de laatste menstruatie;
- zich symptomen als vloeien voordoen.

Heel veel ziekenhuizen kunnen een tweeling- of meerlingzwangerschap met 95 tot 100 procent zekerheid vaststellen, zodat de tijd waarin meer dan de helft van de tweelingen als verrassing bij de bevalling kwam, gelukkig voorbij is. Maar een tweeling kan nog altijd over het hoofd worden gezien als een echoscopie heel vroeg (voor 12 weken) wordt gedaan, en vooral als degene die de echo maakt, niet zo heel veel ervaring heeft.

Soms worden drielingen wel eens gemist. Ongeveer 6 procent van de drielingen en 16 procent van de vierlingen worden pas ontdekt op echo's laat in de zwangerschap. Het is ongebruikelijk, maar niet ongewoon, dat het nieuws 'Het zijn er twee' bij de volgende echo wordt gevolgd door 'Het zijn er drie' en zelfs vier op een daaropvolgende echo... Meestal zult u al liggen als u dat hoort en ze zeggen dat je niet kunt flauwvallen als je je in een horizontale positie bevindt.

Voor de meeste vrouwen komt het opwindende nieuws dat ze een tweeling gaan krijgen als een enorme schok. De manier waarop dit nieuws wordt gebracht, kan leiden tot verdriet:

De verpleegkundige keek fronsend naar het scherm en mompelde iets. Ze leek me niet te horen toen ik vroeg of alles in orde was. Ze zei alleen dat ze er een collega bij zou halen en dat het niet lang zou duren. Ik lag daar en mijn leven trok aan me voorbij. Mijn kind was mismaakt. Het nieuws trok een scheiding: ervoor en erna. Ik was heel geëmotioneerd. Na wat eeuwen later leek, kwam de verpleegkundige terug met iemand anders en toen kreeg ik te horen dat ik een tweeling zou krijgen. Ik was zo opgelucht dat ik het nauwelijks kon geloven.

Het mag misschien onwerkelijk lijken en als u op weg naar huis bent zult u misschien twijfelen of u het goed gehoord hebt. Heel veel echoafdelingen kunnen u, soms tegen een geringe vergoeding, een foto van de echo geven. Men zegt dat dit kan helpen om gewend te raken aan het idee van twee (of meer) baby's, maar of u nu wel of niet een foto hebt, de eerste echo is waarschijnlijk het moment waarop de levenslange relatie met uw kinderen een aanvang neemt.

Het zou fijn zijn als degene die de echo doet, meteen een antwoord zou kunnen geven op uw vragen over tweelingen, maar dit is vaak niet mogelijk. Het is daarom goed om vrij snel na de vaststelling van een meerlingzwangerschap contact op te nemen met de Nederlandse Vereniging van Ouders voor Meerlingen of de Belgische V.Z.W. Twins. Veel vrouwen ervaren het als heel prettig om vlak na het constateren van de tweelingzwangerschap contact te kunnen leggen met de vereniging.

Het volgen van de groei

Afgezien van al de rest geldt: hoe groter de bult wordt, des te beter de baby groeit, maar wat kan de algehele grootte u bij een tweelingzwangerschap vertellen over elke baby? Niet veel.

Bij een vrouw die een tweeling verwacht, wordt daarom vanaf 28 weken regelmatig – ongeveer elke twee weken – een echoscopie gemaakt. Dit is het moment waarop de groei van de tweeling iets kan achterblijven; en een echo in het latere stadium van de zwangerschap kan de groei van elke baby apart volgen. Dat speelt ook een rol in het vaststellen van het tweeling-transfusiesyndroom.

Vroege afbreking van de zwangerschap

Het is een triest feit dat soms beide baby's niet de hele zwangerschap overleven. Er zijn vrouwen bij wie al vroeg uit de echo blijkt dat ze een van beide foetussen lang voor de bevalling zullen kwijtraken, met of zonder vaginaal bloedverlies. Soms zijn de symptomen kenmerkend voor een miskraam, maar de vrouw blijft zich zwanger voelen en de zwangerschapstest blijft positief, omdat één foetus van de tweeling afgestorven is en niet de hele zwangerschap is beëindigd.

Hoewel niemand kan voorspellen welke vrouwen dit zal overkomen, is het risico van een vroeg verlies hoger voor twaalf weken en het hoogst voor acht weken. Hieruit volgt dat hoe eerder er een echo wordt gemaakt, des te vaker het verschijnsel te zien is. Het zogenaamde 'verdwijnende tweeling'-syndroom is iets waarover nog maar weinig bekend was voor de echoscopie routine werd, maar het is nu steeds duidelijker dat het vrij gewoon is.

Ook bij eenlingen bestaat een groot aantal vroege afbrekingen van de zwangerschap. In feite is het zo dat hoe meer je erover weet, hoe waarschijnlijker het is dat veel zwangerschappen afsterven. Het mag oneerlijk lijken, maar we weten niet waarom dit gebeurt. Er zijn deskundigen die denken dat ongeveer een kwart van de natuurlijke zwangerschappen uitgedragen wordt en dat 12 tot 15 procent van alle levendgeborenen als tweeling gestart is.

Het vooruitzicht voor de overlevende baby lijkt uitstekend. Verliest u echter een van de baby's, dan zullen u en uw partner te maken krijgen met gevoelens die u moet zien te verwerken.

Opsporen van afwijkingen

In veel ziekenhuizen is het mogelijk een zogenaamde anomale echo te doen, meestal rond de twintig weken, hoewel dat veel gemakkelijker tussen de tien en veertien weken gedaan kan worden. Vaak wordt dit alleen gedaan als:

- er een familiegeschiedenis is of een geschiedenis van genetische defecten;
- de moeder diabetespatiënt is;
- er hydramnion is geconstateerd.

Wordt de mogelijkheid van een van deze echo's niet geboden, dan kunt u er een vragen, maar dan moet u die wel zelf betalen.

Een anomale echo van een tweeling neemt twee keer zoveel tijd als van een eenling. Er kunnen verschillende afwijkingen worden vastgesteld, bijvoorbeeld van het hart, de maag, de onderbuikwand en de ruggengraat of het centraal zenuwstelsel. Het vaststellen dat er iets mis is, is vaak maar het eerste stadium in het diagnosticeren van het probleem; er zal waarschijnlijk nader onderzoek nodig zijn. Stelt de gynaecoloog voor dat er verder ingegrepen moet worden op basis van de bevindingen van de echoscopie, dan zal de echo mogelijk herhaald moeten worden om zeker te weten dat de informatie accuraat en actueel is.

Nuchal translucency

Bij dit verschijnsel is er bij een echo op de nek van de foetus een dikke nekplooi of eigenlijk een doorschijnend gebied te zien, gevuld met vocht. Dit kan een vroeg signaal zijn van het syndroom van Down (trisomie) en soms ook van een andere afwijking, vooral van het hart.

Het is vooral een bruikbaar gegeven bij meerlingzwangerschappen, omdat er tot dusver geen andere effectieve middelen zijn ontdekt om het syndroom van Down bij twee- of meerlingzwangerschappen op te sporen zonder invasief onderzoek. De test wordt in heel veel ziekenhuizen gedaan en lijkt routine te worden. Deze test wordt uitgevoerd tussen de elfde en de dertiende week, meestal door de buik van de moeder, zoals elke echo, maar om een goed beeld te krijgen wordt de voeler soms in de vagina gebracht.

Bedenk wel dat nuchal translucency alleen maar een opsporingsmethode is en niet de definitieve diagnose. Is de uitslag positief, dan zult u nog een onderzoek moeten ondergaan (CVB of amniocentese) om het definitieve antwoord te krijgen. In de meeste gevallen zullen de resultaten van deze uitgebreide onderzoeken nog altijd normaal zijn, maar u krijgt later de kans om een anomale echo te laten maken. In het onwaarschijnlijke geval dat er een afwijking wordt geconstateerd, zal verder advies van het ziekenhuis volgen.

Prenataal onderzoek

Het wachten op de uitslag na een onderzoek is heel naar. Aan de andere kant vinden veel vrouwen een onderzoek geruststellend. Er is veel verwarring omtrent wat prenataal onderzoek kan en niet kan. Bij een meerlingzwangerschap doen zich bovendien bijzondere problemen voor, dus laten we het in zijn geheel bekijken.

Een groeiend deel van de prenatale zorg bestaat uit het onderzoek naar allerlei afwijkingen aan de foetus, vooral het syndroom van Down en neurale-buisafwijkingen (NTD). NTD ofwel Neural Tube Defect is de medische term voor een aantal afwijkingen van het centraal zenuwstelsel, waarvan de bekendste spina bifida en anencefalie (onderontwikkeling van de hersenen) zijn. Het onderzoek kan bestaan uit:

- invasief onderzoek (bijvoorbeeld amniocentese of CVB, de zogenaamde vlokkentest)
- niet-invasief onderzoek (bijvoorbeeld echoscopie of bloedafname van de moeder)

Onderzoek in een twee- of meerlingzwangerschap kan technisch moeilijk zijn, bijvoorbeeld wat betreft het interpreteren van het resultaat (van niet-invasief onderzoek) of omdat er meer onderzoek nodig is om een invasief onderzoek veilig te kunnen doen. Daarbij zijn er de ethische en emotionele kant: wat ga je met het resultaat aanvangen? Zijn er bezwaren tegen zwangerschapsonderbreking onder alle omstandigheden, dan hebben sommige van deze prenatale onderzoeken geen zin. U zult daarover uw eigen mening hebben.

Tweelingzwangerschappen waarbij slechts één baby afwijkingen vertoont, vormen ook een dilemma. Het is nu mogelijk onder bepaalde omstandigheden een meerlingzwangerschap selectief te beëindigen (dit punt wordt behandeld in het Aanhangsel), een beslissing die een enorm verantwoordelijkheidsprobleem vormt voor elk stel in deze situatie. Het is moeilijk genoeg om één baby te verliezen, maar psychologen hebben ondervonden dat rouw om één baby terwijl je tegelijkertijd van een ander, even oud kind zwanger bent, conflicten kan opleveren. Aan de andere kant kunnen gezonde meerlingen al genoeg uitdaging opleveren voor ouders, laat staan als een van de kinderen ernstig gehandicapt is.

Dan zijn er algemene waarschuwingen die met betrekking tot alle prenatale onderzoeken zouden moeten worden (maar niet altijd worden) gegeven. Onderzoek geeft niet noodzakelijkerwijs 100 procent positief of negatief resultaat en kan soms misleidend zijn. Er zijn onderzoeken die alleen *aangeven* dat een baby iets mankeert, en de cijfers zijn niet altijd gemakkelijk te interpreteren. Als het resultaat groter is dan 1 op 300 (zeg dat het 1 op 150 is), dan heet het onderzoek meestal positief. Als het resultaat kleiner is dan 1 op 300 (stel 1 op 400), dan heet het negatief (ja, dat is de omgekeerde kant).

Een bijkomend nadeel is dat er, omdat het resultaat de mogelijke diagnose kan zijn, niet zoveel gezegd kan worden over de ernst van de aandoening van deze ene baby. Een voorbeeld: anencefalie is vrij duidelijk omdat het meestal fataal is, maar een kind met het syndroom van Down kan heel gelukkig en aanhankelijk zijn, en heel fijn om te verzorgen. Moet ik er nog aan toevoegen dat dat niet altijd het geval is bij elk zogenaamd normaal kind?

Het kan allemaal heel ontmoedigend klinken, maar zwangere vrouwen en de deskundigen die hen begeleiden, moeten deze zaken tevoren overwegen en niet als er een positief resultaat uit de bus komt. In feite is een negatief resultaat verreweg de meest waarschijnlijke uitslag en dat kan heel geruststellend werken. Hier is ook een waarschuwing op zijn plaats: onderzoek zegt niet dat alles in orde is. In laatste instantie zijn leven en groeiend leven altijd een gok. Er is niet een soort garantie op een perfect kind.

U hebt niet zoveel geluk nodig: meer dan 98 procent van de baby's die worden geboren, is kerngezond, zodat de kans bestaat dat u niet eens wordt geconfronteerd met een van deze dilemma's. Het is echter belangrijk dat u, voordat u onderzoeken ondergaat, de weg kent die u zou willen of moeten gaan. Uw gynaecoloog of huisarts kan u zeker helpen bij het nemen van de beslissingen, hoewel u en uw partner uiteindelijk degenen zijn die de beslissing moeten nemen.

Uw zorgen

Bij een twee- of meerlingzwangerschap zult u waarschijnlijk bezorgder zijn dan bij een eenlingzwangerschap. Vraag je ten slotte niet veel met twee of meer gezonde baby's? Maar in feite komen afwijkingen bij meerlingen niet meer dan gewoonlijk voor bij eenlingen. Het syndroom van Down bijvoorbeeld komt niet meer voor, rekening houdend met het feit dat moeders van tweelingen vaak iets ouder zijn.

Enkele eeneiige tweelingen lijken iets meer kans te hebben op bepaalde aandoeningen, meestal afwijkingen aan de organen in het middenrif, maar dit zijn echt uitzonderingen. Hersenverlamming zou bij meerlingen iets vaker voorkomen, maar dit kan te maken hebben met het feit dat meer kleine kwetsbare baby's overleven.

Angst is waarschijnlijk een wezenlijk onderdeel van een zwangerschap en ook van het ouderschap. Het is eerder ongewoon dat een aanstaande moeder zich geen zorgen maakt over de gezondheid van haar ongeboren kinderen. Natuurlijk, als angst uw plezier in het leven of uw vertrouwen in de toekomst gaat beheersen, dan moet u hierover praten met iemand die u vertrouwt, zoals de gynaecoloog of de huisarts.

Niet-invasieve onderzoeken

Nuchal translucency en anomale echoscopie werden al eerder genoemd in het gedeelte over echoscopie. De andere gebruikelijke niet-invasieve onderzoeken zijn AFP en de zogenaamde triple test.

Alfafetoproteïne (AFP)

Dit is een bloedonderzoek, dat rond de zestiende zwangerschapsweek wordt uitgevoerd. Het onderzoekt op spina bifida en de andere neurale-buisdefecten. AFP is een proteïne die wordt aangemaakt door de lever van de baby en een zekere hoeveelheid gaat over in de bloedstroom van de moeder (vandaar de bruikbaarheid). Een hoge AFP-spiegel kan aangeven dat er een grotere kans is op spina bifida en neurale-buisdefecten, maar een tweeling kan ook een verhoogd AFP-niveau veroorzaken. Dus hoewel een hoge spiegel een indicatie kan zijn, is het AFP-niveau in het algemeen misleidend bij meerlingen en zegt het natuurlijk niets over de gezondheid van elke afzonderlijke baby.

Er zijn vrouwen die toevallig een AFP-test ondergaan voor hun eerste echoscopie en daarom al voordat ze weten dat ze een tweeling verwachten. Zij krijgen misschien te horen dat het resultaat 'te hoog' is, waardoor ze bang zullen worden. Bevestigt een echoscopie echter dat er een tweeling op komst is, dan werkt dat meestal geruststellend.

Double test en triple test

Dit zijn twee heel populaire bloedonderzoeken, die u misschien ook al kent omdat ze wereldwijd worden toegepast bij vrouwen die zwanger zijn van één baby. Helaas zijn ze niet zo zinvol bij meerlingen. Er wordt aan gewerkt om te zien welke onderzoeken kunnen worden gebruikt bij twee- en meerlingen (door bijvoorbeeld een wiskundige correctiefactor toe te passen op het resultaat), maar het zal waarschijnlijk nog wel even duren voordat deze onderzoeken in dit geval betrouwbaar geacht kunnen worden.

Invasieve onderzoeken

De twee invasieve onderzoeken zijn amniocentese en CVB oftewel de vlokkentest.

Amniocentese

Hierbij wordt een monster van het vruchtwater rond elke baby genomen, waarbij ook enkele van de cellen meegenomen worden die vrij in het vruchtwater rondzweven. Het onderzoek geeft daardoor informatie over chromosomenafwijkingen zoals het syndroom van Down, dat vaker voorkomt bij oudere moeders. De test wordt aangeraden als u ouder bent dan 38 of 40, of een niet-invasief onderzoek hebt ondergaan waaruit bleek dat amniocentese gewenst is.

Amniocentese wordt na de derde maand van de zwangerschap gedaan, meestal rond zestien weken of meer. (Technisch gezien kan het eerder worden gedaan, maar dan is het vaak riskanter.) Omdat er in het laboratorium cellen op kweek moeten worden gezet, zult u tot bijna de twintigste zwangerschapsweek moeten wachten voor de uitslag van de test bekend is.

De test wordt gedaan door de buikwand heen (met gebruikmaking van lokale verdoving) met een dunne naald voor elke baby, en met echoscopische controle om schade aan foetus of placenta te voorkomen. Om zeker te weten dat het vruchtwater van beide baby's is afgenomen, kan er tijdens de test kleurstof in een van de amnionholten worden gespoten.

De kans op een miskraam door amniocentese is ongeveer 1 procent. Het percentage kan lager zijn als het onderzoek wordt uitgevoerd met slechts één naald die door het foetale vlies in beide vruchtwaterzakken wordt gestoken. Maar of er nu één of twee naalden worden gebruikt, het blijft technisch een moeilijk onderzoek om bij twee- of meerlingen te doen, en u moet hiervoor meestal naar een specialistisch ziekenhuis.

Chorionvillusbiopsie (CVB) of vlokkentest

Net als amniocentese geeft CVB informatie over de chromosomen van een baby, maar deze test haalt cellen direct uit het chorionweefsel, dat onderdeel van de placenta vormt.

CVB wordt gedaan met een naald door de onderbuikwand of soms via de baarmoederhals; bij meerlingen kan het beide worden gedaan. Ook hier wordt weer lokale anesthesie toegepast en is echoscopische controle nodig.

Het grote voordeel van CVB is dat het sneller resultaat oplevert dan amniocentese omdat het wordt gedaan rond de elfde tot dertiende week, en daarnaast omdat de cellen niet in het laboratorium op kweek behoeven te worden gezet. De minkant van het verhaal is dat er bij een vlokkentest geen kleurstof kan worden ingespoten. Levert het onderzoek twee paren van genetisch gelijke weefsels op, dan is het vrijwel onmogelijk te weten welk materiaal van welke baby afkomstig is.

Het risico van een miskraam bij een vlokkentest ligt ook rond de 1 procent, met daarbij een extra risico van misvormde vingers of tenen als het onderzoek voor de tiende week wordt gedaan. Daarom wordt het meestal op zijn vroegst rond de elfde week uitgevoerd. CVB vraagt handigheid en ervaring bij elke zwangerschap, maar vooral bij meerlingen – reden waarom u naar een specialistisch ziekenhuis verwezen zult worden.

Zorg voor uzelf tijdens de zwangerschap

Omdat een meerlingzwangerschap extra eisen aan uw lichaam stelt en mogelijk kleine pijntjes en symptomen tijdens de zwangerschap oplevert, is het goed dat u voor uzelf zorgt tijdens de zwangerschap – en daarbij ook voor de baby's.

Rust

Voldoende rust is een belangrijk onderdeel van de zwangerschap. Daarbij zult u het de komende jaren heel druk krijgen. Veel zwangere vrouwen voelen zich heel energiek, andere iets minder. Er zijn geen vaste regels voor, omdat een meerlingzwangerschap nog veel meer variaties kent dan een eenlingzwangerschap. Er zijn vrouwen die zwanger zijn van een tweeling en voortdurend atletische topprestaties leveren, terwijl andere zich er nauwelijks toe kunnen bewegen om naar de winkel te gaan.

Als regel geldt:

- Bekkenbodemoefeningen zijn van wezenlijk belang.
- Zwemmen is bijna altijd goed – zelfs als u niet kunt zwemmen, zult u zich in het water heerlijk gewichtloos voelen.
- U kunt meestal uw gewone activiteiten blijven uitoefenen behalve bezigheden als contactsporten en scubaduiken – vraag bij twijfel raad aan uw gynaecoloog.

Wat u ook doet, zorg dat u zichzelf de tijd gunt en luistert naar uw lichaam. Er wordt wel gezegd dat als de baby's 's nachts veel schoppen, u overdag niet voldoende rust neemt. Er zit een logica in deze uitspraak, want de ruimte in de baarmoeder is beperkt en er is kennelijk minder ruimte om te schoppen als uw eigen spieren voortdurend in actie zijn.

Ga naar het ziekenhuis om uit te rusten

Hoe meer baby's u draagt, des te waarschijnlijker is het dat u voor de uitgerekende datum naar het ziekenhuis zult moeten. Uit onderzoek naar twee- en meerlingzwangerschappen blijkt dat 95 procent van de vrouwen die een drieling (en alle vrouwen met een vierling) verwachten ten minste eenmaal tijdens hun zwangerschap in het ziekenhuis werden opgenomen.

Ooit werd gedacht dat rust, vooral bedrust, op zich goed was tijdens de zwangerschap en zelfs dat dit verklaarde waarom tweelingen van bevoorrechte middenklassevrouwen eerder zouden overleven dan die van een vrouw uit de werkende klasse. We weten nu dat dat niet de reden is. Toch is rust in het ziekenhuis heel goed bij sommige complicaties en brengt het u en uw baby's op een plek met neonatale opvangmogelijkheden.

Aan de andere kant heeft bedrust niet aantoonbaar de kans op een vroeggeboorte verkleind en het maakt evenmin de vele beweringen waar die in het verleden zijn gedaan. Luieren in bed heeft ook zijn risico's:

- toenemende kans op trombose in de aderen van de benen of de bekkenbodem (dit is een bekende zwangerschapscomplicatie, vooral bij meerlingen);
- spieratrofie als gevolg van het niet gebruiken van de spieren;
- een duidelijk grotere kans op osteoporose (botontkalking) omdat calcium sneller van het skelet loskomt bij bedrust.

Osteoporose veroorzaakt hevige pijn in het bekken of de heupen. Het is ongebruikelijk tijdens de zwangerschap, maar het kan voorkomen.

Gelukkig wordt bedrust tegenwoordig niet meer zoveel voorgeschreven omwille van de rust, maar om diverse complicaties te kunnen behandelen of voor te zijn, door bijvoorbeeld een kort verblijf in het ziekenhuis.

Sommige vrouwen zijn blij dat ze in het ziekenhuis liggen met alle technisch geavanceerde hulpmiddelen binnen handbereik, en dat ze niet langer geconfronteerd worden met de eisen van een druk huishouden of een drukke baan. Niet thuis zijn heeft echter duidelijke nadelen voor u en uw gezin. Er zijn de vreemde omgeving, het lawaai, moeilijk kunnen slapen, gebrek aan privacy – en het ziekenhuiseten. Het laatste is vaak onderwerp van grapjes, maar het is geen lachwekkende zaak. In veel gevallen is de ziekenhuiskost nauwelijks goed genoeg voor vrouwen die één baby verwachten, laat staan als het er meerdere zijn.

U zult waarschijnlijk graag naar het ziekenhuis gaan als er een goede reden voor is, dus overleg het eerst met uw gynaecoloog en accepteer niet zonder meer een opname. Woont u in de buurt van een ziekenhuis, dan kunt u misschien met uw gynaecoloog tot een compromis komen, waarbij u thuis kunt rusten. Dit zou dan ook echt rust moeten betekenen, waarbij iemand anders het huishouden en eventuele kleine kinderen verzorgt.

Toen mijn vrouw na 33 weken zwangerschap in het ziekenhuis werd opgenomen met pre-eclampsie, ging Amy, toen twee jaar, het grootste deel van de dag naar vrienden. Mijn werkgever ging ermee akkoord dat ik vanaf een uur of vier thuis was om voor haar te zorgen. Ik had nooit gedacht dat we het zouden redden, maar het ging fantastisch, al zeg ik het zelf. En het was de moeite waard want de tweeling werd na 35 weken geboren en alles was goed.

Gezonde voeding

De algemene adviezen voor zwangere vrouwen staan in vele boeken en brochures vermeld. Dit onderdeel is echter gericht op de speciale behoeften van vrouwen die twee- of meerlingen verwachten. Het doel is een uitgebalanceerd dieet dat voldoende is om u en uw kinderen te voeden. Met hoeveel overgewicht u ook begint, probeer niet om tijdens de zwangerschap gewicht kwijt te raken. Lijnen moet wachten. Gewicht dat voortkomt uit goed uitgebalanceerde maaltijden zou later gemakkelijker weg te werken zijn – als het nodig is.

Tijdens deze zwangerschap moet u uitgaan van een behoefte van 50 tot 100 procent meer aan belangrijke voedingsstoffen als ijzer, calcium, foliumzuur en vitamine B_{12}. Een belangrijke uitzondering is vitamine A, waarvan een teveel de foetus zou kunnen schaden. (Dat is de voornaamste reden waarom zwangere vrouwen beter geen lever of levertraan kunnen nemen.)

Eet u goed en zijn er geen complicaties of andere medische omstandigheden, dan zult u waarschijnlijk geen vitaminetabletten nodig hebben, maar dat is een controversieel gebied. Er zijn voedingsdeskundigen die vinden dat de gewone aanbevolen dagelijkse dosis genoeg is om de kenmerkende gebreksziekten als scheurbuik of pellagra tegen te gaan, maar onvoldoende zijn voor een optimale gezondheid. Wilt u vitaminen nemen tijdens de zwangerschap, overleg dan met uw gynaecoloog of apotheker (waarbij u wel zegt dat u zwanger bent). Neem liever geen extra vitamine A in tabletvorm.

Een evenwichtig dieet betekent verschillende keren per dag iets nemen uit elk van deze groepen voedingsmiddelen:

- *Granen, brood, rijst en pasta* – voor koolhydraten (energie), vezels, proteïne en vitaminen. Neem zo mogelijk volkorenmeel en volkorenproducten en vermijd te veel verfijnde koolhydraten (cake, koek, enz.).
- *Fruit, groenten en sla* – voor vitamines (vooral foliumzuur en vitamine C), vezels en mineralen. Zorg dat alle sla goed gewassen is – er is kans op toxoplasmose – en kook groenten licht om de vitaminen te bewaren.
- *Vis, vlees, gevogelte, eieren, peulvruchten en noten* – voor proteïne, ijzer en vitamine B_{12}. Vermijd halfgaar vlees (vanwege de kans op toxoplasmose) en ongaar gevogelte (vanwege de kans op salmonella en campylobacteriose). Eieren moeten hard gekookt worden (vanwege salmonella). Bent u vegetariër, eet dan heel veel peulvruchten en noten en neem gistextract, dat rijk is aan B_{12}.
- *Melk, kaas en andere zuivelproducten* – voor calcium en proteïne. Gemiddeld heeft een vrouw die zwanger is van een twee- of meerling vijfmaal de dagelijkse hoeveelheid nodig om te zorgen dat ze voldoende calcium binnenkrijgt. Een portie is een beker yoghurt, een glas melk of zo'n 30 gram kaas. Magere melk bevat net zoveel calcium als volle melk. Sardines en zalm uit blik (met kleine graten) zijn ook rijk aan calcium.

Alle vrouwen die zwanger willen worden, of in de eerste twaalf weken van hun zwangerschap zijn, moeten dagelijks een extra dosis foliumzuur van 400 microgram (0,4 mg) nemen om de kans op spina bifida en andere neurale-buisdefecten te verkleinen. U moet ook voeding nemen die rijk is aan folaten, zoals groene groenten, zwartogenboontjes en met foliumzuur verrijkt brood.

Zwangere vrouwen lopen meer kans op listeriosis en moeten daarom zachtrijpe kazen (zoals brie), blauwschimmelkazen, alle patés en afgekoelde groenten (tenzij goed doorgewarmd) vermijden.

Omgaan met gewone verschijnselen

Indigestie en misselijkheid
'Ochtend'misselijkheid en indigestie of overmatig maagzuur blijken het ergste te zijn tijdens een meerlingzwangerschap, vooral als de baby's goed groeien. Deze verschijnselen zouden veroorzaakt worden door de uitdijende baarmoeder, maar ook door hormonen. Een van de hormonen ontspant de spier bij de ingang van de maag, waardoor het maagzuur kan terugvloeien in de slokdarm en het brandende gevoel veroorzaakt. U kunt maagzuur en misselijkheid verminderen door:

- vette of kruidige spijzen te vermijden of alles waarvan u uit ervaring weet dat het uw maag van streek brengt;

- regelmatig koolhydraatrijke tussendoortjes te eten – droge koekjes, toastjes, enz.;
- melk te drinken of maagzuurremmende middelen te slikken – vraag uw gynaecoloog of apotheker om raad (meld wel dat u zwanger bent);
- geen zware maaltijden te nuttigen vlak voor het slapengaan;
- met twee kussens of meer te slapen, zodat uw hoofd hoger ligt dan uw maag;
- strakzittende kleding te vermijden – wees eerlijk als uw spijkerbroek niet langer past. Bent u zwanger van een tweeling, dan zult u misschien de indruk krijgen dat u ook te dik bent voor sommige zwangerschapskleding.

Kunt u uw eten niet binnenhouden, zeg dat dan tegen de dokter. Er bestaan tabletten die de misselijkheid in een zwangerschap kunnen tegengaan, maar het is goed dit eerst te vragen.

Constipatie
Het hormoon progesteron ontspant vaak de slokdarm en vertraagt de darmwerking. U kunt constipatie helpen voorkomen door:

- heel veel vezelrijk voedsel te eten;
- regelmatige lichaamsbeweging te nemen, al is het maar een dagelijks wandelingetje.

Neem geen laxeermiddelen tenzij uw gynaecoloog dat toestaat. Dergelijke middelen kunnen schadelijk zijn bij zwangerschap.

Aambeien (hemorroïden)
Toenemende druk in de onderbuik in de tweede helft van de zwangerschap veroorzaakt vaak aambeien, vooral bij een tweelingzwangerschap, maar constipatie kan ook de oorzaak zijn.

Kenmerkende symptomen zijn jeuk en een pijnlijke zwelling rond de anus. Hebt u last van een bloederige afscheiding, raadpleeg dan uw arts. Deze afscheiding kan wijzen op aambeien.

- Let op wat u eet om de darmen aan het werk te houden.
- Probeer niet te gespannen of te lang op het toilet te zitten.
- Voelt u aandrang, ga dan ook en stel het niet uit tot later.
- Gebruik zacht toiletpapier. Hebt u al last van jeuk of een bult, was het gebied dan heel vaak. Een vochtig doekje in uw handtas is heel handig als u ergens anders bent.

- Bekijk samen met de arts of apotheker welke van de aambeizalven in de vrije verkoop u het best kunt gebruiken.

Pijn in de rug

Lage rugpijn komt veel voor tijdens een tweelingzwangerschap. Dit komt vooral omdat het extra volume de ruggengraat onder grotere mechanische druk zet en ten tweede omdat de onderbuikspieren veel meer gestrekt zijn en ze niet kunnen bijdragen aan het stabiliseren van de ruggengraat. Daarbij ontspant het hormoon relaxine de ligamenten in de ruggengraat en elders (en is dus nuttig tijdens de zwangerschap en de bevalling), waardoor kleine pijntjes en verwondingen tijdens de zwangerschap waarschijnlijker zijn.

- Probeer uw ruggengraat recht te houden. Vermijd het om met uw rug in die typische zwangerschapshouding te staan. Trek in plaats daarvan uw achterste aan en trek het voorste deel van uw bekken omhoog.
- Platte schoenen zijn beter voor uw houding.
- Buig niet naar voren om u te bukken. (Als u dat al zou kunnen.) Ga door uw knieën als u iets van de vloer opraapt.
- Wees voorzichtig als u in en uit bed stapt, vooral aan het eind van de zwangerschap. Rol eerst op uw zij, zet dan uw voeten op de vloer en ga ten slotte rechtop zitten.
- Voorkom opdrukken, opzitoefeningen en zwaar tillen. Verzet geen meubelen zonder hulp en draag uw peuter alleen als het beslist noodzakelijk is.
- Ga zwemmen – het is een van de dingen die u vaak tot laat in de zwangerschap kunt doen als u een badpak kunt vinden dat groot genoeg is. Sommige vrouwen die zwanger zijn van een tweeling zullen ontdekken dat veel zwangerschapsbadpakken hen al niet meer passen.
- Speciale oefeningen kunnen rugpijn voorkomen en verlichten, zoals op handen en voeten lopen en wisselend uw rug rond maken en laten zakken. Degene die u zwangerschapsgymnastiek geeft, kan u nog meer oefeningen geven.
- Als uw rug pijn doet, kunnen een warm (niet heet) bad, een zachte massage door uw partner en de vertrouwde paracetamol helpen. Raadpleeg steeds uw arts. Neem geen andere medicijnen tenzij uw arts daarmee instemt.

Spataderen

Door de groeiende foetus en de hormonale veranderingen komen tijdens een zwangerschap al dan niet pijnlijke, duidelijk opbollende spataderen op de benen vaak voor. Het is niet gezegd dat u spataderen krijgt, want familiegeschiedenis speelt ook een rol.

- Leg als u zit uw voeten liever op een stoel of een tafeltje dan ze te laten hangen.
- Blijf niet te lang staan. Als het wel moet, beweeg dan steeds uw benen.
- Lopen is een goede vorm van lichaamsbeweging en houdt het bloed in beweging in plaats van dat het in de beenaderen blijft staan.
- Steunkousen helpen.

Slapeloosheid

Tijdens de laatste weken van de zwangerschap, als de foetus groter wordt en er steeds meer gedachten door uw hoofd cirkelen, kan slapeloosheid een echte plaag worden.

- Zorg voor een rustig patroon rond bedtijd. Neem 's avonds geen koffie, thee of drankjes met cafeïne.
- Maak het u zo aangenaam mogelijk. Een zijligging gesteund door een kussen of twee om uw onderbuik te steunen, is misschien de beste positie (toch kunt u ook dit beu worden).
- Gebruik de ontspanningstechnieken die u op de zwangerschapscursus hebt geleerd.
- Maakt u zich ergens zorgen over, bespreek dat dan met uw partner, of stel tijdens het volgende bezoek uw vragen aan de gynaecoloog.

Huidveranderingen

Zwangerschapsstrepen zijn heel gewoon bij een tweelingzwangerschap, maar ze zijn niet onvermijdelijk en veel vrouwen hebben er geen last van. In de laatste twee maanden echter kunnen veel zwangere vrouw last hebben van jeuk aan onderbuik of rug.

- Voorkom zo mogelijk krabben, omdat het de chemische stof histamine van de huid losmaakt, waardoor de jeuk verergert.
- Houd uw huid zacht met bij voorkeur ongeparfumeerde badolie en bodylotion. De ergste gebieden kunnen baat hebben bij vaseline of zonnebrandlotion.
- Een bad moet eerder warm zijn dan heet.
- Jeukt uw hele lichaam of jeukt het op ongebruikelijke plaatsen (uw handen of uw voeten bijvoorbeeld), neem dan contact op met uw arts, vooral als u een donkere urine of een lichte stoelgang hebt. U kunt niet-obstructieve cholestase hebben, een zeldzame aandoening die vaker voorkomt bij een tweelingzwangerschap. Deze moet meteen worden herkend, omdat de aandoening kan

leiden tot een miskraam. De gebruikelijke behandeling bestaat uit nauwlettend controleren van de moeder gecombineerd met een vroeggeboorte.

Opgezwollen handen en voeten
Licht zwellen van de voeten en soms ook de vingers, is niet ongebruikelijk, vooral niet op een warme dag in de latere fase van de zwangerschap. U moet dit echter altijd onder de aandacht brengen van de gynaecoloog, omdat het een teken van pre-eclampsie kan zijn.

Zolang alles goed gaat, kunt u het proberen op te vangen door

* het dragen van gemakkelijke schoenen;
* uw voeten zo mogelijk hoog te leggen;
* onnodig staan te vermijden;
* het dragen van steunkousen;
* ringen van uw vingers te halen voordat die te dik zijn geworden.

Seksualiteit
Er kunnen zich om diverse redenen tijdens de zwangerschap seksuele problemen voordoen. U kunt moe zijn of zich niet prettig voelen, of misschien hebt u, zeker als u een aantal lichamelijke klachten hebt, problemen met uw rol als moeder (zoals wel gebeurt bij een eerste zwangerschap). Het kan ook zijn dat uw partner geen belangstelling heeft: sommige mannen vinden een zwangerschap aantrekkelijk, maar andere juist niet. Misschien is uw partner bang dat hij de baby's pijn doet; u zult ontdekken dat ze vaak veel harder schoppen na de coïtus.

Hebt u wel zin, dan is er geen enkele reden waarom u geen gemeenschap zou hebben tijdens een meerlingzwangerschap, vooropgesteld dat er geen complicaties zijn zoals premature contracties of vaginale bloedingen, en uw arts u geen onthouding heeft geadviseerd. Gynaecologen zijn niet altijd duidelijk in wat ze veilig vinden bij een meerlingzwangerschap. Vraag het bij twijfel.

Met dit in gedachten zou uw grootste probleem wel eens een logistiek probleem kunnen zijn. Als de tijd voortschrijdt, zult u meer en meer uw fantasie moeten gebruiken om dicht bij elkaar te kunnen komen. U zult misschien de geslachtsdaad laten voor wat hij is en andere manieren zoeken om elkaar plezier te verschaffen.

Voorbereiding op een twee- of meerling
Als de grote dag nadert, kan de emotionele voorbereiding net zo belangrijk zijn als de lichamelijke zorg voor uzelf. Rond deze tijd moeten u en uw partner toch wel gewend zijn aan het idee dat u meer dan één baby gaat krijgen, maar u zult

niet de totale reikwijdte ervan kunnen overzien, tenzij er al een meerling in uw familie of directe kennissenkring voorkomt.

Veel verpleegsters en gynaecologen hebben ontdekt dat je pas weet wat het is om een meerling te hebben als je dat zelf hebt ervaren. Een onderzoek waarbij ongeveer een vijfde van de moeders zelf werkzaam was in de gezondheidszorg, geeft aan dat zij zich pas als ze zelf een meerling verwachtten, realiseerden dat ze niet alle antwoorden hadden en veel meer informatie en advies nodig hadden.

Er is heel veel dat u nog kunt doen in de tijd die u rest, waarbij het een groot voordeel is als de meerling vroeg in de zwangerschap wordt geconstateerd en niet pas tijdens de bevalling.

1 Neem op tijd deel aan een zwangerschapscursus. Meerlingen komen bijna altijd te vroeg en vaak zonder al te veel waarschuwing vooraf. Ook als die van u de hele tijd blijft zitten, zult u het idee hebben dat u de laatste weken niet anders doet dan heen en weer reizen naar het ziekenhuis. Als u probeert de zwangerschapscursus ten minste een maand eerder af te ronden dan vrouwen die één kind verwachten, zult u waarschijnlijk niet veel missen.

Er zijn maar weinig zwangerschapscursussen die gericht zijn op vrouwen die een meerling verwachten (doen ze dat wel, dan wordt dat heel erg gewaardeerd), dus u zult waarschijnlijk te maken krijgen met een groep die gericht is op het krijgen van één baby. Dat maakt het voor aanstaande moeders moeilijker de juiste informatie te krijgen. Bij zwangerschapscursussen kunt u altijd vragen welke van de genoemde aspecten speciaal voor u gelden.

Zorg dat u in elk geval de kraamafdeling en de couveuseafdeling van het ziekenhuis bezoekt, want uw kinderen zullen meer kans hebben om daar terecht te komen. Zoek ook uit wat uw ziekenhuis te bieden heeft op het gebied van pijnbestrijding (in het volgende hoofdstuk komen deze en andere aspecten van de bevalling uitgebreider aan de orde).

2 Leg contact met andere vrouwen in uw omgeving die al een tweeling hebben of ook verwachten. Neem contact op met de NVOM of de V.Z.W. Twins als het ziekenhuis u niet in contact kan brengen met een plaatselijke groep.

Een vereniging voor ouders van tweelingen kan u helpen vrienden te maken en meer te leren over de praktische zorg voor tweelingen of meerlingen. U kunt er dan ook boeken lenen en misschien een video zien over een tweelingbevalling.

3 Probeer uw gezin op de grote dag voor te bereiden. Een echoscopie (of een foto ervan) of het meegaan naar een afspraak met de gynaecoloog kan uw part-

ner vertrouwd maken met de komende gebeurtenis. Het kan ook leiden tot paniek, waarover dan echter gepraat kan worden zodat u een juiste strategie kunt ontwikkelen.

Sommige mannen kunnen hun emoties niet zo goed uiten, maar uw partner kan net zo bezorgd zijn als u over de gezondheid van de kinderen. Daarbij kan hij zijn eigen angsten hebben. Als vader van een tweeling zal zijn rol waarschijnlijk meer praktisch zijn dan voor de meeste vaders van eenlingen. Hoe kan hij zijn baan combineren met praktische hulp thuis? Kan hij verlof nemen van zijn werk? Moet hij nu meer werken om het verlies van uw inkomen te compenseren?

Als de zwangerschap niet gepland was, hoe kijkt u dan beiden aan tegen de nieuwe status van ouder – niet van één baby, maar van twee of meer? Was een zwangerschap nu (of ooit) niet uw bedoeling, kan het de schok nog groter maken. Behalve dat u de zaken samen bespreekt, kan het ook prettig zijn een en ander te bespreken met iemand van buiten het gezin: een huisarts, gynaecoloog, psycholoog (vraag uw huisarts daarnaar) of een stressadviseur op het werk.

Grootouders zullen ook begrip moeten hebben voor wat u allemaal doormaakt. De oudere generatie kan tamelijk pessimistisch reageren op een tweeling, omdat de vooruitzichten in hun tijd veel somberder waren. Aan de andere kant hebben grootouders soms irreële denkbeelden over hoe heerlijk een tweeling, een drieling of nog meer kan zijn. Ze zullen ongetwijfeld heel trots zijn en willen opscheppen, maar ze zullen ook moeten beseffen dat u hulp nodig hebt, bij voorkeur zonder al te veel te moeten uitleggen hoe alles werkt. Een enkele gelukkige zal een grootouder treffen die kan helpen met het dragen van de kosten voor een au pair of een kraamverzorgster.

De geboorte van twee of meer broertjes of zusjes tegelijk kan een moeilijke tijd betekenen voor de kinderen die u mogelijk al hebt en hun leven totaal op zijn kop zetten. Geef een ouder kind nu zoveel mogelijk tijd en aandacht als mogelijk is en leg van tevoren uit wat er gaat gebeuren als u naar het ziekenhuis gaat. In hoofdstuk 8 staan nog veel meer ideeën hiervoor.

4 Maak plannen voor uw eigen baan als u die hebt. Gaat u na de bevalling weer aan het werk? U weet nog niet precies hoe u zich dan zult voelen – zelfs als u vrij zeker weet dat u gaat stoppen, dan is het vanuit uw gezichtspunt soms beter tegen de werkgever te zeggen dat u het nog niet weet. Is er eenmaal een definitieve vervanger voor u, dan is het onmogelijk om terug te gaan.

Misschien overweegt u nu een verandering naar een parttime baan of een baan die beter past bij het dubbele ouderschap. Dit is misschien een goed moment, voordat u de kinderen op sleeptouw hebt, om een aantal mogelijkheden met betrekking tot een nieuwe opleiding te onderzoeken.

Uw werkgever moet u de gelegenheid geven om prenatale zorg te ontvangen, wat meestal ook de zwangerschapscursus inhoudt. Het zal u waarschijnlijk in dank afgenomen worden als u zoveel mogelijk probeert de overlast op het werk, die hierdoor ontstaat, te beperken. Misschien kunt u het werk op een ander moment doen?

Als dit uw eerste zwangerschap is, wilt u misschien zo lang mogelijk doorgaan met werken. Heel veel vrouwen willen het betaalde zwangerschapsverlof liever zo veel mogelijk na de bevalling opnemen, maar dat is niet reëel bij een meerlingzwangerschap. De meeste deskundigen adviseren om iets eerder te stoppen dan moeders van eenlingen, als u een twee- of meerling verwacht. Zwangerschapsverlof is zowel in Nederland als België wettelijk geregeld en in de meeste CAO's staat vermeld wat de rechten en plichten van de werkneemster in dit geval zijn.

Er hangt veel af van de manier waarop de zwangerschap verloopt – meerlingzwangerschappen verschillen heel veel – en natuurlijk van uw baan. De wetgever eist dat een werkgever rekening houdt met de bijzondere risico's die een zwangere werkneemster of een jonge moeder loopt. Als die risico's niet vermeden kunnen worden, dan dienen de uren of de omstandigheden veranderd te worden. Of, als dit onmogelijk blijkt, moet u betaald verlof krijgen zolang dat nodig is om uw gezondheid en die van de baby's te beschermen. Het Nederlandse ministerie van sociale zaken (tel. 070-333 44 55) en de V.Z.W. Twins in België geven hierover brochures uit.

Wat uw werk ook is, als u last hebt van ochtendmisselijkheid, dan zult u moeten overleggen of u later op de dag kunt beginnen. Ook als u een zittend beroep hebt, kunt u heel moe worden. Lunchtijd of een middagdutje, liggend doorgebracht, kunnen helpen vermoeidheid te voorkomen en kunnen ook de bloedstroom naar de placenta verbeteren. Wees niet te verlegen om dit te vragen: u moet voor de volgende generatie zorgen. Daarnaast zijn werkgevers tegenwoordig verplicht hun zwangere (of zogende) werkneemsters de mogelijkheid te geven zich terug te trekken.

De reis van en naar het werk kan problemen opleveren. Veel zwangere vrouwen hebben al ontdekt dat je bijna moet bevallen in een overvolle forensentrein voordat iemand zijn ogen opendoet, laat staan dat hij je zijn zitplaats aanbiedt.

Het probleem kan opgelost worden met een gereserveerde parkeerplaats, zodat u met de auto naar het werk kunt – zolang de veiligheidsriem tenminste over uw buik past, wat niet zo heel lang meer het geval zal zijn.

5 U zult uw baby's misschien gaan strelen, tegen ze willen praten of voor ze zingen. Het is bekend dat baby's al lang voor ze geboren worden, kunnen voelen, horen en zelfs zien. In de laatste maanden van de zwangerschap zien foetussen goed genoeg om licht en donker te kunnen onderscheiden. Ze zullen vanaf de vijfde maand zeker reageren op porren en reageren mogelijk al met de achtste week, als een baby nog maar een centimeter of twee lang is, op aanraken. Onderzoek wijst er ook op dat baby's in de laatste maanden van de zwangerschap reageren op geluid, waarbij ze hun lichaam zachtjes bewegen op het ritme van de stem van de moeder.

Het is niet bekend of de prenatale omgeving van een baby effect heeft op de latere ontwikkeling, maar het zou kunnen. Er zijn deskundigen die het praten tegen baby's in de baarmoeder bepleiten en ze daarbij uitleggen dat ze moeten leren om te delen en aardig moeten zijn tegen anderen. Hoewel niet bewezen is dat het enig verschil maakt, zou u dat, als het u aanspreekt, kunnen doen om een band met uw baby's te scheppen. U en uw partner zullen het misschien ook leuk vinden.

Er is wel gezegd dat vrouwen die blootstaan aan ernstige emotionele spanningen hyperactieve baby's krijgen, hoewel niet overtuigend is aangetoond dat er een oorzaak-gevolg bestaat. Bovendien kunt u niet evenwichtig worden omdat u dat wilt zijn, hoewel u natuurlijk wel kunt proberen te ontspannen met behulp van ontspanningstechnieken.

6 Lees de volgende hoofdstukken eens en denk alvast aan de praktische zaken. Wilt u borstvoeding gaan geven? Hoe gaat u het de eerste dagen thuis regelen? Waar moeten de baby's slapen?

Zorg voor een minimale babyuitzet. Heel veel aanstaande moeders zijn bijgelovig en er kunnen ook financiële redenen zijn om niet alles van tevoren te kopen, maar u zult voor de eerste dagen toch wel een paar dingen nodig hebben. U kunt misschien ook genoeg lenen van vrienden of uw toevlucht zoeken bij een tweeling- of meerlinggroep.

7 Begin met het nadenken over namen en maak een korte (of lange) lijst van uw favoriete jongens- en meisjesnamen, tenzij u al van de echoscopie weet wat u gaat krijgen. Dit voorkomt dat u na de bevalling een haastige beslissing moet nemen of de kinderen 'Roze dekentje' en 'Blauw dekentje' moet noemen tot u en uw partner het eens geworden zijn.

De naam is voor een kind een wezenlijk deel van zijn individualiteit en zijn persoonlijkheid. Het kiezen van een naam voor een meerling moet zeker met zorg gebeuren omdat het de lol vertwee- of verdrievoudigt. Namen als Kirsten en Christine, die erg op elkaar lijken, zullen in de praktijk problemen op school opleveren. Probeer ook te voorkomen dat u twee of meer namen met dezelfde initialen kiest (Thomas en Trees) of namen die rijmen (Geoffrey en Jaimy). Bedenk ook hoe de namen klinken als ze worden afgekort. Zo voorkomt u dat u bijvoorbeeld Amy en Jamie kiest.

Bijpassende namen (Marga en Rina) kunnen op dit moment misschien wel grappig klinken, maar later zou u daar wel eens veel spijt van kunnen krijgen. Namen die heel erg verschillend van lengte zijn (Christiaan en Ben) zijn vaak een goed idee, maar kunnen voor problemen zorgen op het moment dat de kinderen leren schrijven.

Denk ook na over de klank van de namen samen. Praat u met iemand die uw kinderen niet kent, dan kan Anne en Marie misschien worden verstaan als één meisje dat Annemarie heet. (En omdraaien helpt niet, want Marie en Anne klinkt als Marianne.)

U kunt uw twee- of drieling misschien namen geven die alfabetisch omgekeerd zijn aan het moment van geboorte, zodat de eerstgeborene Natasja wordt en de tweede baby André. Dan zal André tenminste altijd als eerste worden genoemd, wat in de verdere jeugd nog wel eens heel belangrijk kan blijken te zijn.

Een of twee gezinnen zijn zelfs zo ver gegaan dat ze verschillende achternamen hebben gebruikt: voor het ene kind die van de moeder en voor het andere die van de vader. Dit zou kunnen als de moeder haar meisjesnaam is blijven gebruiken.

8 Neem bakerpraatjes met een korreltje zout, of ze nu gaan over bevallingen in het algemeen of die van meerlingen in het bijzonder. U zult wel gehoord hebben dat de bevalling het pijnlijkste is dat er bestaat, of dat het meisje van een jongen-meisjetweeling altijd onvruchtbaar is. Geen van beide is waar. Neem dit soort verhalen en andere mythes die uw gemoedstoestand kunnen beïnvloeden, niet serieus.

9 U zult zeker vragen, zorgen of twijfels hebben, maar hoe meer onopgeloste problemen er zijn, des te minder u zult kunnen genieten van uw zwangerschap. Hoewel ziekenhuizen en spreekuren drukbezochte plekken zijn, moet u altijd de gynaecoloog raadplegen als u medische problemen hebt. Artsen schrikken altijd terug voor patiënten met een lange lijst vragen (dat zou een teken van hypochondrie zijn!), dus wees zo nodig assertief. Stel ook prioriteiten. Bewaar niet de meest brandende vraag tot het laatst: de dokter kan tegen die tijd misschien weggeroepen zijn.

10 Kan er nog meer gedaan worden? Er is een toenemend bewijs dat sociale en psychische ondersteuning voor de bevalling kan helpen een postnatale depressie te voorkomen. Het is meer de kwaliteit van de zorg dan de grote hoeveelheid prenatale afspraken die ertoe doet. Hebt u het gevoel dat u niet de emotionele aandacht krijgt die u nodig hebt, laat dat dan weten. Hebt u gezinsproblemen of verwacht u bijzondere problemen inzake de zorg voor uw baby's, dan is het heel belangrijk dat er tijdig sociale hulp wordt ingeschakeld. Onterechte trots is hier niet op zijn plaats.

Aan de andere kant zijn er vrouwen voor wie het een kwestie van tijd is. Misschien kunt u zich na de gebeurtenis pas aanpassen. Er zijn moeders die een tweeling betreuren en die het jammer vinden dat ze niet de een-op-een-relatie hebben, die er geweest zou zijn met één baby. Zijn ze hier eenmaal overheen, dan ligt er veel plezier in het verschiet.

Na de geboorte van onze eerste zoon was ik maar zes weken thuis, dus ik wilde bij mijn tweede baby veel langer stoppen met werken om hem of haar goed te leren kennen. Ik was vastbesloten ook langer door te gaan met borstvoeding. Maar mijn plannen werden helemaal gedwarsboomd door het feit dat de tweede baby niet alleen maar met zijn tweeën was. Ik weet nu dat het het beste is dat me ooit kon overkomen, maar het duurde maanden voordat ik gewend was aan het idee van een tweeling.

Hoofdstuk 3

De grote dag: bevalling en geboorte

Meestal is een aantal zaken die u op de zwangerschapscursus te horen hebt gekregen over bevalling en geboorte, niet voor meerlingzwangerschappen van toepassing en u zult zich nog altijd afvragen wat het inhoudt om te bevallen. Er zijn verschillende geruststellende feiten die u al meteen moet weten:

- Bevallen van een tweeling is niet dubbel zo pijnlijk en duurt niet twee keer zo lang als bevallen van één baby. Het kan zelfs minder onaangenaam zijn omdat de baby's vaak iets kleiner zijn.
- Ongeacht hoeveel baby's u draagt, dient de baarmoedermond maar één keer helemaal uit te rekken dus hoeft u het eerste deel van de bevalling maar eenmaal door te komen.
- Hoewel de bevalling van een tweeling veel riskanter is (vooral voor de tweede baby), kan ze met de juiste zorg veiliger worden.

Het is heel natuurlijk om bezorgd te zijn over de bevalling, hoe het zal zijn voor uw baby's en voor uzelf. Omdat u de mogelijke moeilijkheden niet moet onderschatten, is het een voordeel om niet angstig te zijn. Op dit punt kan voldoende juiste informatie helpen.

Is er iets dat u zorgen baart, vraag het dan aan uw gynaecoloog. Het antwoord kan u geruststellen.

Over het algemeen geldt dat hoe meer ontspannen u bent, des te beter u de bevalling kunt ervaren. Dit komt misschien omdat emoties als angst onvermijdelijk gepaard gaan met hormonen als adrenaline, waardoor de spieren gaan spannen. Er zijn verloskundigen die beweren dat gespannen kaken tijdens de bevalling wijzen op een onbuigzaam perineum. U zult misschien ontdekken dat u op de bewuste dag veel blijer en rustiger bent dan u had verwacht. Vrouwen laten zich vaak meevoeren door de bevalling. Misschien weer hormonen?

Vroeggeboorte of prematuriteit

U moet het een en ander weten over vroeggeboorte en hoe u dit kunt herkennen, omdat twee- en meerlingen vaak de neiging hebben eerder te komen. In de eerste drie maanden van de zwangerschap worden de vitale organen gevormd, terwijl die in de daaropvolgende zes maanden enorm groeien. Met dat in het achterhoofd zult u zich realiseren hoe ingrijpend een vroeggeboorte kan zijn.

De normale draagtijd voor tweelingen is 37 weken, terwijl drielingen vaak na 34 weken worden geboren en vierlingen na 33 weken. Alles wat daarvoor komt, heet prematuur, maar er zijn verschillende maten van prematuriteit. Tweelingen die een paar dagen voor de 37 weken komen, lopen niet dezelfde risico's als tweelingen die na 28 weken geboren worden.

- Ongeveer 30 procent van de tweelingen komt te vroeg, terwijl dat cijfer voor eenlingen slechts 10 procent is.
- Ongeveer 30 procent van de drielingen wordt voor de 32ste week geboren en 10 procent komt voor de 28ste week.
- Over vierlingen is veel minder informatie beschikbaar, maar bijna de helft wordt geboren voor de 32ste week en 25 procent voor de 28ste week.

Welke baby's komen vroeger?

Een vroeggeboorte is heel gewoon bij eeneiige (MZ) tweelingen, vooral als er sprake is van slechts één chorion en als het jongens zijn. De reden is niet duidelijk, maar wonderlijk genoeg komen eenlingjongens ook vaak eerder.

Als u in de eerste zwangerschap een tweeling verwacht, dan zult u waarschijnlijk meer kans hebben op een vroeggeboorte dan als het uw tweede of volgende zwangerschap betreft. Er wordt wel eens beweerd dat bij een vroeggeboorte de vliezen eerder breken bij een eeneiige tweeling, en dat bij twee-eiige tweelingen de weeën eerst beginnen.

Waardoor wordt een vroeggeboorte veroorzaakt?

Bij een meerlingzwangerschap zijn er gemiddeld meer voorweeën of harde buiken. Dit zijn niet de sterke samentrekkingen die vaak worden beschreven als 'trainen' van de baarmoeder. Het is niet zo vreemd dat bij een meerlingzwangerschap de spier van de baarmoeder een beetje strakker en prikkelbaarder is: ze heeft tenslotte meer te doen.

Op zichzelf leiden harde buiken niet tot een voortijdige geboorte, maar ze kunnen deze wel aankondigen. Een vroeggeboorte volgt niet alleen op samentrekkingen van de baarmoeder, maar ook de baarmoedermond verandert en begint uit te zetten.

Niemand weet precies waardoor een vroeggeboorte – of welke bevalling dan ook – wordt opgewekt. Het is niet gewoon een kwestie van de baarmoeder die in omvang uitdijt. Als dat het was, zouden er meer tweelingen tussen de 28 en 30 weken geboren worden als de omvang van de baarmoeder net zo groot is als bij een 'uitgerekende' eenling. Ook de omvang op zich is geen verklaring voor de bekende relatie tussen vroeggeboorte en langzame groei van de baby's in de baarmoeder.

Er zijn verschillende theorieën. Misschien produceren de foetale vliezen (het chorion en het amnion) bij meerlingen gewoon meer prostaglandine, een natuurlijke stof die de baarmoederspieren aanzet tot samentrekken. Of misschien is de baarmoeder gevoeliger voor andere hormonen, zoals oxytocine, dat wordt afgescheiden door de hypofyse en sterke samentrekkingen van de baarmoedermond veroorzaakt (tijdens de bevalling wordt wel eens een synthetische versie geïnjecteerd om de bevalling te bespoedigen). Soms wordt de bevalling bemoeilijkt door complicaties als hydramnion of door een infectie. Er wordt onderzoek gedaan naar de mogelijke rol van goedaardige infecties aan het eind van de zwangerschap, die de bevalling kunnen opwekken doordat ze enzymen in het chorion en het amnion losmaken.

Symptomen van vroeggeboorte

Wat de hele zaak uiteindelijk ook in gang zet, het is van belang om de mogelijke symptomen te onderkennen. Dit zijn in feite dezelfde als bij andere bevallingen, dus u kunt uitgaan van:

- regelmatige contracties (elke tien tot vijftien minuten);
- pijn in het bekken of de rug;
- een ongewoon zwaar gevoel in het bekken;
- bloed of slijm uit de vagina, wat kan wijzen op veranderingen in de baarmoederhals;
- helder vocht uit de vagina (dit wijst meestal op gescheurde vliezen).

Doet een van deze symptomen zich voor, neem dan contact op met uw gynaecoloog. Bent u er niet zeker van wat deze symptomen te betekenen hebben, vraag het dan in elk geval. In uw toestand is het verstandig u niet te veel aan te trekken van de geruststellende opmerkingen van vrienden met eenlingen. U kunt beter vals alarm slaan, vooral bij een meerling, dan te laat te zijn. Hebt u nog meer motivatie nodig om snel te handelen, bedenk dan dat een bevalling heel snel voorbij kan zijn, vooral als u heel kleine baby's hebt, en dat uw baby's misschien wel kwetsbaarder zijn dan eenlingen.

Omgaan met een vroeggeboorte

Zolang de baby's goed groeien, is de baarmoeder de best mogelijke couveuse. Dus wat kan er gedaan worden als een vroeggeboorte dreigt?

Verwacht u een vroeggeboorte, dan moet u in elk geval seks (en alle inspannende activiteiten) vermijden, althans tot u contact hebt gehad met uw gynaecoloog. De coïtus oefent druk uit op de baarmoedermond en de prostaglandine in het sperma kan misschien genoeg zijn om het evenwicht te verstoren en een bevalling in gang te zetten.

In de loop der jaren zijn er heel veel adviezen gegeven om een vroeggeboorte te voorkomen of te stoppen, maar die zijn bij twee- of meerlingzwangerschappen niet betrouwbaar gebleken.

- Bij bedrust neemt het gewicht op de baarmoederhals af en verbetert de bloedtoevoer naar de placenta, maar over het algemeen is het voordeel van rust in een ziekenhuisbed heel twijfelachtig.
- Het voordeel van een bandje om de baarmoederhals (waardoor deze dichtgehouden wordt) is niet bewezen, behalve in bijzondere omstandigheden waarin de cervix slap is.
- Medicijnen als salbutamol en andere zogenaamde sympathomimetica (ritodrine, fenoterol, terbutaline) werden gebruikt, hetzij oraal toegediend of via een injectie. Dat is ook het geval met alcohol, nifedipine, magnesiumsulfaat en indomethacine (een ontstekingsremmer), maar er is niet veel bewijs dat een van deze middelen bij een meerlingzwangerschap ook helpen.

De onderzoeksresultaten spreken elkaar echter tegen. Er zijn Franse deskundigen die beweren dat ze met een cerclage (bandje om de baarmoedermond) hebben weten te voorkomen dat tweelingen heel prematuur (voor 28 tot 30 weken) werden geboren, waarbij werd gebruikgemaakt van zowel rust als sympathomimetica om een vroeggeboorte te voorkomen, maar het is niet waarschijnlijk dat hiermee het grootste deel van de vrouwen die een tweeling verwachten, geholpen kan worden.

In feite is het totale aandeel baby's die te vroeg geboren zijn, de afgelopen twee tot drie decennia nauwelijks veranderd, maar premature kinderen – zowel meerlingen als eenlingen – doen het veel beter dankzij andere medische vorderingen.

Het is nu bijvoorbeeld mogelijk om baby's voor de geboorte al steroïden te geven waardoor de rijping van de longetjes versneld wordt.

Waarom dan zoveel ophef gemaakt rond een vroeggeboorte? Misschien wel het beste argument om met een verwachte vroeggeboorte naar het ziekenhuis te gaan, is dat uw baby's daar snel gespecialiseerde hulp kunnen krijgen, zowel tijdens als na de bevalling.

Bevallen

Of de kinderen nu wel of niet op tijd komen, de bevalling zal waarschijnlijk meer een technisch hoogstandje zijn dan bij één kind, zodat complicaties meteen gezien en behandeld kunnen worden. Er zullen vrouwen zijn die deze medicalisatie van de bevalling onaangenaam vinden, of zelfs teleurstellend.

Vanzelfsprekend zijn zwangerschap en bevalling een natuurlijke zaak, dus waarom zou dit proces behandeld moeten worden als een voorstadium van een gevaarlijke ziekte?

In de afgelopen tien tot vijftien jaar hebben vrouwen de ervaring van het moeder worden weer voor zichzelf opgeëist en hebben ze meer keuze gehad in de manier van bevallen. Vrouwen hebben hun stem laten horen en er is een soort verzet ontstaan tegen het traditionele mechanische – en vaak paternalistische – patroon van verloskunde. Ondertussen vragen artsen zich in toenemende mate af welke rol zij hierin spelen en wat de resultaten van hun bemoeienis zijn.

In onze tijd is de medische inmenging bij de bevalling veel minder opdringerig geworden. Sommige veranderingen zijn heel tastbaar. De kunstmatig opgewekte geboorte à terme is nu bijvoorbeeld veel minder gebruikelijk, het gebruik van voetbeugels is zeldzaam en veel meer vrouwen dan twintig jaar geleden mogen tijdens de bevalling gewoon rondlopen.

Het probleem is dat het menselijk ras slechts gericht is op het voortbrengen van één nakomeling tegelijk. Twee- en meerlingzwangerschappen zijn niet de regel. Goede samenwerking is dus de beste benadering voor een vrouw die van een tweeling gaat bevallen. Bevallen is voor meerlingen traumatischer, vooral als ze heel klein of prematuur zijn, en soms allebei. Er bestaat ook een grotere kans op bijvoorbeeld verzakking van de navelstreng en afwijkende ligging. In zeldzame gevallen kan een tweeling elkaar zelfs de weg versperren of in elkaar haken en een normale bevalling onmogelijk maken. Om al deze redenen is de kans dat u bij de bevalling hulp nodig hebt, hetzij met een verlostang of via een keizersnede, twee keer zo groot als bij de bevalling van één kind. Genoeg dwingende, medische redenen om een thuisbevalling uit te sluiten.

Dit wil niet zeggen dat de bevalling geen plezierige ervaring kan zijn, maar u moet er wel op voorbereid zijn dat het anders kan gaan dan de bevalling van één baby. En als de arts het noodzakelijk vindt om in te grijpen, hebt u uiteraard het recht om te vragen waarom.

U kunt niet veel veranderen aan een ziekenhuisomgeving, maar met de juiste voorbereiding en een goede relatie met het ziekenhuispersoneel zijn er manieren om toch te genieten van de bevalling zonder de risico's die u zou lopen wanneer u thuis zou bevallen van uw tweeling.

Wie zullen bij de bevalling aanwezig zijn?

De bevalling van een meerling kan veel publiek trekken. Afgezien van de gynaecoloog zal er een anesthesist voor u en een kinderarts voor elk van de baby's klaarstaan. Er kunnen ook andere verpleegsters, verloskundigen, arts-assistenten en misschien medische studenten bij zijn, die het evenement niet willen missen. Er is een moeder geweest die op een zeker moment 22 mensen in de verloskamer zag tijdens de bevalling van haar tweeling!

Voor veel mensen kan dit heel onaangenaam zijn en er zullen vrouwen zijn die het gevoel krijgen dat hun grote moment in een soort show verandert. Een meerlinggeboorte is natuurlijk ongewoon en werkers in de gezondheidszorg moeten daaruit kunnen leren, maar als u het publiek storend vindt, zeg dat dan. Zeg het bij voorkeur zo vroeg mogelijk tegen uw gynaecoloog. Sommige toeschouwers zullen gegeneerd zijn en het vertrek graag verlaten als hen dat uitdrukkelijk gevraagd wordt.

U kunt hierover, en over andere mogelijke voorkeuren, van tevoren praten met uw partner of degene die u bij de bevalling zal bijstaan. In de drukte van de bevalling kan het prettig zijn dat iemand het woord voor u doet.

Wijze van bevallen

Een keizersnede is bij een tweeling heel gebruikelijk. (Het woord komt van het Latijnse *caesus*, van het werkwoord *caedere*, wat snijden betekent, hoewel men algemeen denkt dat het verwijst naar Julius Caesar – maar diens moeder heeft helemaal geen keizersnede gehad!). Ongeveer 28 procent van de tweelingen komt op deze manier ter wereld tegen slechts 10 procent van de eenlingen.

Drie- en meerlingen

Meer dan twee kinderen tegelijk zullen vrijwel zeker met de keizersnede ter wereld komen. Hoe meer baby's u draagt, des te waarschijnlijker zal medisch ingrijpen nodig zijn. Vier- en meerlingen worden bijna altijd via de keizersnede gehaald.

Wat de beste manier is, verschilt per land. In de Verenigde Staten komt 90 procent van de drielingen via de keizersnede ter wereld tegen slechts 14 procent in Zuid-Afrika. Bij ons is er een klein verschil tussen het ene ziekenhuis of het andere, maar over het algemeen worden de meeste drielingen met de keizersnede geboren. Het lijkt logisch te kiezen voor een vaginale geboorte als de eerste baby met het hoofdje naar beneden ligt, maar het probleem is dat de ligging van de tweede en derde baby tijdens de bevalling kan veranderen; zij moeten dan misschien heel snel geholpen worden. Onder bepaalde omstandigheden is het logisch ze allemaal via de keizersnede geboren te laten worden.

Ligging van een tweeling

Hoe uw tweelingen aan het eind van de zwangerschap in de baarmoeder liggen, is een belangrijke factor bij de keuze van de bevallingswijze. In ongeveer driekwart van de tweelingzwangerschappen ligt de eerste baby met het hoofdje naar beneden in wat bekendstaat als een kruinligging of achterhoofdsligging.

Ongeveer 40 procent van de tweelingen ligt allebei met het hoofdje naar beneden. Deze komen allemaal op de normale manier ter wereld hoewel hun hartslag tijdens de bevalling nauwkeurig in de gaten gehouden wordt om ademnood te kunnen constateren. Bent u een vorige keer met behulp van de keizersnede bevallen, dan is er nu wel een kans dat de tweeling vaginaal geboren kan worden, als die keizersnede om een eenmalige reden werd gedaan en niet om een blijvende situatie (zoals een te smal bekken).

Bij ongeveer 33 procent van de tweelingen komt de eerste met het hoofdje naar beneden, maar ligt de tweede in stuitligging, waardoor een en ander ingewikkeld gaat worden. Het gevaar voor de baby in stuitligging is dat hij niet meteen kan gaan ademen omdat het hoofdje als laatste geboren wordt. Een baby in stuitligging wordt soms tijdens de bevalling gedraaid, een procedure die inwendig keren wordt genoemd. Ligt uw tweede baby in stuitligging, dan zult u nog altijd vaginaal kunnen bevallen, tenzij:

- u eerder via een keizersnede bent verlost om welke reden dan ook (het is niet zo veilig om een stuitligging te keren in een baarmoeder die al een keizersnede heeft gehad);
- er sprake is van complicaties, zoals een uitgeputte foetus.

Bij ongeveer 25 procent van de tweelingen ligt de eerste baby in een stuitligging. Hier wordt een keizersnede vaak toegepast zonder zelfs maar aan de bevalling te beginnen. Aan de andere kant mag u het, als alles verder goed is, een poosje zelf proberen om te zien of er enige vooruitgang wordt geboekt. Het hangt allemaal af van de persoonlijke omstandigheden en van wat het beste voor uw baby's is naar het oordeel van de gynaecoloog.

Is een keizersnede nodig, dan worden beide baby's op die manier geboren. Het is ongebruikelijk – hoewel niet onbekend – dat de eerste van de twee via de vagina wordt geboren en de tweede via een keizersnede omwille van problemen die zich tijdens de bevalling voordoen.

Een tangverlossing komt bij een tweeling ook ongeveer twee keer zoveel voor, soms om het hoofdje van de baby in een betere positie te draaien, maar ook om het kindje er in geval van nood sneller uit te halen. Soms kan een vacuümpomp (een zuiginstrument dat op het hoofdje van de baby wordt gezet) dit karwei klaren, maar het is niet erg gebruikelijk bij heel kleine of premature baby's, omdat die te kwetsbaar zijn.

Het is duidelijk dat wat er kan gebeuren niet alleen afhangt van de ligging van de baby's, maar ook van factoren die van vrouw tot vrouw kunnen verschillen. Een echoscopie kan bijvoorbeeld hebben aangetoond dat er sprake is van een voorliggende placenta, een toestand waarin een van de placenta's zo laag in de baarmoeder ligt dat een normale bevalling zonder meer gevaarlijk is.

De gynaecologische ervaring verschilt ook per ziekenhuis, dus moet u met uw specialist bespreken wat er in uw geval gaat gebeuren. De gegeven percentages zijn slechts gemiddelden, dus kunt u ze niet op honderd stellen omdat niet alle baby's in kruin- of stuitligging liggen. Sommige kinderen liggen horizontaal in de baarmoeder en dan is een keizersnede nodig om een veilige bevalling te verzekeren.

Pijnbestrijding

Er zijn diverse manieren om de pijn te verlichten, zoals:

- 'gas en lucht' (het gas is lachgas)
- pethidine via een injectie (indien toegediend binnen twee uur voor de bevalling kan het de ademhaling van de baby's na de geboorte beïnvloeden, vooral van de tweede)
- verdoving van de geslachtsdelen (lokale anesthesie wordt diep in het bekken geïnjecteerd; soms wordt dit gedaan bij een tangverlossing, hoewel daarbij een epidurale verdoving de voorkeur verdient)
- epidurale verdoving (hierna beschreven)

Er zijn ook methodes die niet gebruikmaken van medicijnen, zoals transcutane neurostimulatie (TNS of TENS). Ontspanning is ook belangrijk – het kan helpen aan het begin van de bevalling.

Voor de bevalling besluiten sommige vrouwen dat ze zo weinig mogelijk of geen pijnbestrijding willen. Er zijn vrouwen die denken dat alleen een natuurlijke (vaak zeer pijnlijke) bevalling de goede manier is om een kind ter wereld te brengen en dat het anders maar een mager aftreksel is.

Pijn kan echter regelrecht averechts werken. Het kan resulteren in ongecoördineerde contracties die de bevalling vertragen en de bloedtoevoer naar de kinderen kan verminderen. Pijn kan uw eigen maag er ook van weerhouden zich te legen waardoor de kans bestaat dat u zuur opgeeft. Dit is gevaarlijk als u bijvoorbeeld opeens algehele narcose nodig hebt.

Het beheersen van pijn bij de bevalling heeft veel voordelen, niet in de laatste plaats omdat u zich rustiger zult voelen en beter in staat zult zijn te genieten van de bevalling omdat de pijn u niet langer plaagt.

Epidurale verdoving of ruggenprik

Bij epidurale verdoving wordt er lokale anesthesie toegediend via de epidurale ruimte rond de zenuwen van het ruggenmerg, zodat ze tijdens de bevalling verdoofd zijn. Succesvolle toepassing van de techniek vraagt om een heel goede anesthesiologische afdeling en deze kan per ziekenhuis verschillen.

Het lijdt geen twijfel dat de ruggenprik de grootste vooruitgang op het gebied van pijnbestrijding is van deze generatie. Het is de enige manier – afgezien van totale anesthesie – die de pijn bij de bevalling geheel kan wegnemen en dat heeft vooral voordelen voor vrouwen die bevallen van een meerling:

- Een ruggenprik is ideaal bij een stuitligging.
- De tweede baby kan van positie veranderen als de eerste geboren is. Dit kind keren zonder lokale of algehele narcose kan een marteling zijn.
- Met een ruggenprik kan een noodzakelijke ingreep (bijvoorbeeld de verlostang of een keizersnede) zonder mogelijk gevaarlijk uitstel worden gedaan.
- Een keizersnede onder lokale verdoving in plaats van algehele narcose zorgt ervoor dat u en uw partner niet de eerste bijzondere momenten met de baby's hoeven te missen.

Als u zwanger bent van een tweeling, zult u daarom misschien geadviseerd, aangemoedigd, overgehaald of zelfs gedwongen worden tot een ruggenprik tijdens de bevalling. Er zijn zelfs gevallen bekend waarin een gynaecoloog heeft geweigerd een vrouw te begeleiden bij de bevalling van de tweeling als ze niet instemde met een ruggenprik. Dit is misschien wat extreem, maar er zijn heel goede redenen aan te voeren voor een ruggenprik bij de bevalling van een tweeling, omdat de motieven daarvoor begrijpelijk zijn. Misschien meer van toepassing is het feit dat vrouwen die een ruggenprik hebben gehad, vaak heel blij zijn met het effect.

De procedure

U dient op uw zij te liggen met uw knieën opgetrokken en uw hoofd gebogen. De anesthesist zal een beetje verdovingsvloeistof in de huid van uw rug spuiten, wat even pijn kan doen.

Daarna zal hij een heel dun naaldje tussen twee wervels (ruggenwervel nummer 3 en nummer 4) in het midden van de rug in de epidurale ruimte steken, waardoor de zenuwen vanuit de ruggengraat naar de rest van het lichaam lopen. Deze zenuwen brengen het gevoel terug naar het ruggenmerg en naar de hersenen, waar de pijn uiteindelijk 'gevoeld' wordt. Om te controleren of alles goed is, wordt in dit stadium een testdosis verdovingsvloeistof gebruikt.

Als alles eenmaal aangebracht is, kan een epidurale prik indien nodig worden aangevuld met een langwerkend verdovingsmiddel, toegesneden op de dosis die u nodig hebt. Voor een keizersnede is bijvoorbeeld een vrij grote dosis nodig, maar voor een vaginale bevalling kan de anesthesist geleidelijk wat minder verdovingsmiddel toedienen, zodat u de persweeën kunt voelen. Een epidurale prik kan ook gebruikt worden voor pijnbestrijding na de bevalling.

De keerzijde

U zult zich misschien zorgen maken over een ruggenprik, maar ongeveer 90 procent is heel bevredigend. Recent onderzoek toont aan dat rugpijn, die sommige vrouwen beschouwen als een complicatie bij de bevalling, niet méér voorkomt na een ruggenprik. Niets in de geneeskunde is echter zonder nadeel en ruggenprikken kunnen problemen veroorzaken. Grofweg zijn dat in afnemende frequentie:

- De bloeddruk kan bij een ruggenprik dalen, dus moet u een infuus in uw hand of uw arm hebben. Het nadeel is dat u dan tijdens de bevalling iets minder mobiel bent.
- Het meest voorkomende probleem is dat een epidurale prik niet helemaal werkt, hoewel dit bij een ervaren anesthesist niet zo waarschijnlijk is. Soms is de gevoelloosheid maar gedeeltelijk of aan slechts één kant van het lichaam voelbaar, wat betekent dat er een andere manier van pijnbestrijding moet worden overwogen.
- Als er een epidurale prik aangebracht wordt, bestaat er een kleine kans dat de naald een vlies kapotmaakt, dat het dura wordt genoemd. Hierdoor komen enkele druppels cerebro-spinaal vocht (CSF) vrij. Dit klinkt misschien angstaanjagend, maar het betekent in de praktijk dat u een paar dagen hoofdpijn kunt hebben. Hoewel het niet echt ernstig is, is de hoofdpijn nogal hevig en wordt ze erger als u overeind zit. Dit zorgt ervoor dat het lastiger is om de baby's te verzorgen en ervan te genieten, maar dit is van voorbijgaande aard.

Vaginale bevalling

De bevalling van een tweeling verloopt meestal in drie fases als het een vaginale bevalling is.

De eerste fase: ontsluiting van de baarmoedermond

In dit stadium worden de contracties steeds heviger en frequenter. De hartslag van de baby is een indicatie van de manier waarop hij de bevalling beleeft. Om zeker te weten hoe de baby's de bevalling doorstaan, wordt hun hartslag voortdurend in de gaten gehouden. Meestal heeft de eerste van de twee een elektrode op het hoofdje (deze kan ook op het achterste van de baby in stuitligging worden bevestigd), terwijl de tweede gevolgd wordt via een elektrode die op uw onderbuik wordt aangebracht. Zo kunnen beide hartjes elektronisch gevolgd worden.

Met al deze apparatuur zult u, vooral als u ook nog een ruggenprik hebt gehad, tijdens de bevalling niet zo mobiel zijn als u zou willen. Reken er echter ook maar niet op dat u veel wilt rondwandelen. Tegen de tijd dat u uitgerekend bent, zou u zich wel eens heel groot en onhandig kunnen voelen en wilt u misschien zoveel mogelijk liggen.

Hoe lang duurt de eerste fase? Bij een vrouw die voor het eerst bevalt (primigravida geheten) duurt het vaak langer, maar dat is beslist geen wetmatigheid. Over het algemeen duurt de bevalling niet langer dan bij een eenling. Tegenwoordig laat men een gewone bevalling niet eindeloos duren, vaak wordt er medisch ingegrepen als een en ander niet vordert.

De tweede fase: de geboorte van de baby's

Om het hoofdje van de eerste baby te doen verschijnen, moet u persen op het moment dat u weeën hebt en op aanwijzing van de gynaecoloog. Hebt u een epidurale prik gekregen, waardoor u vrijwel niets voelt, dan kunt u op de monitor zien wanneer u met een wee mee moet persen.

In de meeste gevallen volgt het lichaam al snel en wordt de navelstreng afgebonden. Indien nodig zullen de vliezen van de tweede baby op dit moment gebroken worden. De bevalling van nummer twee volgt dan meestal binnen minder dan 20 minuten, dankzij enig persen van uw kant.

Tot voor kort liet men tussen de eerste en de tweede baby zelden langer dan 30 minuten verstrijken uit angst dat de tweede baby misschien zuurstoftekort zou krijgen. Dit kan inderdaad gebeuren, maar tegenwoordig is het wel duidelijk dat een langere periode tussen de geboorte van de eerste en tweede baby ook veilig kan zijn, zolang de baby maar zorgvuldig in de gaten gehouden wordt. Natuurlijk moet er niet te lang gewacht worden!

De derde fase: de geboorte van de placenta's

Nadat de tweede baby geboren is en de navelstreng is afgebonden, moeten de placenta's geboren worden. Die worden op natuurlijke wijze uitgedreven of gehaald door zacht aan de navelstrengen te trekken. Zeer zelden wordt de eerste placenta al geboren voordat de tweede baby er is.

Keizersnede

Omdat zo'n kwart van alle tweelingen wordt geboren via de keizersnede en u misschien niet veel daarover te horen zult krijgen, is het goed om eens te zien wat er kan gebeuren.

Een keizersnede kan van tevoren worden gepland, waarbij er dus helemaal niet aan de bevalling wordt begonnen. Dit heet een electieve keizersnede. Die kan bijvoorbeeld nodig zijn in verband met de ligging van de kinderen of een voorliggende placenta. Een keizersnede kan in spoedgevallen worden uitgevoerd, meestal omdat een van de baby's tijdens de bevalling in de problemen dreigt te komen, maar ook wel om andere redenen.

Hoe dan ook, de techniek is vaak dezelfde. En bovendien is de volgorde waarin de tweeling bij een keizersnede wordt geboren, dezelfde als wanneer ze via de vagina ter wereld zouden gekomen zijn, hoewel veel vrouwen denken dat de volgorde misschien omgekeerd is.

Een keizersnede wordt meestal uitgevoerd door een horizontale snede van ongeveer 15 cm onder of vlak bij de bikinilijn. U ligt daarbij op de rug, iets naar één kant. De gynaecoloog die de operatie uitvoert, zal meestal schuin naast u gaan staan (de assistent is degene die natte voeten oploopt door de enorme hoeveelheid vruchtwater). U zult enkele uren, en mogelijk tot de volgende dag, een katheter krijgen om de urine uit de blaas af te voeren. Veel vrouwen vinden dit onaangenaam.

De ingreep zelf wordt niet begonnen voordat u voldoende verdoofd bent, met narcose of met een ruggenprik. Krijgt u een ruggenprik, dan kan uw partner gewoon bij u blijven tijdens de operatie; hem wordt dan gevraagd naast uw hoofd te gaan staan of zitten, waar hij met u kan praten zonder de artsen in de weg te lopen.

Met een ruggenprik voelt u meestal niets meer behalve een lichte tinteling of misschien wat trekken als de gynaecoloog door de huid snijdt. Meestal is dit niet onplezierig, maar als u het pijnlijk vindt, zeg het dan. U zult er echter niets van zien, omdat er een steriel laken ter hoogte van uw borst wordt gespannen. Natuurlijk kunt u uw baby's wel zien en horen zodra ze ter wereld gekomen zijn. Zolang ze geen onmiddellijke medische hulp nodig hebben, kunt u er een of zelfs alle twee op uw borst laten leggen om ze te laten zuigen of gewoon dichtbij te hebben. Ook als ze naar een couveuse moeten, is het meestal wel mogelijk ze heel even vast te houden of aan te raken.

Hebt u algehele narcose gekregen, dan zal uw partner niet bij u mogen blijven, maar u zou het kunnen vragen. Misschien mag hij er even bij zijn om een foto van de geboorte te nemen. Het kan ook zijn dat hij toegelaten wordt zodra de baby's geboren zijn, zodat hij ze kan zien en vasthouden voordat u wakker wordt.

Om technische redenen of door een tekort aan ervaren anesthesisten kunnen vrouwen die een ruggenprik hebben gekregen uiteindelijk toch algehele narcose krijgen. Dit is uiteraard een teleurstelling, vooral als er gezegd is dat de ruggenprik is bedoeld voor eventualiteiten.

Het verblijf in het ziekenhuis zal na een keizersnede iets langer uitvallen, meestal een week, afhankelijk van de persoonlijke situatie. En u bent niet vrijgesteld van postnatale oefeningen. Omdat de bekkenbodemspieren de laatste weken van de zwangerschap hard moeten werken, moet u na de bevalling proberen ze weer in vorm te krijgen.

De minpunten
Keizersnedes staan in slecht aanzien. De moderne keizersnede is heel veilig, maar heeft nadelige kanten:

- U zult zich na de bevalling veel vermoeider voelen.
- U hebt meestal lange tijd last van vaginaal bloedverlies.
- Het is lastiger om voor de baby's te zorgen en ze zelf borstvoeding te geven, omdat u zelf van de operatie moet herstellen.

De volgende dag voelde ik me echt slap toen ik naar het toilet ging. Ze hadden gezegd dat ik bij de keizersnede een liter bloed verloren had. Alle andere moeders op de afdeling konden het wiegje duwen, maar ik kon dat ongeveer 48 uur lang niet en zelfs toen had ik er moeite mee om er twee te duwen. Niet alle verpleegsters begrepen hoe moeilijk het is om twee baby's te moeten verzorgen na een keizersnede.

U kunt niet verwachten dat u zich voelt alsof er niets aan de hand is en vermoeidheid is misschien wel de grootste klacht. Dit kan een probleem vormen wanneer u een meerling moet verzorgen en alle kracht en energie nodig hebt. Onderzoek wijst uit dat vrouwen die een twee- of meerling via een keizersnede hebben gekregen, zich veel minder goed voelen na de bevalling en een iets grotere kans op een postnatale depressie hebben. Daarom moet een keizersnede, net als elke andere operatie, niet worden uitgevoerd zonder goede reden. Aan de andere kant mag geen van deze minpunten een noodzakelijke keizersnede tegenhouden.

Er zijn vrouwen die zich bedrogen voelen door hun ervaring van de bevalling, alsof een bevalling waarbij je niet zelf je baby naar buiten perst, geen echte bevalling is. Het is misschien een begrijpelijke teleurstelling als u uw zinnen had gezet op een natuurlijke bevalling en enige andere mogelijkheid niet had overwogen.

Tijdens de zwangerschapscursus zal er niet zoveel verteld worden over een keizersnede, dus is het geen wonder dat veel vrouwen daar niet op voorbereid zijn. Ik denk dat ze zich veel prettiger zouden voelen als ze er meer van zouden weten. Ongevoelige opmerkingen van andere moeders op de kraamafdeling als 'Arme jij', alsof er iets afschuwelijks is gebeurd, kunnen een vrouw van streek maken; wat meer informatie over een keizersnede zou voor hen ook niet verkeerd zijn.

Eigenlijk zijn veel vrouwen heel blij met een keizersnede. Onderzoek toont aan dat een op de twaalf vrouwen die haar eerste kindje verwacht, eigenlijk een keizersnede wil, maar dat cijfer stijgt tot een op de vijf vrouwen die er een gehad heeft. Ingewijden zijn het daarmee eens: vrouwelijke verloskundigen vragen vaak zelf ook om een keizersnede.

Vrouwen, waaronder ikzelf, die hun kinderen met een ruggenprik hebben gekregen, zijn vaak heel tevreden en beschrijven hun ervaring in superlatieven met de nadruk op de uiterst gelukzalige sfeer tijdens de bevalling.

Ik wilde zelfs geen ruggenprik, laat staan een keizersnede, maar het was geweldig. Na de bevalling heb ik wel gehuild, maar dat was van geluk. Mijn man en twee leden van het ziekenhuispersoneel leken ook ontroerd. Ja, de dag dat mijn zoons via een keizersnede ter wereld kwamen, was de heerlijkste dag van mijn leven. Dat was zo en dat is nog altijd zo, ook al is het nu tien jaar geleden.

Hebt u een algehele narcose gehad, dan voelt u zich misschien een dag wat duizelig en u zult natuurlijk de grote gebeurtenis en de eerste ogenblikken missen. Aan de andere kant zijn het maar een paar uur van het leven van uw kinderen. Probeer gewoon iedereen te overtroeven die zegt dat u niet echt bevallen bent. U kunt nu wel lekker zitten en vrouwen die zonder keizersnede bevallen zijn niet.

Hoofdstuk 4

Uw pasgeboren baby's

In het ziekenhuis

Hoe pasgeboren baby's eruitzien

Er wordt vaak gezegd dat alle pasgeboren baby's er hetzelfde uitzien, maar dat is niet zo. Ze kunnen klein en rimpelig zijn, of mollig en plomp, ze kunnen haar hebben en zijn misschien bedekt met een vetlaagje, het huidsmeer (een substantie die ze beschermt tegen het vruchtwater).

Uw baby's zullen misschien niet op elkaar lijken. Het gemiddelde geboortegewicht van een tweeling is 2500 gram, waarbij jongens iets zwaarder zijn dan meisjes en twee-eiige (DZ) tweelingen iets zwaarder dan eeneiige. Er is echter heel veel mogelijk. De lengte verschilt vaak het meest bij eeneiige (MZ) tweelingen, een feit dat zelfs deskundigen niet altijd beseffen.

Een pasgeboren drielingbaby weegt gemiddeld 1800 gram, maar een kwart van hen weegt minder dan 1500 gram. Vierlingbaby's wegen meestal rond de 1400 gram, maar ook hier is weer heel veel verschil mogelijk.

Uw baby's zullen misschien verschillend gevormde lichamen hebben. De ene kan klein en propperig zijn, terwijl de andere lang en mager is. Eén ding staat wel vast: u zult van het begin af aan van ze houden. Of niet?

Binding

Ik kan eerlijk zeggen dat, hoe glibberig en bloederig ze er ook uitzagen, mijn kinderen het mooiste waren dat ik ooit had gezien.

Moeders (en hun partners) worden soms helemaal overweldigd door verliefdheid zodra ze hun baby zien. Binding heeft te maken met wat een ouder voelt voor een baby, een emotionele band die, althans in het begin, van één kant komt. Mogelijk begint die al in de baarmoeder met de vlinderachtige bewegingen en de andere veranderingen die plaatshebben in het lichaam van de moeder, die worden versterkt door het beeld van de echo of het horen van de hartslag van de baby als de verloskundige een 'doppler'-onderzoek doet. Verliefd worden op twee of meer baby's tegelijk kan een hele kluif zijn. Net zoiets als kennismaken met veel mensen tegelijk op een feestje, is het niet altijd even gemakkelijk, vooral niet als u ze niet zo goed uit elkaar kunt houden en maar weinig tijd hebt voor elk van de baby's.

Volgens een onderzoek was 71 procent van de moeders van eenlingen meteen verliefd op hun baby tegen slechts 50 procent van de tweelingmoeders. Binding met meer dan één kind lijkt vooral moeilijk te zijn als u tot de bevalling niet wist hoeveel kinderen u verwachtte, hoewel dat tegenwoordig heel ongebruikelijk is.

Al snel zult u ontdekken dat hun temperament of hun stemmetjes verschillen, maar op dit moment hebt u iets duidelijkers nodig om de baby's te kunnen onderscheiden – en niet een polsbandje om te spieken. U kunt ze onderscheiden door bijvoorbeeld:

- de kleur van de dekentjes;
- een zacht speelgoedbeestje in de wieg;
- lintjes op het handvat van de wieg;
- ze verschillend te kleden.

Zijn ze zo gezond dat ze bij u in de kamer mogen staan, dan is het verstandig om de baby's steeds bij u te houden zodat u ze sneller kunt leren kennen. Het andere voordeel daarvan is natuurlijk dat u zeker weet waar ze zijn en met wie. En laat u de baby's 's nachts in een aparte kamer zetten zodat u kunt slapen, dan betekent dat niet dat er iets mis is met uw moederinstinct.

Men zegt dat vlak na de bevalling de kans op binding waarschijnlijk het grootst is, of althans het beste moment daarvoor is, vooral als u fysiek dicht bij de baby's bent en ze zelf voedt. Moeders voelen echter net zoveel voor baby's die met de fles gevoed of geadopteerd zijn en iemand kan ook heel intense gevoelens koesteren voor een doodgeboren kindje. Dus ook als u na de bevalling gedwongen van uw baby's gescheiden wordt, dan nog kan de band ontstaan.

Wat verbetert de binding?

Een emotionele band kan worden bevorderd door de baby's meteen na de bevalling te zien en vast te houden, maar er zijn nog heel veel andere dingen die u kunt doen:

- De echo van de baby's tijdens de zwangerschap bekijken, vooral als u een foto van de echo hebt gekregen.
- Een zwangerschapscursus volgen, zo mogelijk samen met uw partner, vooral als deze gericht is op meerlingen, zodat u zich een duidelijk beeld kunt scheppen van de eerste dagen van de baby's.
- Ouders van twee- of meerlingen ontmoeten.
- Van tevoren huishoudelijke hulp regelen.
- Hulp zoeken als er tijdens de zwangerschap problemen zijn, bijvoorbeeld als u moeite hebt met een meerling of een niet-geplande zwangerschap.
- Contact opnemen met een instelling voor maatschappelijk werk als er grote moeilijkheden te verwachten zijn.
- Zorgen voor de bevalling zoals u die wilt; misschien moet u daarvoor wel mensen die niets met de bevalling te maken hebben, vragen de verloskamer te verlaten.

Een emotionele band met drie-, vier- of meerlingen

Drie- en meerlingen kunnen een zegen of een vloek zijn. Een moeder zal zich vaak heel trots voelen, maar ook heel ongerust zijn. Hoe kun je ooit van zoveel baby's houden? Kun je deze kleine wezentjes knuffelen zonder ze pijn te doen? (En zeker vaders zullen zich dat afvragen.) De situatie zal misschien iets moeilijker zijn als een of meer baby's op de couveuseafdeling moeten worden opgenomen.

U kunt alleen maar uw best doen. Een Israëlisch onderzoek heeft aangetoond dat sommige moeders 'in fasen' een band met hun drie- of vierling opbouwden, waarbij ze met een of misschien twee tegelijk kennismaakten. Hebt u hulp kunnen krijgen, probeer het dan zo te regelen dat u zelf steeds een andere baby helpt om uzelf en hem tijd te geven aan elkaar te wennen.

Favorieten

Ouders maken zich vaak zorgen dat ze een voorkeur zullen hebben, hoewel ze daar niet altijd over zullen praten. U kunt gerust zijn: dit is vaak van voorbijgaande aard. Geen twee mensen zijn echt helemaal hetzelfde en niemand hoeft zich erover te verbazen dat mensen verschillende gevoelens voor hun kinderen hebben.

Dit is zeker het geval als er duidelijke verschillen zijn. Er is vaak eerder een favoriet bij een jongen-meisjetweeling of bij tweelingen waarvan er een heel mooi is om te zien. Of als de ene baby heel rustig is, terwijl de andere zich maar moeilijk laat kalmeren. Onderzoek heeft uitgewezen dat ook het geboortegewicht van betekenis is: 84 procent van de tweelingmoeders had duidelijk een voorkeur voor de zwaardere baby. Voor de bevalling denken mensen vaak dat ze meer zullen voelen voor de kleinste van de twee, maar dat gebeurt meestal niet.

Hoewel er geen instant 'genezing' is voor het hebben van een lieveling, zorgt de natuur er meestal wel voor dat de gevoelens van een ouder op- en neergaan. Een van de beste dingen in zo'n situatie is elk van de baby's op een rustig moment wat meer aandacht te geven, vooral de baby waarmee uw relatie wat minder is. Zoek iemand (een vriend, ouder, partner, verpleegkundige – iemand die u vertrouwt) die op de andere baby wil passen terwijl u aandacht besteedt aan het kindje waar u minder voor voelt. Zelfs in dit vroege stadium zult u ontdekken dat u door bezig te zijn met de ene baby terwijl u niet aan de andere hoeft te denken, de kans hebt voor een één-op-ééncommunicatie, wat meestal niet lukt als u een meerling hebt. U hoeft niet meteen verliefd op de baby te worden – eigenlijk juist niet. Probeer hem alleen te leren kennen als persoon zodat uw gevoelens de kans krijgen zich te ontwikkelen als ze er zijn. (In hoofdstuk 8 staat meer over voorkeuren bij oudere tweelingen.)

Ik noemde binding een eenrichtingsproces, maar er is bewijs dat ook pasgeboren baby's reageren op mensen, vooral op mensen die hen ook lijken te mogen. Een onderzoek wijst uit dat baby's ook volwassen gevoelens van aantrekkingskracht kennen met een voorkeur voor gezichten die prettig zijn om naar te kijken. Een vrouw die pas moeder geworden was, zei: 'Ik heb gehoord dat baby's blije gezichten leuker vinden dan knorrige, dus probeer ik blij te kijken, zelfs nu ze nog in de couveuse liggen.'

De dood van een tweelingbaby al vroeg in de zwangerschap of kort na de geboorte wordt gezien als een obstakel voor de band met de andere baby. In deze periode zijn gemengde gevoelens heel gewoon. De pijn van het verlies is zo nauw verbonden met de aanwezigheid van de andere baby dat het heel moeilijk is een band te ontwikkelen. Hebt u dit meegemaakt, probeer het verlies dan niet te ontkennen. Het kan helpen om aan de overleden baby te denken, vooral als u een tastbaar bewijs van zijn bestaan hebt. Dit wordt behandeld in hoofdstuk 14.

Gelukkig krijgen maar weinig ouders te maken met rouwverwerking. Een veel meer voorkomende situatie is dat een of meer baby's op de couveuseafdeling of de afdeling neonatale intensieve zorgen moeten worden opgenomen. Hoewel dit maar tijdelijk is, maakt deze gedwongen scheiding het moeilijker om u dicht bij de baby's te voelen.

Op de couveuseafdeling
Ooit gingen de meeste tweelingen automatisch in de couveuse als ze minder wogen dan 2500 gram, maar dat wordt niet langer zonder meer gedaan. Meestal zullen de baby's echter wel speciale zorg nodig hebben als ze:

- minder wegen dan 1700 gram;
- voor de 32ste zwangerschapsweek geboren zijn;
- tijdens de bevalling meconium (de darminhoud van een baby) binnengekregen hebben;
- stuipen hebben;
- geelzucht hebben;
- een flinke infectie of andere problemen vertonen.

Drie- en vierlingen, die vaak klein en prematuur zijn, zullen waarschijnlijk eerder in de couveuse terechtkomen. Een vierde van de drielingen en bijna twee derde van de vierlingen verblijft een maand of meer op de couveuseafdeling, met alle problemen die dat voor u en de rest van het gezin meebrengt.

Medische zorg
Het idee achter de couveuse is heel eenvoudig: zo betrouwbaar mogelijk de zorg nabootsen die de baby's in de baarmoeder gehad zouden hebben. Premature baby's hebben behoefte aan:

- warmte
- voeding
- bescherming tegen infectie

Er zijn baby's die meer intensieve zorg nodig hebben. Ademhalingsmoeilijkheden zijn heel gewoon, omdat de onrijpe longetjes een stof nodig hebben, die surfactant heet. Zonder deze stof kan de baby de lucht alleen met heel veel moeite inhaleren. Onder andere daarom kan een premature baby een respirator nodig hebben, die voor hem ademhaalt. Hij kan ook behoefte hebben aan speciaal voedsel via een buisje of een ader.

Welke behandeling uw baby's ook nodig hebben, hun conditie zal steeds nauwlettend gevolg worden. Met een combinatie van apparaten en mensen is het mogelijk voortdurend de bloeddruk, hartslag, vochthuishouding en de hoeveelheid zuurstof die in het bloed gebracht wordt, in de gaten te houden. Sommige ouders vinden het afschuwelijk dat een of enkele baby's bijna onzichtbaar zijn door een arsenaal aan machines en meters. Hoewel het idee achter de speciale zorg niet al te ingewikkeld is, kan de apparatuur die deze moet uitvoeren bedreigend overkomen als u er niet aan gewend bent.

Komt het goed met uw baby's? Wel, er is enorme vooruitgang geboekt op het gebied van wat neonatale (voor pasgeborenen) zorg en verzorging wordt genoemd. Artsen kunnen nu bijvoorbeeld surfactant toedienen, dat de premature longetjes nog niet zelf kunnen aanmaken. Nieuwe respiratoren voelen en ondersteunen de zwakke pogingen van het kindje om te ademen. Recente ontwikkelingen op het gebied van echoscopie brengen met zich mee dat een echo van de schedel de kinderarts kan vertellen wat er binnenin gebeurt en zo helpen het risico van een handicap te voorkomen.

Dit alles leidt ertoe dat u redenen hebt om optimistisch te zijn. De kans op overleving voor een kleine, kwetsbare baby is nu veel groter en er zullen minder kinderen dan voorheen langdurig gehandicapt zijn.

Het enige eerlijke antwoord op de vraag: 'Komt het goed met mijn baby's?' is, dat het afhangt van hun persoonlijke situatie, maar kijk maar eens naar de foto's op de afdeling – vrijwel elke couveuseafdeling heeft een prikbord met daarop foto's van gezonde, lachende kinderen: allemaal voormalige patiëntjes die het hebben gehaald en nu volop van het leven genieten.

Wat kunnen ouders op de couveuseafdeling doen?

Moeten uw baby's opgenomen worden op de couveuseafdeling, vraag dan of u ze mag aanraken of vasthouden – al is het maar heel even – voordat ze in de couveuse gelegd worden. Vroeg contact is waardevol, maar het personeel denkt er vaak niet aan als u het niet vraagt. Aan de andere kant hoeft u niet te wanhopen als u niet de kans hebt gekregen om uw baby's meteen na de geboorte vast te houden: dit betekent niet dat zich in de toekomst onvermijdelijk problemen in de relatie zullen voordoen.

Hoewel u de baby's misschien niet zoveel zult kunnen knuffelen als ze eenmaal in de couveuse liggen, kunt u toch nog heel veel voor ze doen:

- De meeste couveuseafdelingen zullen wel een polaroidfoto van de baby's maken, zodat u ze toch kunt zien, ook al staan ze dan niet naast uw bed. U kunt vragen of u zelf foto's of een video-opname mag maken zolang u dit maar doet zonder flitslicht of in de weg te lopen.
- Zodra dat kan, moet u naar de couveuseafdeling gaan. Hebt u op het laatste moment een keizersnede gehad, dan kan iemand u misschien helpen om naar de afdeling te gaan of u zo nodig meenemen in een rolstoel.
- U zult de baby's misschien zelf willen voeden en dat kan vaak ook wel (door melk af te kolven), ook al liggen ze op de couveuseafdeling. Aan de andere kant zult u tot uw verbazing ontdekken dat sommige premature baby's op borstvoeding niet gedijen; in die gevallen is het vaak mogelijk een bepaalde toevoeging te geven om de groei te versterken.
- Misschien wilt u in plaats daarvan ook wel helpen uw baby's de fles te geven. Praat zo snel mogelijk met de verpleging of de artsen over de mogelijkheden.

Krijgt een baby al flessenvoeding, dan is het mogelijk, maar veel moeilijker, hem later weer zelf te voeden.

- Aai uw baby's, ook al is het alleen maar door de 'manchetten' van de couveuse. Dit zal in het begin heel onnatuurlijk aanvoelen, maar regelmatig aanraken is goed voor u en voor de baby's. U zult elkaar langzamerhand leren kennen. Baby's zouden de aanraking van de moeder kunnen herkennen, zegt men. Hierdoor zult u ook leren met ze om te gaan, waardoor de emotionele band wordt opgebouwd.

- Is slechts een van de baby's er minder goed aan toe, dan zult u zich heen- en weergeslingerd voelen tussen de baby in de couveuse en de baby naast uw bed – en zij zullen lange tijd gescheiden zijn. U zult bezorgd zijn over het welzijn of de veiligheid van de baby die alleen achterblijft terwijl u naar de couveuse-afdeling bent. Het is voor moeders heel wezenlijk om de tweeling dicht bij elkaar te hebben, dus vraag daarom. Misschien kunt u met de gezondere baby verplaatst worden naar een afdeling die dichter bij de couveuseafdeling gelegen is.

- Maak indien mogelijk foto's van de baby's samen om hun band te onderstrepen. Dit schijnt bijzonder belangrijk te zijn voor moeders, als de ene baby ziek is.

- Kleine of premature baby's kunnen minder aantrekkelijk zijn om te zien, ook voor hun eigen ouders (sommige moeders zullen dit zo ervaren, maar het niet willen toegeven). Als slechts één baby ziek is, zullen de verpleegkundigen erop aandringen dat u zich richt op de gezonde baby, maar uw zieke baby heeft uw zorg en aandacht nodig – en u ook. Overtuig u ervan dat uw gezonde tweelingbaby hiervan geen nadeel ondervindt. Aan de andere kant zijn er moeders die de kameraadschap van een vriendelijke verpleegster in de omgang met een heel zieke baby, bijzonder prettig vinden.

- Misschien hecht u zich liever niet aan de baby, omdat u zich dan nog ellendiger zult voelen als hij mogelijk sterft, maar dit idee wordt niet geschraagd door de ervaringen van ouders die met rouwverwerking te maken kregen. Eigenlijk ervaren zij juist het tegenovergestelde en koesteren ze het contact dat ze hadden voordat de baby stierf. Worstelt u hiermee, praat er dan over met het personeel van de afdeling. De dienstdoende kinderarts zal er zeker ervaring mee hebben.

- Vraag naar de behandeling die de baby's krijgen en zorg dat u bij de verzorging betrokken wordt. Er zijn waarschijnlijk heel wat dagelijkse dingen die u kunt doen, vooral als de gezondheid van de baby vooruitgaat. Er is veel veranderd in ziekenhuizen – ook het denken over infecties. Tegenwoordig mag naaste familie (ook de andere kinderen) vaak op de couveuseafdeling komen.

- Op de afdeling zult u misschien ook kennismaken met andere ouders en ervaringen uitwisselen, maar ga er niet van uit dat wat met andere baby's gebeurt ook met de uwe zal gaan gebeuren. Vraag de medische staf hoe het in uw specifieke situatie staat. Deze (of de verpleging) zal zeker bereid zijn te vertellen wat sommige apparaten doen, waardoor u gerustgesteld zult worden.

Zullen de baby's groeien?

Zijn uw baby's heel klein, dan zult u zich afvragen of ze ooit zullen groeien. Dit is een lastige vraag om te beantwoorden, maar ze moet gesteld worden, omdat veel moeders van kleine of premature kinderen het willen weten en toch bang zijn de vraag te stellen omdat ze vrezen voor een ontmoedigend antwoord.

De grootte lijkt belangrijk te zijn en is vooral belangrijk voor ouders van meerlingen als er maar één baby klein is, omdat het verschil tussen een heel klein kindje en zijn flinke, levendige broer of zus van dezelfde leeftijd, heel duidelijk is – voor hen en iedereen in hun omgeving.

In de regel groeien kleine baby's goed als ze alleen maar klein zijn, omdat ze te vroeg zijn geboren. Hoe prematuurder ze zijn, des te langer ze nodig hebben om groot te worden, dus als alle kinderen klein zijn omdat ze twee maanden te vroeg geboren zijn, dan kunt u verwachten dat de ongelijkheid van het begin in de loop der jaren zal verdwijnen.

Er zijn een paar uitzonderingen, bijvoorbeeld als de placenta minder goed gewerkt heeft. Als een baby uitzonderlijk klein blijkt te zijn voor de tijd die hij in de baarmoeder doorgebracht heeft, dan zal hij de achterstand waarschijnlijk niet inlopen. Een baby die veel kleiner is dan zijn of haar zus(sen) en broer(s), zal daarom klein blijven. Dit is vooral het geval als een baby als pasgeborene heel veel medische problemen heeft.

Baby's zaaien verwarring doordat ze in verschillende vormen en maten ter wereld komen, maar u kunt een ruw beeld krijgen van de mogelijke groei gezien zijn lengte. Is hij te licht voor het moment waarop hij geboren is, maar wel goed van lengte, dan zal hij dat gewicht gemakkelijk inlopen in de eerste weken na de geboorte.

Wanneer mogen ze naar huis?

Het is moeilijk te zeggen wanneer dat mag, afgezien van het voor de hand liggende antwoord 'Als ze zover zijn'. Dit kan zijn eeuwen nadat (of zelfs lang voordat) u er klaar voor bent. Als ze thuiskomen, is dit echter de volgende fase in het grootste avontuur van uw leven.

Hoe kleiner de baby's zijn of hoe meer ze te vroeg geboren zijn, des te waarschijnlijker het is dat u een van hen in het ziekenhuis moet achterlaten terwijl u naar huis mag. Desalniettemin zullen veel ziekenhuizen hun uiterste best doen om beide baby's bij elkaar te houden om te voorkomen dat er voor u een chaotische situatie ontstaat door ze op verschillende momenten te ontslaan. Of dit kan, hangt af van de mogelijkheden van een bepaald ziekenhuis en helaas zal in veel gevallen hun capaciteit te beperkt zijn.

Soms wordt slechts één baby op de couveuseafdeling opgenomen, soms liggen de baby's zelfs in verschillende ziekenhuizen, eventueel verspreid over het hele land. Dit is voor de ouders natuurlijk verre van ideaal, maar soms kan het niet anders, zeker niet als er sprake is van meer dan twee baby's. Voor de ouders en de rest van de familie zorgt dit meteen al voor nare verschillen tussen de baby's. Het voelt niet goed, omdat dit het moment is waarop u normaal gesproken als gezin bij elkaar zou moeten zijn. Ook het bezoeken van de afwezige baby kan allerlei praktische problemen opleveren.

• Ga zo vaak mogelijk op bezoek. De baby in het afgelegen ziekenhuis maakt nog altijd deel uit van het gezin en moet zijn plek zo snel mogelijk innemen.
• Borstvoeding, ook al is het maar gedeeltelijk, kan helpen.
• Praat over uw baby met alle vrienden en kennissen die niet bij hem of haar op bezoek kunnen gaan.
• U zult zich misschien moeilijk kunnen hechten aan de zieke baby, dus verwacht niet dat u meteen liefde voor hem zult voelen.

Er zijn moeders die het veel gemakkelijker vinden dat er één baby tegelijk thuiskomt, waardoor ze de kans krijgen zich aan één tegelijk aan te passen.

Ja, het was heel moeilijk dat de drie baby's op verschillende momenten uit het ziekenhuis ontslagen werden, maar ik weet niet hoe ik het allemaal had moeten doen als ze tegelijk thuisgekomen waren in de tijd dat ze om de drie uur gevoed moesten worden.

Hoofdstuk 5

Voeden en andere praktische zaken

Als ze de eerste echo hebben gezien, geven veel vrouwen het idee van borstvoeding op, omdat ze denken dat het onmogelijk is twee of meer baby's zelf te voeden. Het is eigenlijk heel goed te doen en eeuwenlang zijn moeders erin geslaagd tweelingen zelf te voeden, ook al staan sommige deskundigen daar vandaag de dag niet bij stil.

De maat van uw borsten bepaalt niet of u wel of niet zelf zult kunnen voeden. Een moeder (met een A 70) herinnert zich hoe vreselijk ze het vond toen de gynaecoloog haar vertelde, onterecht naar later bleek, dat ze nooit genoeg melk zou hebben.

Een tweeling zelf voeden vraagt echter wel meer dan één baby zelf voeden en u moet er zoveel mogelijk over proberen te weten te komen. Dan moet u zelf beslissen hoe u uw kinderen wilt voeden. Probeer eerlijk tegenover uzelf te zijn en voel u, wat uw beslissing ook gaat worden, niet schuldig of onder druk gezet. Dit is gemakkelijker gezegd dan gedaan, vooral als het uw eerste zwangerschap is, maar u moet zich prettig voelen bij uw beslissing en uw lichaam. Het is een mythe te denken dat u alleen een band met uw kind kunt krijgen als u het zelf zou voeden. Voelt u zich echter niet prettig bij de borstvoeding, dan zult u het verfoeien en een veel minder goede band met de kinderen krijgen.

Hoewel u waarschijnlijk te horen hebt gekregen dat de baby's meteen na de bevalling aangelegd moeten worden om de borstvoeding op gang te brengen, is het niet van essentieel belang, dus hoeft u niet te wanhopen als er geen gelegenheid voor is. Vertrouw ook niet te veel op mogelijke eerdere ervaringen met borstvoeding. Is dit uw tweede zwangerschap, dan zult u waarschijnlijk ontdekken dat de melk veel gemakkelijker toeschiet dan de eerste keer het geval was.

Vóór borstvoeding

- Het perfecte voedsel voor baby's: borstvoeding is altijd klaar en op de juiste temperatuur.
- Borstvoeding bevat antilichamen die beschermen tegen infectie. Ze is vooral heel goed in de eerste drie tot vier maanden voordat een baby zelf antilichamen produceert.
- Omdat het simpelweg gaat om vraag en aanbod, zult u de baby niet snel te veel geven.
- Borstvoeding beschermt tegen ernstige gastro-enteritis, deels door de antilichamen die ze bevat en deels omdat ze niet klaargemaakt hoeft te worden.
- Baby's die borstvoeding krijgen, zouden minder last hebben van eczeem en/of astma (dit is echter niet bewezen).
- Borstvoeding brengt u lichamelijk (en mogelijk emotioneel) dichter bij uw baby's. Daardoor zullen de baby's tevredener zijn, hoewel hiervoor helaas geen garantie wordt gegeven.
- Borstvoeding geven helpt de baarmoeder samen te trekken tot de normale afmetingen en (omdat het calorieën vraagt) ook om uw figuur weer terug te krijgen. Het is nog niet zeker of het op latere leeftijd ook helpt borstkanker te voorkomen.
- Het is goedkoper dan flesvoeding, hoewel u zelf meer moet eten en drinken.
- Baby's die de borst krijgen, hebben minder last van boertjes.
- Volledige borstvoeding (dus zonder bijvoeden met de fles) geeft enige bescherming tegen zwangerschap, maar vertrouw er niet te veel op, temeer daar moeders van meerlingen vaak vruchtbaarder zijn.
- Borstvoeding voelt prettig. Voor sommige vrouwen is het een intense seksuele ervaring.

Vóór flesvoeding

- Iemand anders kan de kinderen gemakkelijk voeden. Dit geeft anderen (uw partner bijvoorbeeld) meer kans om bij de verzorging betrokken te raken en het geeft u de gelegenheid andere dingen te doen, zoals slapen, weer aan het werk gaan, winkelen of met de andere kinderen iets ondernemen.
- U krijgt geen pijnlijke tepels.
- U kunt uw baby's evengoed knuffelen en dicht bij u hebben.
- U weet hoeveel voeding ze krijgen. Gemiddeld heeft een baby per 24 uur grofweg 100-170 ml melk nodig voor elke kilo lichaamsgewicht, maar dit verschilt per baby.
- Omdat u uw borsten niet een aantal keren per dag hoeft te ontbloten en ze niet lekken (na de eerste paar dagen), kunt u dragen wat u wilt.

- U kunt de kinderen voeden waar u wilt ('s winters kan borstvoeding heel onhandig zijn, zo niet gewoonweg koud).
- Flesvoeding vraagt speciale voorzieningen en voorbereiding (en kost meer), maar het vergt lichamelijk minder van u. Het kan zijn dat u sneller terug bent in uw oude geestelijke toestand en u zult 's nachts waarschijnlijk minder transpireren.
- Uw baby's zouden 's nachts vaster kunnen slapen. Een baby die borstvoeding krijgt, zou 's nachts wakker kunnen worden, niet alleen om te eten, maar ook voor een 'menselijke fopspeen', en dat zou gewoonte kunnen worden.
- Oudere kinderen zouden jaloers kunnen zijn.

Al met al is het een persoonlijke beslissing en veel hangt af van uzelf en uw manier van leven. Bent u er nog niet zeker van, praat er dan eens over met bijvoorbeeld iemand van een vereniging voor borstvoeding. Een tweelingmoeder kan zelf voeden als ze dat wil. Afgezien van andere punten – en als u zelf redelijk gezond bent – zou u kunnen starten met borstvoeding. U kunt later altijd overstappen op de fles. Zijn de baby's eenmaal begonnen met een kunstmatige tepel, dan kan het echter lastiger zijn ze weer aan de borst te krijgen.

Een tweeling zelf voeden

Het principe van voeden, tepelverzorging en vasthouden is hetzelfde bij een tweeling als bij één baby, en uw gynaecoloog, het verplegend personeel of een borstvoedingsadviseuse kan u heel veel algemene informatie geven.

Een vast patroon is heel belangrijk als u meer dan één baby hebt en dat zal zich heel snel ontwikkelen. Hoe dan ook is het gebruikelijk om pasgeboren baby's op verzoek te voeden: als ze trek lijken te hebben. Dit is belangrijk omdat u een melkvoorraad opbouwt op basis van de hoeveelheid die de baby's afnemen. Is uw tweeling heel klein of prematuur, dan zult u het advies krijgen ze elke twee tot drie uur aan te leggen, ongeacht of ze trek hebben of niet.

Omdat het voeden anders de hele dag zou kosten, is het gewoon beide baby's tegelijk te voeden tenzij er een goede reden is om dat niet te doen. Wordt er een wakker voor een voeding, maak de ander dan ook wakker. Misschien zal hij deze keer niet zoveel drinken, maar met een beetje geluk komen beide kinderen dan wel op hetzelfde schema. Nog een voordeel van het tegelijk voeden is dat de andere borst niet nutteloos gaat lekken zoals vaak het geval is bij eenlingen. Zijn de baby's heel verschillend van grootte en hebben ze verschillende voedingsbehoeften, dan zult u ze waarschijnlijk apart willen voeden.

Afgezien hiervan is het meest opvallende verschil bij het voeden van een tweeling de positie. Er zijn moeders die ze hetzelfde aanleggen als één baby (zoals op de tekening te zien is), maar hierbij is het niet mogelijk hun lichaam stevig vast te houden. Bovendien kunnen ze elkaar onder het voeden schoppen.

Meer voorkomend voor een tweeling is de 'voetbal'-houding, zoals getoond. Hierbij hebt u beide lichamen iets steviger vast, u kunt ze wat meer knuffelen en de beentjes liggen niet in de weg.

Andere moeders zoeken een compromis en leggen de baby's tijdens het voeden min of meer parallel, wat ook goed kan. Zoals u zelf wel zult ontdekken, zijn er nog meer mogelijkheden.

Van groot belang is dat u zelf een prettige houding hebt. U zult waarschijnlijk een aantal uren per dagen zitten voeden en dat legt een enorme druk op uw nek, schouders en rug. Uw rug moet daarom ondersteund worden en de baby's moeten ter hoogte van de tepels liggen. Veel moeders vinden een groot V-vormig of driehoekig kussen heel prettig, maar een ander kussen is ook prima zolang het maar een veilige houding creëert.

Een goede plek om een tweeling te voeden is een bank of een bed. Eenpersoonsbedden zijn vaak te smal voor uzelf, de baby's en de kussens – dit is ook een bekend probleem in het ziekenhuis. Misschien kunt u beter overdwars gaan zitten, maar zorg wel dat uw rug een steuntje heeft. Wat in het begin prettig lijkt, kan in de daaropvolgende twintig tot dertig minuten veranderen, vooral als een van de baby's de tepel loslaat en weer moet worden aangelegd.

Enkele houdingen om een tweeling borstvoeding te geven

De baby's goed aanleggen en zo houden, is in het begin het grootste probleem en het zal lijken of u armen tekortkomt. Als u nog in het ziekenhuis bent, zal de kraamverpleegster tijdens het voeden in de buurt zijn om u een handje te helpen als een van de baby's halverwege de voeding de tepel laat schieten.

Vroeggeboren baby's zuigen meestal minder goed, vooral als ze voor 34 weken geboren zijn. Kleine baby's kunnen ook moeilijk te voeden zijn als u grote borsten hebt, waardoor ze overmand worden. Het tegenovergestelde is ook niet eenvoudig: hebt u kleine borsten en vrij grote baby's, dan kan het heel lastig zijn, vooral als de baby's het in hun hoofd halen tijdens de voeding te bewegen.

Hebt u eenmaal de slag te pakken, dan zult u het echter alleen redden. U zult ontdekken dat u, vergeleken met vriendinnen die maar één baby voeden, één probleem hebt: heel veel zogenaamde voedingskleding is onbruikbaar. Wat is het nut van slechts één opening voor? Soms kunt u een nachthemd met twee openingen vinden, een voor elke borst. Bij andere kleding zult u ook een lijfje moeten kiezen dat u helemaal los kunt knopen of omhoog kunt doen. Er zijn moeders die zichzelf niet zo graag blootgeven tijdens de borstvoeding, maar anderen geven daar minder om. Sommige moeders ruilen bij elke voeding van borst, terwijl andere een borst voor elke baby houden. Omdat baby's niet altijd dezelfde hoeveelheid voeding vragen, kan dit leiden tot tijdelijke onbalans. Zijn uw baby's heel verschillend van gewicht, dan zou u misschien beter van borst kunnen wisselen.

Hoe lang moet u elke keer voeden? Het gebruikelijke antwoord is zolang als de baby's willen. Ze zullen echter misschien blijven zuigen omdat ze het lekker vinden, terwijl ze allang voldoende hebben gehad, maar zo zit u ten slotte met pijnlijke tepels en moet u wellicht het zelf voeden opgeven. Over het algemeen kunnen vrouwen met een blanke huid niet tegen al te veel zuigen. Het is het beste om zo vaak als de baby's dat willen, aan te leggen, maar kunt u ze niet zo lang laten zuigen als ze willen, bedenk dan dat vijf tot tien minuten per borst per voeding meestal voldoende is om het grootste deel van de melk op te drinken.

U kunt altijd melk afkolven als de borsten heel erg gezwollen zijn of als u wilt dat iemand anders om een of andere reden de baby's de fles geeft. Kolft u vaker melk af, dan is een gewone borstpomp, die met de hand bediend wordt, niet voldoende en hebt u een elektrische nodig. Informeer in Nederland eens of u die bij de Kruisvereniging of de Thuiszorg kunt huren. In België is afkolfapparatuur te verkrijgen of te huren bij ziekenfondsen, kraamklinieken en apothekers. De meeste vrouwen die het hebben geprobeerd, zeggen dat ze zich met zo'n ding net een koe voelen, maar vaak voegen ze eraan toe: 'En dan?'

In de weken en maanden dat u zelf voedt, moet u ervoor zorgen dat u voldoende drinkt. Vaak wordt bier geadviseerd, maar dit is waarschijnlijk niet beter of slechter dan andere calorierijke drankjes. Een beetje alcohol kan helpen om te ontspannen, maar overdrijf niet: te veel kan schadelijk zijn voor de kinderen. Zorg dat u ook voldoende eet, vooral eiwitten en koolhydraten. De natuur weet hoe ze ermee moet omgaan en de beste manier is gewoon eten als u trek hebt. Dit is niet het moment om te lijnen.

U zult misschien van plan zijn een paar weken of veel maanden zelf te voeden. Wat het ook wordt, het is goed voor de baby's en veel moeders hebben hun tweeling met succes met alleen maar moedermelk grootgebracht tot hun eerste verjaardag. Als u het prettig vindt en als de baby's het goed doen, dan is er geen reden om te stoppen. U kunt ook besluiten te stoppen als ze na vier, vijf maanden met vast voedsel beginnen. Dit is vaak het moment waarop de behoefte afneemt, dus zou het een probleem kunnen worden om zelf te blijven voeden. Er zijn ook moeders die het een knoeiboel vinden om de baby's, als ze zich hebben besmeurd met het vaste voedsel, aan de borst te leggen.

Er zullen waarschijnlijk andere momenten zijn waarop u een flesje babyvoeding als aanvulling zult willen geven. Beurtelings borst en fles werkt bij sommigen goed en kan ertoe leiden dat een moeder borstvoeding kan blijven geven waar ze anders misschien gestopt zou zijn. Het probleem met flesjes is – afgezien van het klaarmaken ervan – dat een baby dan minder aan de borst zuigt, waardoor de melktoevoer minder wordt. Gaat u ook een flesje geven, zorg dan dat u dat doet na de borstvoeding en niet ervoor.

Hebt u een partner, dan is zijn steun van wezenlijk belang voor het succesvol zelf voeden van de tweeling. Eerst zult u gewoon wat geholpen moeten worden bij het aanleggen en morele ondersteuning nodig hebben als het allemaal niet zo gladjes verloopt, maar later, als u er handigheid in gekregen hebt, is het zelf voeden van een meerling altijd nog een hele verplichting. Het is tijdrovend en u zult meer rust nodig hebben dan wanneer u slechts één baby had. Ondertussen is het aantal klussen dat ligt te wachten ten minste het dubbele van dat bij een eenling.

Er zijn diverse adviesinstellingen op het gebied van borstvoeding. Een bezoek aan een andere moeder die een tweeling zelf voedt, kan ook heel nuttig zijn. Niet alle deskundigen echter geloven dat. Vertel het uw huisarts, want anders weet hij of zij niet dat het u gelukt is. Heel veel medicijnen gaan over in de moedermelk, dus help uw arts eraan herinneren dat u zelf voedt als u iets voorgeschreven of geadviseerd krijgt.

Een drieling zelf voeden

Een duidelijk probleem in dit geval is dat een vrouw maximaal slechts twee borsten heeft. Het is echter mogelijk een drieling zelf te voeden en dat is een goed idee als u daar zin in hebt. U zult minder tijd overhouden, maar zelf voeden geeft

u de kans de baby's te knuffelen en, omdat ze kleiner en vaak nog eerder geboren worden dan tweelingen, kunnen drie- en meerlingen nog meer profijt hebben van het gezonde van moedermelk. De keerzijde van de medaille is:

- uw baby's zullen waarschijnlijk in de couveuse liggen
- als ze heel erg prematuur zijn, zullen ze waarschijnlijk niet erg goed zuigen

Drie kinderen zelf voeden is ongelooflijk vermoeiend, maar sommige vrouwen is
het wel gelukt dat zes maanden of langer vol te houden. Via een vereniging voor
borstvoeding kunt u in contact komen met moeders die graag hun ervaringen
uitwisselen en praktische tips kunnen geven.

Uw keuzemogelijkheden zijn:

- een of twee baby's zelf voeden en de ander(en) de fles geven, misschien via een
  wisselsysteem zodat ze per 24 uur allemaal de borst en allemaal de fles krijgen;
- twee baby's de borst geven en de afgekolfde melk aan de derde geven;
- alle drie op verschillende momenten zelf voeden (heel tijdrovend).

U kunt hierbij uitgaan van de houdingen en algemeenheden die bij het zelf voeden van een tweeling zijn genoemd. Hebt u assistentie, dan kan hij of zij de derde baby de fles geven. Of misschien kunt u de derde op een veilig plekje naast u
leggen, mogelijk op het V-vormige kussen. Om uw drieling met succes zelf te
voeden, moet u uw eigen gezondheid wel op de eerste plaats laten komen. Dit
betekent dat rust, gezond eten en heel veel drinken het belangrijkste zijn. U moet
zo voldoende melk kunnen aanmaken. Weet u niet zeker of het u lukt om drie
kinderen te voeden, weeg de baby's dan wat vaker (een keer of twee per week).
Bij drielingen zal een verpleegkundige wel aan huis willen komen om de kinderen te wegen. Als ze het niet aanbiedt, vraag het dan. Of nog beter: sta erop.

Twee- of meerlingen met de fles voeden
Hoewel de fles een gemakkelijkere optie lijkt, is het moeilijker om twee of meer
baby's zo dicht bij u te hebben en de flessen goed vast te houden, laat staan om
bijvoorbeeld aan uw neus te wrijven als die tijdens de voeding gaat kriebelen.
Ook hier geldt dat de algemeenheden hetzelfde zijn als voor het voeden van één
baby, hoewel er een paar verschillen zijn.

Houding
Het vinden van de juiste houding hangt er grotendeels van af hoe groot uw baby's zijn. Met kussens om uw armen te steunen, zult u het waarschijnlijk het ge-

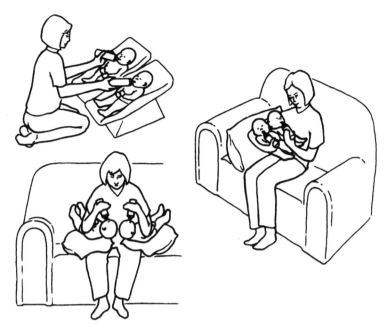

Enkele houdingen om een tweeling flessenvoeding te geven

makkelijkste vinden om een fles in elke hand te houden en een baby aan elke kant te leggen, of:

- langs uw benen;
- met een hoofdje op elk van uw dijen;
- of met een baby op elke arm (hiervoor moet u vrij soepele polsen hebben).

U kunt de baby's ook zij aan zij leggen en meer de flesjes vasthouden dan de kinderen, maar dan bent u lichamelijk niet zo dicht bij ze.

Met enige oefening zult u al snel een of meerdere posities vinden die u het beste passen. Is er nog een volwassene in de buurt, dan kunt u natuurlijk elk een baby voeden. Hoeveel armen u ook tekortkomt, laat een baby nooit alleen met de fles.

Het juiste moment kiezen

Net als bij borstvoeding is uw doel om zo snel mogelijk een regelmatig patroon te ontwikkelen, maar meestal moet u beginnen met voeden naar behoefte. Het is vaak het beste om een tweeling tegelijk te voeden, waarbij u de ene die niet zoveel trek heeft, wakker maakt. De baby die u gewekt hebt, zal niet zoveel drinken als de baby die luidkeels om zijn fles heeft gevraagd, maar dit trekt na verloop van tijd wel bij. Zijn de kinderen echter heel verschillend van gewicht, dan loopt u het risico dat u ze overvoert en kunt u zich beter richten naar hun indi-viduele behoeften: vanaf het begin apart voeden, ook al vergt dat meer tijd.

Flesjes klaarmaken

Het is prima om de voeding tot 24 uur van tevoren klaar te maken als u vol-doende flesjes hebt – en ruimte in de koelkast. Als alternatief voor het moeten bewaren van aparte flesjes zou u een grote maatkan met babyvoeding kunnen maken. Roer de melk dan wel door voordat u ze in een flesje giet – gebruik daar-voor een steriele lepel.

Vergeet niet het flesje te schudden voordat u het geeft. Er zijn speciale sterili-satiesets in de handel, maar het steriliseren van flesjes gaat ook heel goed door ze even uit te koken in een pan met water. Dit moet de eerste tijd eens per dag, daarna minimaal eens per week. Maak de flesjes, de doppen en de spenen na elke voeding wel goed schoon met heet water en een flessenreiniger. Verschillend ge-kleurde flesjes (rode en blauwe doppen bijvoorbeeld) zijn handig om te weten welke baby wat gehad heeft, vooral als u halverwege de voeding moet stoppen.

Koude flesjes verwarmen

Veel baby's zullen een koude fles gewoon opdrinken, maar koude melk kan een klein kindje te veel afkoelen. Het is beter om de melk eerst te verwarmen, maar niet te veel, want hete melk is erg gevaarlijk. De slijmvliezen van de keel kunnen daardoor zo opzwellen, dat er verstikkingsgevaar ontstaat. Een magnetron kan een prima manier zijn om flesjes te verwarmen, vooral als u er twee of meer te-gelijk moet klaarmaken. Wel bestaat hierbij het gevaar dat sommige delen in de melk heter zijn dan de rest. U zou ook een flessenwarmer, of nog liever twee, kunnen gebruiken, of gewoon een pannetje warm water.

Een andere handige tip om koude flesjes te verwarmen, is het melkpoeder aan-maken met weinig water en later, als u het nodig hebt, er heet water aan toe te voegen. Heeft uw baby bijvoorbeeld 180 ml nodig, maak dan van tevoren flesjes met voldoende schepjes melkpoeder voor deze hoeveelheid, maar voeg slechts 120 ml water toe. Zet het flesje dan in de koelkast en voeg vlak voordat u de baby het flesje geeft, de rest van de hoeveelheid vers gekookt (heet) water toe. Met een beetje oefening lukt het wel de juiste verhouding te kiezen. Natuurlijk mag u (of iemand anders) nooit onvoldoende verdunde flesvoeding geven. Als iemand an-ders de flesjes geeft, moet er duidelijk op staan welke hoeveelheid water er nog aangevuld moet worden.

Welke manier u ook kiest om de flesvoeding klaar te maken, controleer altijd weer de temperatuur. De traditionele manier is een paar druppels op de binnen-kant van uw pols laten vallen.

Luiers

Wegwerpluiers of katoenen luiers?

Wegwerpluiers bieden heel veel gemak en worden tegenwoordig gemaakt in alle soorten en maten. De meeste tweelingmoeders kiezen voor wegwerpluiers, maar het heeft te maken met uzelf en uw manier van leven. Katoenen luiers zijn niet beslist beter voor het milieu omdat ze gewassen moeten worden en daarbij elektriciteit en wasmiddel gebruiken, en katoenen luiers zijn niet beter of slechter voor luieruitslag dan wegwerpluiers. Hebt u ze eenmaal gekocht, dan blijken ze iets goedkoper te zijn, maar ze zijn duidelijk tijdrovender – een punt van overweging bij twee of meer baby's.

Kiest u voor katoenen luiers, dan zult u er ongeveer 35 tot 40 nodig hebben voor een tweeling. Dat klinkt heel veel, maar er zullen er altijd een aantal in de was zijn. Neem zonodig liever twee luieremmers dan één grote, die rampzalig voor uw rug kan zijn als hij vol is.

Besluit u met wegwerpluiers in zee te gaan, vraag u dan af of u die niet beter bij een discountzaak kunt halen of ze laat bezorgen om tijd en energie te sparen. U kunt ook andere babybenodigdheden in het groot inkopen zoals babyvoeding of babyverzorgingsspullen.

Wanneer verschonen?

Het lijkt handig dat voor een voeding te doen, voor het geval de kinderen in slaap sukkelen tijdens het voeden, maar dit kan betekenen dat een – luidruchtige – hongerige baby op zijn voeding moet wachten. Daarnaast kan tijdens de voeding de luier vol raken (de officiële term daarvoor is gastrocolische reflex), dus misschien is het maar beter om de luier na de voeding te verwisselen, tenzij hij al vies of doorweekt was.

Zorg dat er zowel boven als beneden verschoning ligt, om te voorkomen dat u te vaak heen en weer moet draven.

In bad

De tweeling hoeft niet elke dag in bad. Het kan natuurlijk een vorm van spelen voor u en hen zijn, maar er zijn minder vermoeiende manieren om samen te spelen. Bovendien hebben sommige baby's een hekel aan het bad en laten dat vaak luid en duidelijk merken.

Pasgeboren baby's worden meestal maar op twee plaatsen vies, dus was het gezichtje en de billetjes elke dag. Gebruik daarvoor warm water en een watje. U hoeft elke baby maar om de dag in bad te doen tenzij u het vaker wilt en kunt doen. (Meestal is er geen reden het water voor elke baby te verschonen tenzij eentje er opeens zijn behoefte in doet, maar dat gebeurt zelden.) Om uw rug te sparen, moet u een badstandaard gebruiken en niet onnodig met een babybad vol water gaan sjouwen.

Hulpmiddelen

Als u het nog niet wist, dan zult u tegen de tijd dat u dit gelezen hebt al wel enig idee hebben van hoe druk u het zult hebben met meer dan één baby erbij. Afgezien van voeden en verschonen is er nog baden, wassen, boodschappen doen, om nog maar te zwijgen over de rest... U hebt hulp nodig. Is dit uw eerste zwangerschap, dan zult u helemaal de kluts kwijt zijn. Hebt u al meer kinderen, dan zult u het nog drukker krijgen.

Misschien hebt u al iets geregeld of uw oor te luisteren gelegd, maar de meeste aanstaande moeders wachten tot na de bevalling en tegen die tijd zijn ze omringd door huilende baby's en vinden ze het nog moeilijker om praktische zaken te regelen.

Wat u nodig hebt, hangt af van de omstandigheden. Wie is er nog meer ter beschikking? Hebt u al meer kinderen? Blijft u werken? Kunt u zich een hulp permitteren? Hebt u een extra kamer?

De ideale hulp is praktisch, bereidwillig en betrouwbaar, niet zomaar iemand die af en toe binnenloopt voor een paar kopjes thee en wat over de kinderen moedert.

- Uw partner is de meest voor de hand liggende bron van hulp (en morele steun) in de eerste dagen thuis, vooral als hij vrij kan nemen van zijn werk. Dit kan een heel bijzondere tijd zijn, waarin u uw baby's samen kunt leren kennen en een band als gezin kunt krijgen, maar ook klusjes kunt doen. Zelfs mannen die beweren dat ze de armpjes van een baby niet kunnen onderscheiden van de beentjes, kunnen heel goede helpers blijken.
- Grootouders die in de buurt wonen, kunnen hun gewicht in goud waard zijn. Ze zullen de kleinkinderen aanbidden en apetrots zijn op 'hun' twee- of drieling. Hebt u echter het kinderen krijgen jaren uitgesteld, dan zullen uw ouders al wat ouder zijn en niet meer zo fit. Misschien hebben ze wel allerlei ouderwetse denkbeelden, en zelfs moderne ideeën kunnen minder bruikbaar blijken als ze alleen voor eenlingen bedoeld zijn. U moet de positieve kanten van de relatie met de grootouders onderstrepen en hun bijzondere bijdragen accepteren, waarbij u ze leert de grens te trekken.
- Buren en vrienden zijn handig als ze tijd over hebben. De moeilijkheid hier is dat ze het vaak enig zullen vinden om de baby's te bewonderen, maar niet regelmatig zullen kunnen bijspringen. Hebt u een kennis die regelmatig tijd

heeft – of misschien een tienerzoon of -dochter die dat wil – overweeg dan eens om die te betalen om op te passen, zodat de afspraak een zakelijker karakter krijgt.

- Vrijwilligers van de plaatselijke kerkvereniging of andere groeperingen zullen graag helpen. Of neem contact op met een school voor beroepsonderwijs in de buurt, die misschien een stageplaats zoekt voor leerlingen van de afdeling Kinderverzorging. De gynaecoloog of de huisarts hebben misschien ook wel ideeën. Veel deskundigen weten echter nog altijd niet wat een meerling met zich meebrengt en kunnnen dus niet veel hulp bieden.
- In België is wettelijk bepaald dat ouders van drielingen of meer recht hebben op een voltijdse kinderverzorgster en een halftijdse helpster voor een periode van drie jaar. Kind en Gezin is met de uitvoering hiervan belast.

Over het geheel genomen is er in Nederland niet veel hulp voor kersverse moeders van meerlingen, zoals onderzoek ook uitwijst. Tenzij er dwingende sociale redenen zijn, heeft de Thuiszorg moeders van twee- of drielingen weinig te bieden, maar bij vier- of vijflingen zijn er wel mogelijkheden. Kunt u thuishulp krijgen, leg dan vast wat die komt doen en wanneer. Het is nutteloos om te weten dat u twee uur per week hulp kunt krijgen, maar niet weet wanneer dat zal zijn. Zulke dingen gebeuren.

Betaalde hulp
Dit houdt in:

- Kraamverzorgende: goed opgeleide hulp voor de eerste we(e)k(en).
- Kindermeisje: al dan niet opgeleid, dagelijks of inwonend. Een goed opgeleid kindermeisje dat elke dag komt is het duurste, en een niet opgeleid, maar ervaren meisje kan de voorkeur verdienen, vooral als ze bereid is om nog wat huishoudelijk werk te doen (deel dit mee bij het sollicitatiegesprek en zeker niet later). Als moeder van een tweeling zult u meestal niet iemand willen die de baby's voor haar rekening neemt en u met de huishoudelijke klussen laat zitten.
- *Au pair*: heel verschillend in handigheid en houding. U kunt er meestal niet van uitgaan dat ze zelfstandig met een heel jonge baby kunnen omgaan, maar een extra paar handen kan heel handig zijn als u de ruimte hebt.

Een hulp voor de nacht is een zegen, vooral in de eerste maanden, maar bedenk wel dat een huilende baby vaak alleen de moeder wakker maakt en niet het kindermeisje!

Informeer in Nederland ook eens naar de mogelijkheden van een stagiaire van een VBO of MBO-opleiding in de buurt. Vaak zijn scholen blij met stageplaatsen, dus zo snijdt het mes aan twee kanten. In België kunt u inlichtingen inwinnen bij de V.Z.W. Twins of bij Kind en Gezin.

Welke hulp u ook kunt krijgen, en of ze wel of niet bij u inwoont, als ouder zult u moeten leren ruimte in uw leven te maken voor haar. Dat soort dingen went echter vaak snel.

We zouden het niet gered hebben zonder Fran (au pair), maar we zouden haar dolgraag niet meer nodig gehad hebben. Het was mijn eerste zwangerschap en het was onze bedoeling de eerste dagen en weken als gezin onder elkaar te zijn om te genieten van die speciale tijd. Toen onze baby echter een drieling bleek te zijn, was dat een onbereikbare droom geworden.

Huilen

Uw baby's zullen wellicht niet veel huilen en heel veel baby's huilen niet veel, maar de mijne deden het wel. Gelukkig maakt een pasgeboren tweeling elkaar niet vaak aan het huilen, hoewel het wel zo lijkt omdat ze op dezelfde tijd hetzelfde willen.

Dit is waarschijnlijk de kern van het probleem bij de opvoeding van een tweeling. Ze zullen allebei tegelijk huilen als ze tegelijk honger hebben, moe zijn of last hebben van krampjes. U zult wel leren om op sommige van die dingen te anticiperen, want daar komt ook een patroon in.

Aan de andere kant hebben sommige moeders ontdekt dat als de ene baby ergens om huilt, de andere zo vriendelijk is om stil te zijn.

Waarom huilen ze?

Huilen in stereo doet de druk op een ouder toenemen. Wat moet u eerst doen? Waarom huilen de baby's eigenlijk?

Dat zou kunnen zijn omdat:

- ze honger hebben – u leert al snel dit gehuil te onderscheiden door de manier waarop het geleidelijk versterkt;
- ze zich niet prettig voelen of pijn hebben;
- ze zich vervelen – vooral na een week of vier;
- ze een vuile luier hebben – mogelijk, hoewel onderzoek aangetoond heeft dat een baby vaak ook tevreden is als zijn vuile luier weggehaald is en weer omgedaan zonder deze te verwisselen. (Verschoon een luier echter vaak, al is het alleen maar om luieruitslag te voorkomen.)

Zijn ze ziek? Dit zou kunnen als een van de twee:

- wat suf is;
- ongewoon humeurig of lastig is;
- niet wil eten;
- een droge luier heeft als u verwachtte dat die nat zou zijn (een teken van uit-droging);
- dunne ontlasting heeft
- chagrijnig is;
- luidruchtig of moeizaam ademhaalt.

Is een van deze punten van toepassing of maakt u zich zorgen, neem dan contact op met uw arts. Het zal zeker een aantal malen vals alarm zijn, maar de meeste artsen helpen graag omdat ze weten dat kersverse ouders vaak onzeker zijn. Is uw arts echter helemaal niet geïnteresseerd in jonge gezinnen (iedereen heeft ten-slotte zijn eigen vakgebied), overweeg dan om van arts te veranderen.

Mettertijd zult u leren vertrouwen op uw instinct en herkennen waarom de baby's huilen. Houd tot die tijd de genoemde alarmsignalen in de gaten. Een koortsthermometer helpt te bepalen wanneer een kind ziek is.

Darmkrampjes

Regelmatig huilen, vooral 's avonds, kan duiden op krampen – een vaak onder-schatte toestand die meestal begint als de baby twee weken oud is en na drie maanden verdwijnt. Men denkt dat er een verband is tussen krampen en melk-allergie, dus in ernstige gevallen kan het raadzaam zijn de baby's te laten overgaan op melk op sojabasis. Praat eerst met de arts over deze en andere mogelijkheden. Knuffel uw baby met krampjes zoveel mogelijk. Baby's moeten niet op hun buik slapen, maar door hem op zijn buik te houden, bijvoorbeeld door hem over uw onderarm te leggen, kunt u de pijn misschien verlichten. Twee baby's met buik-krampjes zouden echter wel eens te veel kunnen worden voor uw armen en uw geduld.

Omgaan met huilende baby's

Als de baby's huilen, maar u weet dat ze geen honger of dorst kunnen hebben, dat ze zich niet vervelen en niet ziek zijn, dan moet u zo goed mogelijk door deze periode heen zien te komen. Gelukkig vindt iemand anders dan de moeder dat meestal gemakkelijker. Een goede manier om de toestand te bezweren is iemand anders vragen een poosje op de baby's te passen terwijl u een half uurtje ergens op een rustig plekje buiten gehoorsafstand gaat zitten (of liggen).

U kunt ook proberen ze muziek te laten horen – Mozart en Simon & Garfunkel zijn bij veel baby's populair – of een bandje met 'baarmoedergeluiden', dat in babywinkels te koop is. Het geluid van een stofzuiger kan sommige huilende baby's ook kalmeren.

Muziek opzetten en de kamer verlaten kan wonderen doen voor iedereen, maar het vraagt een ijzeren wil van veel moeders. En u zult ervoor moeten zorgen dat de kinderen zonder toezicht niets kan overkomen.

Veel moeders lossen een huilende tweeling op door ze in de kinderwagen te leggen en een blokje om te gaan. U kunt ook een ritje in de auto proberen. Als dat werkt, stopt u en gaat u zitten lezen of u probeert ze weer in huis te dragen zonder dat ze wakker worden.

Fopspenen

Met een twee- of meerling zullen de baby's vaak moeten wachten terwijl u de ander(en) verschoont, aankleedt of in bad doet. Hier kunnen fopspenen een zegen blijken. Er wordt wel gezegd dat een fopspeen de ontwikkeling van het gebit of de spraak nadelig kan beïnvloeden, maar als u zo'n ding niet te vaak gebruikt, kan dat zeker geen kwaad. Bovendien spuugt een baby zijn fopspeen wel uit als hij hem niet langer wil. Het kan helpen als u:

* een fopspeen alleen binnenshuis gebruikt;
* een kind dat kan lopen, geen fopspeen geeft;
* de fopspeen niet gebruikt als speeltje, maar als hulpmiddel om rustig te worden;
* de fopspeen niet aanbiedt als het kind er niet naar taalt.

Houd fopspenen schoon en kook ze regelmatig uit (een extra speen is heel handig). Bind een fopspeen nooit met een koord om de hals van de baby: hij moet niet altijd zijn fopspeen kunnen pakken en, nog veel belangrijker, er bestaat altijd de kans dat hij zichzelf daardoor wurgt.

Waar naartoe

Kunt u slecht tegen huilende kinderen, schroom dan niet om hulp te vragen. Heel veel moeders van eenlingen hebben ook hulp nodig en u hebt een veel grotere last op uw schouders. Het delen van problemen, vooral als de baby's heel veeleisend zijn, is geen teken van zwakte en wijst er evenmin op dat u als ouder tekortschiet. De NVOM of V.Z.W. Twins kan advies geven, mogelijk heeft de Thuiszorg een concrete oplossing in de vorm van gespreksgroepen. Verder is er in Nederland de Stichting Hulp met Huilkindjes – zie de Adressenlijst.

Postnatale depressie

Wat is er gebeurd met het beeld van het gelukkige gezinnetje met u, de lieve moeder bij uitstek, dubbel gelukkig en apetrots? Wel, dat beeld mag dan doorgaans wel kloppen, maar niemand is altijd even gelukkig. Er zijn moeders die, hoe ze ook hun best doen, het genoegen maar beperkt vinden en ontdekken dat hun leven minder of meer wordt beheerst door een postnatale depressie.

Ongeveer tien procent van de kersverse moeders heeft last van diverse vormen van een postnatale depressie. Door de toegenomen emotionele, fysieke en financiële last is het niet vreemd dat het moeders van twee- of meerlingen iets vaker overkomt, althans in relatief milde vorm. Australisch onderzoek over een periode van twaalf jaar heeft uitgewezen dat moeders van tweelingen angstiger waren en postnataal vaker depressief waren dan vrouwen met één baby.

Diverse Britse onderzoeken bevestigen ook dat moeders van tweelingen lijden aan vermoeidheid, angst en emotionele uitputting. Soms blijft de depressieve stemming tot lang na de babytijd bestaan. Onderzoek toont aan dat, vergeleken bij moeders van eenlingen, een iets hoger aantal moeders van vijfjarige tweelingen depressief is. Eigenlijk komt depressie veel meer voor bij deze moeders dan bij moeders die binnen korte tijd twee keer één baby tegelijk krijgen. Het zal niemand verbazen dat moeders van een tweeling, waarvan een van de kinderen is gestorven, vaker ten prooi vallen aan depressies.

Symptomen en diagnose

Dit betekent echter niet dat u zeker depressief zult worden. U moet zich echter wel bewust zijn van de mogelijkheid, en de juiste hulp kunnen zoeken als zich een van deze symptomen voordoet:

* meer dan normaal huilen;
* hopeloos/wanhopig voelen;
* niet kunnen lachen of genieten;
* heel introspectief zijn;
* besluiteloos zijn;
* in paniek raken;
* zich overmatig schuldig voelen;
* slechte eetlust hebben (of juist gaan eten om zich prettig te voelen);
* slecht slapen (ook als de baby's stil zijn).

Er zijn vrouwen die heel weinig last hebben van hun postnatale depressie, maar voor anderen is het een enorme rem op het normale leven. Wordt deze aandoening niet behandeld, dan kan dat enorme gevolgen hebben, zoals huwelijksproblemen en zelfs het afwijzen van de kinderen. Daarom moet dit soort problemen heel serieus genomen worden.

Helaas is het soms moeilijk voor een vrouw of haar gezin om een juiste diagnose bij de symptomen te krijgen. Tranen, angst en besluiteloosheid kunnen zich altijd voordoen bij een nieuwe baby (de zogenaamde 'kraamvrouwentranen'). Deskundigen zien niet graag dat een vrouw wegglijdt in een depressie. Veel artsen nemen aan dat het allemaal goed gaat als u er niet over praat, of als u zelf niet zwaar tilt aan uw symptomen.

Er zijn moeders die niet praten over hun negatieve gevoelens omdat ze bang zijn dat men zal denken dat ze niet in staat zijn die het hoofd te bieden, of ze noemen ze gewoon niet vroeg genoeg tegenover de huisarts.

Het was tegen het einde van het consult dat ik de dokter eindelijk kon vertellen hoe ik me voelde (ook het feit dat ik de pil, die ze me zojuist had voorgeschreven, niet wilde omdat ik er niet over piekerde ook nog seks te hebben). Maar tegen de tijd dat ik zover was, leek de dokter mentaal op een andere versnelling te zijn overgegaan en voor haar was het consult ten einde. Het duurde nog eens twee weken voordat ik naar haar toe ging om te vertellen wat er met me aan de hand was.

Oorzaken

Het is niet zeker wat een postnatale depressie precies veroorzaakt, maar er zijn diverse theorieën. Er zijn deskundigen die menen dat deze het gevolg kan zijn van een hormoongebrek, omdat zwangerschap en bevalling een enorme hormonale opschudding veroorzaken; dit zou kunnen zijn een gebrek aan progesteron of (volgens een meer recente theorie) oestrogeen. Voorstanders van elk van deze theorieën beweren succes te hebben geboekt met de behandeling met hormonen, maar niet elke vrouw reageert erop. De hormonentheorie verklaart echter nauwelijks waarom kersverse vaders ook de typische postnatale depressie kennen, zoals meer dan eens in onderzoeken naar voren gekomen is!

Het is waarschijnlijk dat de snelle stemmingswisselingen ('kraamvrouwentranen') kort na de bevalling te maken hebben met enorme hormoonschommelingen, maar over de symptomen op lange termijn bestaat minder zekerheid. Een postnatale depressie kan een nadrukkelijke reactie zijn op de spanningen van het ouderschap, die natuurlijk talloos zijn, vooral als er twee of meer baby's tegelijk komen. Enkele oorzaken van een postnatale depressie, volgens de resultaten van het onderzoek:

- de schok dat een vrouw zwanger is van meer dan één kind;
- toegenomen fysieke en emotionele last van een meerlingzwangerschap;

- een grotere medische bemoeienis;
- praktische problemen bij de zorg voor de nieuwe baby's;
- absolute uitputting;
- zorgen over de gezondheid van de kinderen;
- problemen met de emotionele binding;
- gebrek aan ondersteuning of begrip van familie en vrienden;
- de reacties van de overige kinderen op de pasgeboren baby's;
- financiële zorgen;
- geïsoleerde positie in huis.

Behandeling

Er is een aantal manieren om een postnatale depressie te lijf te gaan, afhankelijk van de ernst. Soms is krachtige ondersteuning, zowel praktisch als emotioneel, alles wat een moeder nodig heeft. Deze kan bestaan uit steun van familie en vrienden, en door regelmatig met een huisarts, gynaecoloog of een ervaren tweelingmoeder te praten. Sommige vrouwen hebben meer nodig, en dat kan gaan van de hulp van een adviseur tot een psychiater, een psycholoog of een psychotherapeut. Uw huisarts kan zorgen voor een doorverwijzing.

In sommige gevallen kunnen antidepressiva helpen en die zijn – anders dan algemeen wordt aangenomen – niet verslavend zoals kalmeringsmiddelen en slaaptabletten. Ze werken niet meteen, maar kunnen helpen waar niets anders lijkt te werken. Misschien komt dat omdat een depressie een biochemische achtergrond heeft. De nieuwere antidepressiva zijn over het algemeen minder slaapverwekkend en geven minder bijwerkingen, maar de oudere soorten zouden veiliger zijn bij borstvoeding.

Er zijn vrouwen die reageren op oestrogeen in de vorm van hormoonsuppletie. Pleisters zouden volgens sommige deskundigen vooral heel effectief zijn, maar hoe nuttig hormonen in de meeste gevallen van postnatale depressie zijn, is nog verder te onderzoeken.

Vaders zullen hun eigen gevoelens misschien erkend willen zien, en tijd en ondersteuning nodig hebben om zich aan hun nieuwe rol aan te passen.

Maak het u gemakkelijker

Het is niet altijd mogelijk een postnatale depressie te voorkomen, maar op een aantal punten kunnen positieve verbeteringen worden doorgevoerd om de eerste hectische weken met de pasgeboren baby's gemakkelijker te maken:

1 Zorg zo snel mogelijk voor een vast patroon. Moeders van eenlingen kunnen zich een wat ontspannen 'ik zie wel hoe het gaat'-houding permitteren bij het

voeden, in bad doen en slapen – ze hebben heel wat minder te doen dan u! Moeders van tweelingen, gevraagd om één advies, zeggen vaak: 'Zorg voor structuur.' En dat betekent dat u alle aangeboden hulp aanvaardt.

2 Stel keiharde prioriteiten. Misschien waste u voorheen elke week de vitrage of streek u de theedoeken. Dat is geweest. Huishoudelijke karweitjes moeten beperkt worden tot een basisminimum om hygiëne te handhaven; alles meer is een mogelijk extra. Gebruik uw vrije tijd voor iets belangrijks: uzelf en uw gezin.

3 Houd uw gezondheid op peil en probeer voldoende eten, vitaminen en rust te krijgen. Vergeet uw postnatale oefeningen niet. *U* komt op de eerste plaats omdat heel veel anderen nu helemaal van u afhankelijk zijn.

4 Werk samen met andere tweelingmoeders die uw situatie kunnen inschatten en u de zo noodzakelijke ondersteuning kunnen geven. Vrienden met slechts één baby zullen niet begrijpen waar u mee worstelt.

5 Leer om spanning te beheersen of weg te werken. Mentale en fysieke spanning gaan vaak samen en het is de moeite waard om u een manier van fysieke ontspanning eigen te maken. U kunt een ontspanningstechniek gebruiken die u bij zwangerschapsgymnastiek geleerd hebt, of een nieuwe manier leren van een video, een cassettebandje, een boek of een cursus. Ga naar de bibliotheek of zoek een yogagroep.

6 Voorzie wat 'ik-tijd' om dingen te doen die u leuk vindt. Dit kan misschien een paar minuten per dag zijn om naar muziek te luisteren, maar het is belangrijk om wat tijd voor uzelf te hebben en ook voor u en uw partner als paar.

7 Laat schuldgevoelens geen vat op u krijgen. Heel veel kersverse moeders krijgen adviezen die weliswaar goedbedoeld zijn, maar nutteloos of onmogelijk blijken te zijn. U hoeft ze niet allemaal ter harte te nemen en u hoeft ook niet te streven naar perfectie. Het is voldoende als u een 'goed-genoeg'-ouder bent.

8 Voorkom dat u geïsoleerd raakt. Het zal lastiger zijn om uit te gaan en het leven van vóór de tweeling zal een afstandelijke en onwerkelijke ervaring lijken, maar binnenkort zult u weer contact willen hebben met vrienden, collega's, enzovoort. Kunt u niet weg om mensen te ontmoeten, bel ze dan.

9 U zult misschien op een roze wolkje zitten, maar als dat niet zo is, of als u problemen hebt, praat er dan met iemand over. Ga naar uw huisarts of een consultatiebureauverpleegkundige en leg uit waarom de dingen u te veel worden. Daarmee geeft u niet toe dat u tekortschiet, maar zet u de eerste stap op weg naar verbetering.

Hoofdstuk 6

Het eerste jaar overleven

Hoe slagen moeders van eenlingen erin hun dag te vullen?

Het is vanzelfsprekend dat u enorm trots op uw baby's bent en bovendien zal iedereen maar blijven zeggen hoe u geboft hebt met dit stel! Maar uiteindelijk heeft elke ouder slechts twee armen en één rug en meestal doen die aan het einde van de dag het meeste pijn.

Moeders van meerlingen zullen al snel ontdekken dat, hoewel ze heel veel bewonderende blikken en positieve opmerkingen krijgen, er maar weinig praktische hulp wordt aangeboden. Zo heb ik gehoord van een drielingmoeder die, balend van de opdringerige vragen van voorbijgangers, een bord op de kinderwagen zette met 'giften welkom'.

Baby's leren meestal lopen rond hun eerste verjaardag. Omdat ze snel groeien, maar lichamelijk nog heel afhankelijk van u zijn, brengt het eerste jaar enorme logistieke problemen met zich mee. Je zou zeggen dat hoe meer helpende handen er zijn, hoe makkelijker het is, maar niet iedereen heeft grootouders die willen en kunnen helpen of kan zich betaalde hulp permitteren. Onderzoek bevestigt het vermoeden dat moeders van tweelingen veel minder uit huis komen dan moeders van eenlingen.

Thuis is er ook heel veel te doen. Studies tonen aan dat een tweelingmoeder bijna twee keer zoveel tijd kwijt is aan karweitjes die met de baby's te maken hebben en dus half zoveel tijd heeft om aan de kinderen zelf te besteden. Als u dat doortrekt naar de tijd die overblijft voor elk van de tweeling, dan moet u die weer halveren en dat betekent dat elk van de tweeling ongeveer een kwart van de aandacht krijgt, die een eenling krijgt.

Dus wanneer hebt u tijd om de band met uw kinderen te versterken en van ze te genieten?

Uit huis

Zelfs het eenvoudigste uitje kan een hele toer worden als u met twee of meer baby's tegelijk weg wilt, om nog maar te zwijgen over het feit dat u er enigszins presentabel bij moet lopen. Als ze net gevoed, verschoond, aangekleed en in de buggy zitten (samen met de extra luiers en de volgende voeding) en u uw hand op de deurkruk hebt liggen, merkt u opeens dat een van de twee heel vreemd ruikt. U tilt hem weer uit de wagen, verschoont hem en tegen die tijd krijst de ander van puur ongeduld. Het is belangrijk dat u daardoor niet ontmoedigd raakt, want een beetje planning kan wonderen doen.

> Ik had het zo goed geregeld dat mijn vrienden verbaasd opkeken. Hoe slaagde ik erin die twee van mij sneller klaar te hebben dan zij hun eenling?

Buggy's en kinderwagens

Een tweelingkinderwagen kan, afhankelijk van uw leefstijl, het grootste deel van het eerste jaar dienstdoen en misschien ook nog wel een deel van het tweede jaar. Rond de leeftijd van vier maanden echter kunnen de meeste baby's wel in een buggy, maar dit hangt weer af van uw dagelijkse patroon en in enige mate van het weer. De meeste moeders geven de voorkeur aan een buggy waarin de kinderen naast elkaar zitten en elkaar kunnen zien. Koop een goede, stevige buggy die voldoet aan de normen, en bij voorkeur een nieuwe. Hij zal een poosje mee moeten en er worden meer eisen aan gesteld dan aan buggy's die worden gebruikt voor broers en zussen van verschillende leeftijden. Voordat u er een koopt, moet u de breedte (hij moet door de voordeur of het portiek kunnen), het gewicht, de opvouwmogelijkheden en de hoogte bekijken van de modellen die u mooi vindt. Probeer een buggy te vinden met een regenkap die erop kan blijven, ook als u de buggy invouwt.

Een drieling kan ook naast elkaar in de buggy zitten (deze wordt echter nog breder, en u moet ook aan de ingang van winkels denken), maar er kan ook één baby voorop zitten. U zou het ook een poosje kunnen doen met een tweelingbuggy en een draagzak voor een baby.

Auto's

Zelfs als u overal met de auto naartoe gaat, hebt u toch een buggy nodig. Hoe kunt u anders beide baby's naar de auto vervoeren en dan het portier openen? Het is veel veiliger om ze allebei in de buggy te zetten om de 30 meter of meer naar de auto te overbruggen dan ze een voor een uit huis te halen.

Kunt u op dit moment een auto kiezen, dan zal een vierdeursmodel voor uzelf een stuk gemakkelijker zijn. Misschien is dit wel het moment om te overwegen of u een grotere auto moet kopen, een minibusje misschien of een monovolumewagen.

Openbaar vervoer

Hoewel treinen en metro's niet eens zo heel lastig zijn met een buggy, zijn bussen vaak onmogelijk voor een moeder die alleen met een meerling op stap gaat. Soms lukt het een tweeling in twee draagzakken te hijsen, of een baby in een draagzak en de ander in een buggy, maar al snel zal uw rug aangeven dat dat te veel wordt. Beperk dit soort uitstapjes dus of neem nog een volwassene mee.

Winkelen

Als de baby's in de kinderwagen of de buggy liggen, is het meestal een kwestie van even naar de supermarkt, maar kunnen ze eenmaal zelf zitten, dan kunt u ze misschien meenemen in het kinderzitje van een winkelwagen. Gebruik altijd een tuigje. In de meeste supermarkten zult u twee wagentjes nodig hebben, een voor elk van de kinderen. Duw de ene en trek de andere. Drielingmoeders kunnen beter één baby thuislaten onder de hoede van iemand anders in plaats van *en famille* te gaan winkelen.

Een uitstapje gemakkelijker maken
- Zet altijd een tas met verschoning bij de voordeur klaar.
- Neem speelgoed mee tegen verveling. Maak het speelgoed vast aan de buggy om verliezen te voorkomen. Een paar extra stukjes speelgoed in een tas kunnen hun nut bewijzen als het uitje langer duurt dan gepland.
- Geeft u flesvoeding, zorg dan dat de flesjes al in de koelkast staan. Zo moet u niet, wanneer u thuiskomt met twee kinderen die krijsen van de honger, de flesjes nog klaarmaken.
- Een extra voeding in de tas met verschoning is ook een goed idee.

Bezoek aan het consultatiebureau

Meerlingmoeders zouden minder vaak met hun baby's naar het consultatiebureau gaan als moeders van eenlingen – niet omdat dat minder nodig is, maar omdat het zo'n gedoe is. Je moet ernaartoe, de kinderen uitkleden, weer aankleden en ze na elke prik troosten, wat net te veel kan zijn.

- Het personeel van het consultatiebureau heeft misschien niet zoveel ervaring met meerlingen, dus laat hen weten hoe ze u praktisch kunnen helpen. Misschien kan iemand een van de kinderen voor u vasthouden of het zo regelen dat ze thuis gewogen en ingeënt kunnen worden.

- Vraag een vriendin om mee te gaan naar het consultatiebureau. Als dat niet lukt, kan iemand anders u misschien helpen.
- Vaak moet de kinderwagen buiten blijven staan, maar u zou kunnen vragen of u die mee naar binnen mag nemen. Beseft men wat het probleem is, dan kan er wellicht een uitzondering gemaakt worden.
- Misschien is een tip in dit geval op zijn plaats: laat de baby's wegen met de kleren aan en trek dan het gewicht van de kleertjes eraf. Voor dit doel kunt u identieke kleertjes meenemen in de tas met verschoning.

Het eerste jaar thuis

Het enige voordeel van een babyuitzet is dat u het leven voor de baby's daarmee veiliger maakt en voor uzelf gemakkelijker. U kunt dit soort dingen enig vinden, maar ook al is uw huis royaal van afmeting, het zal al snel uitpuilen van alles wat u als 'beslist noodzakelijk' hebt aangeschaft zonder dat u er wat aan hebt. Dus hoe kunt u uw voordeel doen met hetgeen op de markt is?

Box

U kunt heel goed zonder box, maar veel moeders vinden het zeker een handig ding uit veiligheidsoverwegingen. Uw kinderen zijn er veilig als er een jaloerse peuter in de buurt is; u kunt de kinderen in de box zetten als de bel gaat of als u naar het toilet moet, en een box is ook heel handig in de tuin. Een box kan ook een prima plek zijn voor een middagdutje.

Een tweedehandse box is meestal prima, maar het is wel heel belangrijk dat hij stevig is, omdat twee baby's er twee keer zoveel op los timmeren. Het is verleidelijk om een box veel te gebruiken als u een meerling hebt, en dat geven veel moeders ook toe, maar probeer de kinderen er niet te vaak in te zetten. Zelfs met ladingen speelgoed gedijen baby's niet als ze veel tijd in de box doorbrengen, omdat ze dan de persoonlijke aandacht en het contact met de grote wereld missen. Bovendien krijgen ze er misschien een hekel aan als u ze te vaak in de box zet.

Kinderstoel

Meestal tussen de vijf en acht maanden, als de tweeling zittend gaat eten, zult u een kinderstoel nodig hebben. Gebruik daarbij ook altijd een goed tuigje. Houd de kinderen altijd in de gaten als ze zelf met hun vingers eten: ze kunnen zich verslikken in een stukje beschuit. En ze willen ook altijd elkaars eten afpakken! Een opvouwbare kinderstoel spaart uiteraard ruimte.

Nu er ook altijd wel kinderstoelen in restaurants staan, hoeft u niets bijzonders te regelen als u uit eten gaat, maar als u drie of meer kinderstoelen nodig hebt, is het verstandig om het restaurant eerst te bellen en ernaar te informeren.

Er is ook een slim geval op de markt, dat met behulp van een kussen elke eet-stoel kan veranderen in een veilige zitplaats voor een baby. Dit is vooral handig als u op reis bent.

Babygym, enz.

Dit zijn stoeltjes die in een deurstijl opgehangen worden en waarin de baby op en neer kan springen. Het plezier duurt meestal maar een paar minuten, dus tweelingmoeders hebben er niet veel aan. Hebt u echter twee van dergelijke stoel-tjes en twee deurstijlen dicht bij elkaar, dan kan de pret wat langer duren, omdat de baby's elkaar kunnen zien.

Loopstoeltjes

Deze stoeltjes op wielen kunnen heel leuk zijn als een baby eenmaal goed kan zit-ten. Ze zijn ook heel geschikt om de baby even in te zetten als u bijvoorbeeld naar de deur moet, maar er zijn een paar nadelen:

- Ze zijn gevaarlijk als ze kantelen en als ze bovenaan de trap gebruikt worden.
- Iedereen binnen het bereik van het loopstoeltje loopt het risico dat handen en voeten geraakt worden. Hebt u een tweeling, dan hebt u twee loopstoeltjes no-dig en anders geen. Als u twee of drie loopstoeltjes in de kamer hebt, kan het effect van de botsautootjes op de kermis ontstaan.
- Overmatig gebruik kan letsel veroorzaken en ertoe leiden dat een kind later leert lopen.

Al met al zult u waarschijnlijk geen loopstoeltjes kopen, maar het kan handig zijn om er af en toe eens een paar van vrienden te lenen.

Op de kinderen passen

Baby's zijn vrij snel mobiel; meestal kruipen ze na zeven of acht maanden en kun-nen ze na tien tot twaalf maanden staan. Hiervoor kunnen echter ook al proble-men ontstaan. Alles wat klein is, moet met de mond worden onderzocht, dus kijk uit voor kleine dingen als kralen, knopen, batterijtjes (vooral heel schadelijk als ze ingeslikt worden) en blokjes van oudere broers en zussen.

Zodra de baby's een paar maanden oud zijn, moet u op dit soort potentiële ge-varen bedacht zijn. Probeer uw huis vanuit hun gezichtspunt te bekijken en haal gevaarlijke voorwerpen weg of verplaats ze.

Hoe goed u ook uw best doet, een geheel kindvriendelijk huis bestaat niet (en als het zou bestaan, zou het er waarschijnlijk heel saai zijn). Er is niemand anders die uw kinderen voortdurend in de gaten kan houden dan uzelf. Vooral in bad gaan is heel gevaarlijk en u mag een kind nooit alleen in bad achterlaten. In minder dan 2,5 cm water kan een baby al verdrinken: er zijn kinderen verdronken in het water onderin een luieremmer. Ook als u zelf uw toilet maakt, kunt u de tweeling misschien beter meenemen naar de badkamer.

Veiligheidshekjes zijn heel belangrijk en u zult ze waarschijnlijk heel lang nodig hebben. Het vaste hekje dat aan de muur geschroefd wordt, is omslachtiger maar steviger en vooral handig bovenaan de trap. Er moet echter ook een hekje onderaan de trap zijn.

Het kan heel handig zijn om zonodig een verplaatsbaar hekje in de deuropening te zetten, bijvoorbeeld als u de kinderen uit de keuken wilt weren. Ook hier zou een vast hekje diensten kunnen bewijzen. Wat u echter ook kiest, het moet wel heel stevig zijn omdat twee of meer kinderen een hekje veel gemakkelijker kunnen slopen dan één kind van dezelfde leeftijd.

Spelen

Kleine kinderen moeten kunnen spelen, ook al kijken ze alleen maar naar het speelgoed. Een gedetailleerd overzicht van de diverse mogelijkheden – mobiles, speeltjes voor in bed, zachte ballen, spiegels, stoffen boekjes, muziekdoosjes, enz. – ligt echter buiten het bestek van dit boek. De vraag is alleen hoeveel en wat u moet kopen.

U hoeft niet alles te dupliceren. U kunt van sommige dingen, zoals een rammelaar, twee exemplaren nemen, maar die hoeven niet precies hetzelfde te zijn. Van groter speelgoed is één stuk genoeg. Het hangt helemaal af van uzelf, uw budget en de beschikbare ruimte.

Speelgoed kopen kan duur zijn, waardoor een spelotheek een goed alternatief kan vormen. Bedenk verder dat heel veel speelgoed – eierdozen, klosjes, enz. – gratis is en heel veel plezier kan opleveren.

Praten en oogcontact zijn de beste spelletjes, vooral voor meerlingen, en kosten alleen tijd. Baby's vinden het enig (en ze leren er bovendien van) als er – lang voordat ze kunnen praten – naar hen gelachen wordt, als ze gekieteld, vastgehouden, geaaid worden, als er voor hen gezongen of met hen gepraat wordt, of als ze voorgelezen worden. Dit soort vermaak kennen veel moeders van nature, en ze spelen dan ook spontaan met de kinderen, maar anderen zullen dat moeilijk vinden.

Het doet helemaal niet ter zake of u zich aanstelt tegenover de baby's of ze voorleest uit de krant, zoals een moeder vertelt. Uw aandacht is het belangrijkste, vooral als die elk van de baby's apart geldt, al is het maar een paar minuten per keer. Lukt dat u niet, speel dan met beide baby's tegelijk, maar probeer wel oogcontact met elk van de kinderen te maken.

Persoonlijkheid

De meeste moeders hebben maar één kind tegelijk en het is heel normaal dat u het 'tweeling-zijn' van uw kinderen wilt koesteren of trots wilt zijn op hun 'tweeling-zijn'. U kunt hiervan en van uw status als tweelingouder evenveel genieten, terwijl u uw kinderen helpt om hun eigen unieke mogelijkheden te ontdekken. Het is zo dat tweelingen het beste functioneren als ze als individu behandeld worden – en dat meteen vanaf het begin.

Tijd is uw grootste vijand. Het is handig de twee- of drieling op één hoop te vegen, tegen allemaal tegelijk te praten en hen in het algemeen als een geheel te behandelen. Een babysitter zei ooit eens tegen me dat het zorgen voor een tweeling van acht maanden niet anders was dan het zorgen voor één baby. Hoewel ik het prettig vond dat ze zich ertegen opgewassen voelde, besloot ik toch uit te kijken naar een andere oppas.

U kunt uw kinderen op veel verschillende manieren helpen. Ten eerste moet u mensen aanmoedigen de kinderen bij hun naam te noemen. Laat niet toe dat men het over 'de tweeling' heeft. De kinderen 'de baby's' of 'de meisjes/jongens' noemen is al iets beter, maar het beste is gewoon altijd hun eigen namen te gebruiken.

Dit is echter niet altijd zo simpel als het lijkt. De Franse psycholoog René Zazzo heeft ontdekt dat 10 procent van de tweelingouders niet meer wist welke baby oorspronkelijk welke naam gekregen had! Dus ook al weet u precies wie wie is, kunt u nog altijd de verkeerde naam noemen als u haast hebt (net als iemand zich wel eens vergist en bijvoorbeeld de naam van haar zoon noemt als ze haar man bedoelt).

Het noemen van de juiste naam is een goed begin, maar het opvoeden van de persoonlijkheid hangt uiteindelijk af van de persoonlijke aandacht die u het kind geeft. Praat liever zoveel mogelijk tegen elke baby apart dan hen gezamenlijk aan te spreken. Dit is een poging en u zult onvermijdelijk veel vaker dan de gemiddelde ouder dingen zeggen als 'Kijk, een boom'. Het is echter de moeite waard.

Regelmatig met een van de kinderen op stap gaan, is altijd een goed idee. Hierdoor kunt u een relatie opbouwen met elk van de kinderen en krijgen ze persoonlijke aandacht. Heel veel tweelingen zijn nooit een moment zonder elkaar en dat gaat later tellen: sommigen vinden het een heel traumatische ervaring om korte tijd van de ander gescheiden te zijn, als een van hen naar het ziekenhuis moet bijvoorbeeld.

Een uitstapje hoeft niet altijd iets groots te zijn. Op deze leeftijd kan het ook opwindend zijn even naar de winkel om de hoek te gaan, misschien in een geleende eenpersoonsbuggy. Als je nooit hebt meegemaakt hoe het is om alleen te zijn, kan het een totaal nieuwe ervaring zijn.

Elke hulp of kinderoppas die u hebt, maakt het gemakkelijker om eens met één kind op stap te gaan, als u hebt uitgelegd hoe belangrijk dat is. Helaas pakt het niet altijd goed uit. Grootouders zullen bijvoorbeeld vaak niet inzien waar het goed voor is, en misschien is er een ouder kind dat zelf snakt naar tijd en aandacht.

Het kan soms heel moeilijk zijn om beide (of alle) kinderen de juiste hoeveelheid aandacht te geven. Wat is bovendien de juiste hoeveelheid aandacht? Wie eerlijk is, moet toegeven dat de meeste mensen vaak hun tijd ongelijk verdelen over de baby's, bijvoorbeeld doordat de ene baby gemakkelijker, gezonder of gewoon mooier is. Eén baby kan ook meer aandacht krijgen, omdat hij er voortdurend om vraagt.

Op welk moment dan ook in het eerste jaar zult u waarschijnlijk zien hoe verschillend de persoonlijkheid van uw tweeling is, ook al zijn ze officieel identiek. Verschillen zijn soms al heel vroeg te zien.

Beide kinderen zijn zonder problemen geboren – ik kreeg een keizersnede nog voordat de bevalling begonnen was – en ze wogen allebei precies hetzelfde. Alistair was vanaf het allereerste moment de evenwichtigste van de twee, maar Gareth was heel schrikachtig, vooral als iemand tegen zijn wiegje stootte waardoor het ging schommelen. Het schommelde maar heel weinig, maar hij had er een hekel aan en zijn armpjes en beentjes schoten dan uit. Alistair lag in een bedje dat helemaal niet kon bewegen, dus heb ik ze omgewisseld. Gareth kalmeerde onmiddellijk en het schommelwiegje deerde Alistair helemaal niet.

Het is voor tweelingouders gemakkelijk verschillen te ontdekken en die uit te vergroten. We willen graag dat onze kinderen een persoonlijkheid worden en misschien is het gemakkelijker een relatie met hen op te bouwen als we vastgesteld hebben wie 'de rustigste', 'het lachebekje', 'de gulzigste' is. Voorkom echter dat u etiketjes plakt!

Dergelijke kenmerken kunnen op een bepaald moment waar zijn, maar ze zijn meestal tijdelijk. Zodra u hebt vastgesteld wie de ondeugendste is en wie de goede lobbes, kunnen de kinderen alweer van rol gewisseld zijn om u alert te houden. Niemand weet echt waarom dit ge-jojo gebeurt, maar het is een bekend verschijnsel bij meerlingen.

De meeste ouders zullen het ermee eens zijn dat het, afgezien van hun persoonlijke voorkeur, belangrijk is zo eerlijk mogelijk te zijn. In feite doet een groot deel van de ouders het heel goed in dit opzicht. Als u vermoedt dat u het niet bent, bekijk dan waar u mee bezig bent en hoe u uw tijd doorbrengt. De kans is groot dat u het een stuk beter doet dan u denkt.

Kleding

U wilt uiteraard babykleertjes die gemakkelijk in gebruik zijn: ze moeten niet alleen in de wasmachine gewassen mogen worden, maar hoeven bij voorkeur niet gestreken te worden en mogen het liefst ook in de droogtrommel. De kinderen groeien snel en het aantal radiatoren om de kleertjes op te drogen, is beperkt.

U zult wel eens kinderen hebben gezien met babyschoentjes. Dit is niet zo verstandig, zeker niet bij meerlingen. Met een babyschoentje kan een baby zijn broer(s) of zusje(s) pijn doen en bovendien hebt u waarschijnlijk geen tijd voor zulke dingen. Schoenen zijn overbodig tot de kinderen buiten gaan lopen. Tot die tijd is een elastisch pantoffeltje met een antislipzooltje voldoende. Als ze hun eerste schoenen krijgen, moet u de maat zorgvuldig kiezen en bij voorkeur schoentjes met klittenbandsluiting nemen in plaats van gespen of veters.

Moet u de kinderen hetzelfde of verschillend kleden? Het staat snoezig als twee- of meerlingen identiek gekleed zijn en het past ook in het beeld dat de meeste mensen van meerlingen hebben. In het begin doet het er niet zoveel toe hoe u ze kleedt, als u (en degene die op hen past) hen maar gemakkelijk uit elkaar kunt houden. Dit is belangrijk, niet alleen uit veiligheidsoverwegingen (er zijn tweelingen die een dubbele dosis antibiotica hebben gehad, omdat de oppas hen niet uit elkaar kon houden), maar ook voor de band met hen persoonlijk.

Al snel echter wordt het belangrijk hoe ze gekleed zijn. Tweelingen jonger dan negen maanden hebben wel vaak door wat ze aan hebben: er zijn gevallen bekend waarin ze zelfs op deze leeftijd al in de war raakten als ze opeens verschillend gekleed werden. Bovendien moet de rest van de wereld ze van elkaar leren onderscheiden en daarbij zijn kleren een goed begin.

Misschien zou het beter zijn als anderen de kinderen op andere kenmerken kunnen onderscheiden, zoals gelaatskenmerken, persoonlijkheid, stemhoogte, maar in de praktijk is het beter als u het hen gemakkelijk maakt. Op deze leeftijd helpt een kapsel nog niet veel, want kinderen hebben niet genoeg haar!

Dezelfde kleertjes in verschillende kleuren zijn een leuke manier om een meerling te kleden, maar als u te strikt vasthoudt aan de kleurcode, kan dat later problemen geven. Een kind kan dan bijvoorbeeld bepaalde kleding gaan vermijden met het argument dat het 'zijn' kleur niet is.

Een andere manier is hen verschillende soorten kleding aan te trekken in dezelfde kleuren. Dit kan er vooral heel leuk uitzien bij jonge drielingen of bij jongen-meisjetweelingen, die verder niet veel op elkaar lijken.

U kunt echter ook alles vergeten, en dat is veel gemakkelijker, omdat u de kinderen dan 's morgens gewoon kunt aantrekken wat er ligt. De meeste moeders vinden het een goed idee om elke baby zijn eigen kleertjes te geven, behalve saaie dingen als hemdjes.

Als ze klein zijn, zult u ongetwijfeld een aantal identieke kleertjes voor de ba-by's krijgen. Desalniettemin hoeft u ze niet hetzelfde te kleden: u kunt de ene baby de, laten we zeggen, twee blauwe pyjama's geven en zijn zusje de twee gele; of ze de pyjama's op een ander tijdstip aantrekken.

Spenen

Als ze zo'n maand of vier oud zijn, kunnen de baby's vast voedsel eten. Dit is een gemiddelde, omdat meerlingen vaak klein zijn en misschien later vast voedsel no-dig hebben dan eenlingen. Het is een teken dat een baby toe is aan vast voedsel als hij, een paar weken nadat u met de nachtvoedingen gestopt bent, weer wak-ker wordt en wil eten.

Over het algemeen is het het beste te proberen de kinderen tegelijkertijd over te laten gaan op vast voedsel, tenzij er grote verschillen in gezondheid zijn. Be-denk wel dat de een soms eerder toe is aan vast voedsel dan de ander.

Het spenen van meerlingen verloopt precies hetzelfde als bij eenlingen, alleen hebt u er meer rommel van. Is dit uw eerste ervaring met baby's, dan zult u tot uw schrik zien hoeveel eten er uiteindelijk op de baby's zit in plaats van erin. Een paar adviezen die misschien kunnen helpen:

- Zet de baby's in een wipstoeltje of een autostoeltje (of in een buggy als u niet thuis bent) en ga pas over op de kinderstoel als ze beter rechtop kunnen zit-ten. Er zijn ook kinderstoelen in de handel die in een kwart ligstand kunnen worden gezet.
- Ga het liefst niet in de zitkamer zitten als u ze te eten geeft. De keuken is een ideale plaats als u daar ruimte hebt. Leg een paar oude kranten op de vloer on-der de kinderen. U kunt ook plastic nemen, maar het is nogal veel werk om dat elke keer schoon te maken; een krant kunt u gewoon weggooien.
- Zet eventueel het antwoordapparaat aan. (Soms kan een bericht met huilende kinderen op de achtergrond heel duidelijk uitleggen waarom u op dat moment de telefoon niet kunt beantwoorden. Door datzelfde ingesproken bandje te ge-bruiken als u niet thuis bent, kunt u bij een eventuele inbreker de suggestie wekken dat u thuis bent.)
- Neem plastic slabben met een soort opvanggoot. Aan het eind van de maaltijd kunt u gewoon de goot leegscheppen. Deze slabben gaan niet lang mee. Ze breken heel vaak, dus vervang ze indien nodig.
- Als het warm weer is, kunt u de baby's alleen in hun luier laten zitten, zodat u voorkomt dat u meer kleren moet wassen dan strikt noodzakelijk.
- Meerlingen hebben dezelfde bacillen dus kunt u, tenzij er dwingende medi-sche redenen zijn, heel goed één lepel en één bordje voor beide (of alle) baby's

nemen. Geef ze om de beurt een hap in de mond. Hebben ze dat eenmaal door, dan zullen ze, net als jonge vogeltjes, voortdurend hun snaveltje openhouden en zult u het tempo nauwelijks kunnen bijhouden. Veel moeders en toeschouwers vinden dit allerliefst om te zien.

- Om ze toch alvast vertrouwd te maken met het vasthouden van bestek, kunt u de kinderen een plastic lepeltje in handen geven, waarmee ze kunnen zwaaien, op de kinderstoel kunnen slaan, enz.

- Probeer u niet al te veel aan te trekken van hun verschillende smaken. Tenzij ze allergisch zijn, moeten ze altijd hetzelfde eten krijgen (nu toegeven aan hun wensen kan later problemen geven). Als het niet te veel moeite kost om een smakelijk maal te bereiden, zult u er minder moeite mee hebben als de kinderen het eten weigeren.

- Vaak wordt een bakje voor ijsblokjes gesuggereerd om babyvoeding in te vriezen, maar in lege yoghurtbekers en dergelijke kan vaak de juiste portie voor een twee- of meerling.

- Met de handen eten komt vanzelf als kinderen een maand of zes zijn en misschien vinden uw baby's het wel prachtig om elkaar eten te geven. Dit is ook het moment waarop ze zelf willen eten – een knoeiboel, maar zeker noodzakelijk. De verleiding is groot om meerlingen zo lang mogelijk te voeren om de chaos zo klein mogelijk te houden en tijd te sparen, maar ze moeten ook zelf leren eten, ook al gebruiken ze de yoghurt als vingerverf. Later levert het alleen maar meer problemen op als u ze niet met het eten hebt laten experimenteren als ze daaraan toe zijn.

- Wanneer u tegelijk met de kinderen eet – en dat kan zodra de kinderen met hun handen gaan eten – moet u proberen het goede voorbeeld te geven. Met een beetje geluk willen ze u nadoen. Als ze groter worden, wordt het nog belangrijker om tegelijk met de kinderen te eten.

- Tegen het einde van het eerste jaar is het mogelijk ze tijdens de maaltijden stil te laten zitten, ook al zitten ze niet in een kinderstoel. Spreid een laken onder hen uit. Haal gewoon het eten weg als ze opstaan. Later zullen ze zelfs een sandwich bij de picknick eten zonder er halverwege vandoor te gaan.

- In het begin zult u elke vaste maaltijd waarschijnlijk besluiten met een flesje (of de borst), maar probeer de baby's zo mogelijk uit een (tuit)beker te laten drinken. De meeste kinderen zijn met een maand of zes zover dat ze met een beker overweg kunnen en dat is veel beter, want drinken uit een fles zal eerder schade berokkenen aan de doorkomende tanden.

- Vaak zal de ene baby eerst stoppen met de borst of de fles en volgt de andere binnen enkele weken. Ondertussen kunt u gewoon genieten van de intimiteit van het voeden van die ene.

Slapen

Op de leeftijd van ongeveer zes maanden kunnen baby's vaak doelbewust (en duidelijk onbeperkt) wakker blijven ook al zijn zij, en u, uitgeput. Ze kunnen natuurlijk ook uit hun slaap gehouden worden doordat ze zich niet prettig voelen, honger hebben, ziek zijn of tanden krijgen – die oorzaken moet u wel uitsluiten.

In veel gevallen verschillen niet-slapende tweelingen weinig van niet-slapende eenlingen, maar het effect is groter omdat het vermoeiender is om voor hun dagelijkse behoeften te zorgen.

Het kan lastig zijn om van de tweeling te genieten als de kinderen u elke nacht weer wakker houden. Kinderen die slecht slapen, kunnen een onmiskenbare druk op de relaties binnen het gezin leggen, vooral als u en uw partner hebben besloten dat u degene bent die er 's nachts in eerste instantie uit gaat, zodat hij genoeg slaap krijgt om overdag zijn werk te kunnen doen.

Vaak wordt gezegd dat niemand ooit doodgegaan is van gebrek aan slaap, maar psychologen in het bedrijfsleven stellen zich daar langzamerhand vragen bij. In het dagelijkse leven kan slaapgebrek leiden tot voortdurende vermoeidheid en tekenen van depressie, en kan het ernstige gevolgen hebben voor de effectiviteit thuis en op het werk.

De patronen van slapeloosheid verschillen per baby. Er zijn kinderen die moeite hebben om in slaap te komen, terwijl anderen regelmatig zonder duidelijke reden wakker worden. Er zijn ook baby's die weer wakker worden voor een nachtvoeding, vooral rond de vijf, zes maanden, maar dat is vaak een teken dat ze meer eten nodig hebben of met vast voedsel moeten beginnen. Dit is gewoon honger en heeft niets te maken met de slaapproblemen van de meeste baby's. Er zijn ook baby's die onregelmatig of slechts korte perioden slapen, omdat dat in de eerste dagen en weken ook zo was. In andere gevallen ontstaat slapeloosheid doordat ze altijd in slaap sukkelen tijdens de borst of de fles, voordat ze in hun bedje liggen. Bij de meeste baby's is de reden van slapeloosheid vaak niet zo duidelijk.

De vraag is wat u eraan kunt doen. Veel ouders vinden het prettig te weten dat ze niet alleen zijn, dat de slechte slaapgewoonten van hun kind niet hun fout zijn, dat ze niet tekortschieten in hun ouderschap, en dat alles langzamerhand wel weer zal verbeteren. Dat gebeurt ook wel, maar op dat moment is die zekerheid vaak niet voldoende.

Er zijn veel dingen die ouders van baby's hebben geholpen om ernstige slaapproblemen af te wenden, zoals:

- een prettige klimaatbeheersing, dus een kamer waar het niet te warm en niet te koud is;
- telkens weer op hetzelfde uur naar bed brengen;

- een prettig en voorspelbaar patroon in het naar bed brengen;
- wel gaan kijken bij een huilende baby, maar hem niet uit bed halen;
- prettig zittende nachtkleding zonder strakke mouwen, knellende manchetten, enz.;
- een nachtlampje of, aan de andere kant, verduisteringsgordijnen of gevoerde gordijnen;
- fopspeen;
- de nachtvoeding en verschoning zo kort en zo zakelijk mogelijk houden;
- leren uzelf te ontspannen;
- een middagdutje doen waar en wanneer dat kan.

Moeten de baby's in dezelfde kamer slapen? Er zijn meerlingen die elkaar lijken te storen, maar anderen vinden het juist heel geruststellend om in dezelfde kamer te liggen. Er zijn geen vaste regels voor en u zult al snel ontdekken wat voor soort kinderen u hebt.

Er zijn diverse beproefde manieren om met slaapproblemen om te gaan. Een daarvan is dat u wel bij de huilende baby gaat kijken, maar hem niet optilt. Ga naar het kind toe als het huilt en laat merken dat u in de buurt bent. In plaats van hem echter uit bed te halen, stopt u hem in of aait hem even, zegt welterusten en gaat weer. Hij zal dan wel weer gaan huilen (als hij al gestopt is), maar ga pas na drie tot vijf minuten weer naar hem toe. Kijk op uw horloge, want anders lijkt het eindeloos te duren. Verleng langzaam de periode tussen twee bezoekjes. Deze resolute benadering wordt vaak geadviseerd door wijk- en consultatiebureauverpleegkundigen en andere deskundigen op dit gebied. Het klinkt misschien wreed, maar dat is het niet als u hebt vastgesteld dat er geen lichamelijke oorzaak is. Heel veel ouders hebben tot hun blijdschap vastgesteld dat het goed werkt en soms binnen een week al het gewenste resultaat geeft. Bij andere kinderen kan het langer duren, maar het is belangrijk zelfverzekerd en consequent te zijn. En u hebt natuurlijk de steun van uw partner nodig.

Het kan helpen om ze 's nachts niet te voeden. Veel kleine kinderen die 's nachts wakker worden, krijgen iets te drinken om ze te kalmeren, maar dit kan ertoe leiden dat ze wakker blijven worden. Als u langzaam de nachtvoedingen afbouwt (meestal door ze met water te verdunnen), worden ze oninteressant en is er geen prikkel meer om erom te huilen. Water is ook gezonder voor doorkomende tanden: recent onderzoek toont aan dat zelfs puur vruchtensap de tanden van een kind kan aantasten.

Worden uw kinderen na elkaar wakker, of maakt de ene mogelijk de andere wakker, dan kan het een goed idee zijn ze 's nachts, althans tijdelijk, te scheiden als de mogelijkheid er is.

Met een van deze manieren van aanpak zal het u zeker lukken de slaapproblemen onder controle te krijgen. Is dat niet het geval, dan overwegen sommige ouders een of alle baby's bij het slapengaan een slaapmiddel te geven. Veel van deze slaapmiddelen (Phenergan bijvoorbeeld) worden al jaren gebruikt en mijn ervaring in de huisartsenpraktijk is dat ze veilig zijn als ze juist worden gebruikt. Ze moeten echter wel worden voorgeschreven door uw huisarts en slechts een korte periode gebruikt worden. Ze werken niet altijd, maar kunnen in combinatie met gedragsmethoden heel effectief zijn als ze een weekje worden toegepast om het patroon van slapeloosheid of wakker worden te doorbreken. Overweeg ook eens homeopathische middelen als het gaat om een tijdelijke toepassing of het doorbreken van een patroon.

Ik suggereer zeker niet dat u uw baby langdurig slaapmiddelen moet geven, of dit moet doen uit pure gemakzucht. Aan de andere kant hoeft u zich niet schuldig te voelen als u uw huisarts vraagt om een slaapmiddel voor de kinderen. Vertel de dokter er echter wel bij hoe slecht het op dat moment gaat.

Als ze ziek zijn

Een tweeling hoeft niet tegelijk ziek te zijn, maar soms gebeurt dat wel. Als een van de twee zich niet lekker voelt, wordt het een hele toer om ze allebei tevreden te houden, vooral als u het zieke kind meestal op de arm moet houden. Onder die omstandigheden kan het gezonde kind heel veeleisend worden. Aan de andere kant zien veel moeders tot hun opluchting dat precies het tegenovergestelde gebeurt: het gezonde kind kan heel goed zonder u als zijn tweelingbroer of -zus ziek is.

Bij drie- of meerlingen zal het u waarschijnlijk al bij het minste of geringste te veel worden. Perioden als deze, zegt een drielingmoeder, waren de dieptepunten van het eerste jaar. Elke vorm van hulp bij elke baby is meer dan welkom. Dit is het moment dat u elk aanbod, dat u nog afsloeg toen iedereen gezond was, moet aannemen.

U zult zien dat het lastige kind veel gemakkelijker in de omgang is als de koorts eenmaal verdwenen is, dus geef het paracetamol of iets anders dat de dokter heeft geadviseerd om de koorts te doen zakken. Zorg wel dat het kind genoeg te drinken krijgt – u zult het vaak moeten temperaturen – en kleed een ziek kind niet te dik aan.

Als ze niet heel ziek zijn, mogen zieke baby's ook wel mee naar buiten in de kinderwagen of de buggy, ook al griezelen de meeste grootouders van deze moderne methoden. De meeste baby's vinden verandering van omgeving heerlijk. Als u echt aan huis gebonden bent, wissel dan zo mogelijk een paar keer per dag van kamer.

Wees niet bang dat de ene baby de ander zou kunnen aansteken: daar kunt u toch niet veel aan doen. Elk kind moet echter wel zijn eigen medicijnen krijgen. Baby's mogen een recept niet delen, behalve als het gaat om paracetamol en medicijnen uit de vrije verkoop.

Twee- of meerlingen moeten ook niet één medisch dossier delen of een inentingsboekje. Behandel elk kind als individu; ook eeneiige tweelingen hebben niet altijd dezelfde allergieën.

De huidige ziekenhuizen zijn ingericht op het verblijf van de ouders als een kind wordt opgenomen en men verwacht ook dat u zoveel mogelijk deelneemt aan de verzorging. Dit doet een ziek kind goed, hoewel het voor u heel vermoeiend kan zijn. Een grootouder die kan blijven en thuis een handje kan helpen, is een ideale hulp.

Andere spanningen

Het eerste jaar kan heel uitputtend zijn. Uw partner zal heel veel bijspringen bij de verzorging van de kinderen, bij huishoudelijke klussen, hij zal u steunen en doorgaan met zijn eigen werk, soms met heel weinig slaap. Ondertussen kunnen de levens van oudere kinderen totaal op zijn kop komen te staan (een onderwerp dat in hoofdstuk 8 aan de orde komt).

Normale gezinsactiviteiten lijken te zijn verlaten of plaats te hebben gemaakt voor een vicieuze cirkel van klussen. Als u thuis hulp hebt, zult u misschien meer tijd hebben voor elkaar en de kinderen, maar dit gaat dan weer ten koste van veel privacy.

Ouders van drie- of meerlingen kunnen het vooral heel moeilijk hebben. Er is een onderzoek dat bevestigt dat veel moeders van drielingen het eerste jaar gezondheidsproblemen hebben, evenals een aantal partners. Veel ouders ervaren dat hun relatie steviger is geworden, maar andere meerlingouders zien het tegenovergestelde gebeuren en onderlinge wrijvingen, ook scheidingen, zijn geen onbekend fenomeen.

Meer hulp in het eerste jaar zou de zaken ongetwijfeld eenvoudiger maken, maar daar staat een aantal offers tegenover. Hoeveel vrienden zijn bijvoorbeeld bereid een ochtend op twee of meer baby's te passen? Dit isoleert aan de andere kant de moeder weer, die dan het gevoel kan hebben dat ze helemaal geen grip meer op haar leven heeft. Gewoon even uit huis komen lijkt die eerste maanden iets heel bijzonders, maar voor veel moeders is het niet voldoende. Vergeleken bij haar eerdere leven, lijken de uitjes die ze zich nu kan permitteren, maar saai. En waar ze ook naartoe gaat, ze blijft de 'moeder van de tweeling'. Weer aan het werk gaan lijkt in dit stadium misschien belachelijk, maar voor sommige moeders is het van wezenlijk belang.

Gemakkelijker leven

Veel tweelingmoeders hebben later spijt dat ze zoveel tijd en energie hebben besteed aan de eentonige klusjes in het eerste levensjaar van hun kinderen, en dat ze niet bezig zijn geweest met de kinderen en het gezinsleven. Als ze die tijd konden overdoen, zouden veel vrouwen het anders doen.

U kunt het uzelf gemakkelijker maken door uw prioriteiten in dit eerste belangrijke jaar opnieuw te stellen en u, voor het te laat is, te realiseren dat tijd kostbaar is.

1 Zorg voor een dagelijks patroon waarmee u kunt leven. Hoe sneller de gewoonten van de baby's gelijklopen en vereenvoudigd zijn, des te beter het is. U hoeft ze bijvoorbeeld niet elke dag in bad te zetten, want ze worden op deze leeftijd nog niet echt vies. Goed beschouwd is maar heel weinig strijkwerk echt noodzakelijk (en ook gevaarlijk met kinderen in de buurt).

2 Zoek hulp als het kan. De *au pair* van vrienden of de tienerdochter van de buren zou een paar uur per week schelen. Ze zou de baby's in bad kunnen doen of wat boodschappen doen, of er misschien eens even met een ouder kind op uit kunnen gaan. Het zou ook al heel veel schelen als ze enkele uurtjes op een of twee baby's kon passen.

3 Als u weer aan het werk gaat, zorg dan dat de babysitter ook wat huishoudelijke klusjes doet. En als de kinderen naar de oppas gaan, zou u misschien kunnen zorgen voor iemand die u helpt met het huishouden of de was. Bedenk dat een crèche voor twee baby's heel duur kan zijn; misschien bent u beter af met iemand die bij u thuis komt. Het is gebruikelijk dat een kindermeisje de was van de baby's doet en hun kamers schoonhoudt, maar moet ze ook de keukenvloer dweilen? Begin al meteen met onderhandelen. Een oppas zonder ervaring is vaak flexibeler op dit gebied, maar hoeft niet beslist minder goed te zijn dan een ervaren oppas.

4 Zorg dat er met de kinderen gespeeld wordt en dat ze aandacht krijgen. Ga regelmatig met ze weg, bijvoorbeeld naar andere ouders met kleine kinderen, hoe moeilijk dat op dat moment ook is. Bent u er eenmaal, dan is het sociale contact alleen maar goed. Heel veel moeders zeggen dat een dagelijks uitje hen redelijk evenwichtig houdt.

5 Negeer commentaar dat niet opbouwend is en adviezen die geen betrekking hebben op meerlingen. Als u voor het eerst ouder geworden bent, regent het dergelijke opmerkingen. U kunt op nutteloze, maar goedbedoelde suggesties reageren met het neutrale 'Ik zal erover nadenken'.

6 Zet schuldgevoelens uit uw hoofd. Als u zover gekomen bent en een aantal ideeën hebt opgepikt, dan doet u het waarschijnlijk wel goed. Er zullen goede

en minder goede dagen zijn, maar het is niet nodig uzelf iets te verwijten als de zaken niet helemaal gladjes lopen. U kunt niet meer doen dan u kunt.

7 Kunt u het zich permitteren, denk dan eens na over een gezinsvakantie. De tweeling is waarschijnlijk nog niet mobiel en zal heel tevreden een poosje in de wagen willen zitten. Bovendien zult u, zolang de kinderen nog klein zijn, kunnen gebruikmaken van allerlei kortingen. Waarschijnlijk hebt u het meeste plezier als u niet te grootse plannen koestert.

8 Maak wat tijd vrij voor uzelf en uw partner. Al lijkt de toekomst nog ver weg, kleine kinderen worden ook een keer groot. Denk aan uw leven van dat moment.

Het licht aan het einde van de tunnel

Het meeste onderzoek – en advies – op het gebied van tweelingen richt zich op de ongemakken en de moeilijkheden die meer dan één kind tegelijk met zich meebrengen. Het lijdt geen twijfel dat dit eerste jaar een uitdaging vormt, die het eens te meer noodzakelijk maakt om stil te staan bij de genoegens van een meerling – en die zijn er voldoende, neem dat van mij aan.

Als ik me die eerste maanden wat depri voelde, hees ik de kinderen in hun enorme kinderwagen, die de afmetingen had van een grote puincontainer, en ging de straat op, waar ik steevast werd aangegaapt door onbekende mensen.

Als ik thuiskwam, klommen ze min of meer tegen me op en hingen aan mijn benen. Dat geeft je echt het idee dat je nodig bent.

Na het bad klauterden ze met hun rozige lijfjes over me heen, nog een beetje nat van het water en heerlijk geurend. Ik zal dat babygeurtje nooit vergeten.

De volgende lijst omvat een aantal persoonlijke gezichtspunten van ouders, maar ook resultaten van onderzoek dat is uitgevoerd door dr. Herbert Collier uit Phoenix, Arizona, die heel ongebruikelijk heeft besloten zich te richten op de plezierige kant van een tweeling.

• Twee- en meerlingen zijn vaak heel snoezig om naar te kijken en dat blijft veel langer zo dan bij de meeste eenlingen. Dit is een van de redenen waarom ze zoveel aandacht trekken, iets waarvan veel ouders genieten.

• Het is leuk om te zien hoe de verschillende persoonlijkheden zich ontwikkelen, in elk geval dubbel zo boeiend als bij een eenling.

• Het is geweldig om te zien hoe ze op elkaar reageren. Zelfs als ze zo klein zijn, kunnen ze naar elkaar lachen en kirren en het lijkt alsof ze elkaar zonder woorden begrijpen.

- Al snel zult u merken dat er zich een speciale band tussen de kinderen ontwikkelt. Heel jonge tweelingen leren soms al spontaan dingen te delen zoals drinken, koekjes en speelgoed (vertrouw er echter niet op).
- Ook al zijn ze niet zo dik bevriend met elkaar, tweelingen hebben elkaar om de genoegens en de problemen van het leven mee te delen en elkaar te troosten.
- Veel ouders van meerlingen zeggen dat ze zich, hoewel ze enorm schrokken toen ze het nieuws hoorden, heel speciaal, gelukkig of gezegend voelen.
- Vaders van tweelingen worden vaak veel meer betrokken bij de dagelijkse verzorging van de kinderen dan dat bij een eenling het geval geweest zou zijn.
- U ervaart dubbel zoveel plezier, liefde en knuffels (vaak van beiden tegelijk).
- U zult uw leven opnieuw moeten bekijken, maar dit is vaak heel goed en kan een verrijkende ervaring zijn die nieuwe vrienden en nieuwe accenten oplevert. Ook uw carrière kan in een andere richting gaan.
- Veel moeders ervaren aan het eind van het eerste jaar een intens succesgevoel. Als u een tweeling aankunt, dan kunt u vrijwel alles aan.

Hoofdstuk 7

Peuters, of
De Verschrikkelijke Twee

De peutertijd is de periode tussen één en drie à vier jaar of grofweg het stuk tussen leren lopen en de kleuterschool. Het is een tijd van groeiende zelfstandigheid, waartoe negatief gedrag, ongebreidelde nieuwsgierigheid en nieuwe vaardigheden (voor uzelf én voor de baby's) behoren.

Een favoriete vrijetijdsbesteding van peuters is de wereld ontdekken, dingen zelf doen en uiteraard u tot het uiterste drijven (alleen om te zien wat de grens is). Wat gebeurt er als je aan de kat zijn staart trekt, in de gordijnen klimt of dat leuke deurtje van de wasmachine opendoet?

Uit praktisch oogpunt bekeken is het grote verschil tussen één peuter en twee of meer, dat u uw aandacht moet verdelen, waardoor het moeilijker is ze voor problemen te behoeden, vooral als u moe bent. Bij meerlingen is veiligheid een belangrijk punt en daarnaast vechten. Meer over vechten vindt u in hoofdstuk 9, dat gaat over gedrag en taal, terwijl hier onderwerpen over peuters aan de orde komen.

Veiligheid
Als u op één peuter past of ermee speelt, moet u er steeds aan denken om de andere in de gaten te houden (wie ooit zei dat meerdere kinderen samen veiliger met elkaar omgaan, was zelf geen ouder). Tweelingmoeders melden een groot aantal ongelukken en ongelukjes. Vaak zeggen ouders meer veiligheidsvoorzieningen te hebben getroffen voor hun tweeling onder de vijf dan voor hun oudere eenlingen van dezelfde leeftijd. Een punt dat daarbij opvalt, is het feit dat ouders door bezig te zijn met het gezonde kind, het andere kind uit het oog verloren, dat bijgevolg meer kans had op letsel.

Het is duidelijk dat twee of meer kinderen meer onheil kunnen aanrichten. Ze jutten elkaar op en ze zijn fysiek tot meer in staat: een klein kind kan niet uit de box klauteren, maar dat lukt wel als ze de rug van haar broertje als opstapje kan gebruiken. Zo kunnen twee ondernemende peuters ook banken en boekenkasten omgooien.

Mijn twee kinderen gebruikten het traphek als een soort spel. Eloise klom erover heen en Hilary stond aan de andere kant te lachen, ze porden elkaar door de spijlen heen tot Eloise onvermijdelijk viel of eraf geduwd werd.

Een peuter kan de vingers die de ander tussen de la gestopt heeft pijnlijk klemmen door tegen de la te leunen, of het gezicht van de ander in iets onschuldigs zoals een blokje drukken, wat een ritje naar de eerstehulpafdeling voor hechtingen noodzakelijk maakt (is echt gebeurd).

U zult de peutertijd waarschijnlijk niet doorkomen zonder enig incident, maar u kunt de kans op ernstige verwondingen beperken door potentieel gevaar voor te zijn en op ongelukken te anticiperen. Iedereen – de vader, grootouders, oppas, babysitter, enz. – die op de kinderen past, moet zich ook bewust zijn van gevaren. Er zijn tweelingmoeders die zeggen dat als papa oppast, ze niet de verwachte tijdelijke verlichting ervaren, omdat vaders zich van veel gevaren niet bewust zijn.

Kindersloten op kasten zijn eigenlijk onontbeerlijk. Ze zorgen ervoor dat een peuter niet, of moeilijker, bij de inhoud kan komen, hoewel ze niet kunnen voorkomen dat de vingers van een van de twee tussen de deur worden geplet door broer of zus. Vertrouw niet te veel op kindersloten: alle chemische middelen moeten buiten het bereik van kinderen staan, evenals medicijnen. Mist u een paar pillen, dan zult u in het ziekenhuis niet kunnen zeggen welke van de twee ze opgegeten heeft.

Een grendel op de deur kan voorkomen dat uw peuters de straat op gaan, maar haal grendels en sleutels van de badkamer- of wc-deur of leg ze zo hoog dat alleen u erbij kunt. Glazen deuren leveren duidelijk gevaar op, dus gebruik veiligheidsglas, veiligheidsfolie of misschien stickers. Overweeg het aanbrengen van een verwijderbare lat bij de ramen boven, vooral bij die van de kinderkamer.

Een traphekje is heel handig op langere termijn en u zult er al snel heel gemakkelijk overheen stappen. Keukens met alle messen, snoeren en kooktoestellen vormen een bijzonder probleem. Een deurhekje in de keukendeur houdt de tweeling op veilige afstand als u aan het koken bent.

Kachels moeten beveiligd worden met een vuurscherm. Vermijd muurkachels en elektrisch of open vuur als het maar enigszins kan. Een strijkijzer moet goed opgeborgen worden: zelfs een afkoelend strijkijzer kan heet zijn. Zorg ook dat het hete water dat uit de kraan komt, niet kokend heet is; draai de thermostaat zo nodig lager.

Een tweeling vindt het op deze leeftijd vaak leuk om samen in bad te gaan en het is voor u gemakkelijker, maar badtijd is een gevaarlijk moment. Draai u niet om, zelfs niet voor een seconde, en ga nooit naar de telefoon of de voordeur als de kinderen in de badkamer zijn. Over het algemeen geldt dat een kind onder de zes jaar niet veilig alleen in bad kan zitten en een kind onder de zeven is zonder toezicht niet veilig in bad met zijn broertje of zusje. Ouders van eenlingen kunnen dat maar moeilijk geloven, maar het is echt waar.

Voor uw eigen gemoedsrust en die van de andere gezinsleden kunt u waardevolle en kwetsbare voorwerpen beter iets hoger of in een andere kamer zetten. Daarmee voorkomt u dat u honderd keer per dag 'Nee' moet zeggen.

> Ik wist dat ik al mijn favoriete spulletjes, zoals de porseleinen katten, uit het bereik van de tweeling moest houden, maar ik had geen rekening gehouden met de lampen. Toen ik begreep hoe boeiend mijn twee tafellampen waren, heb ik ze ruim drie jaar uit de zitkamer verbannen.

Vooruit denken voorkomt moeilijkheden. Houd de vingernageltjes van uw peuters kort. Vermijd speelgoed als hamers: tweelingen timmeren liever op elkaars hoofd dan op spijkers. Speelgoed met touwtjes of linten kunnen ook gevaarlijk zijn: de een kan het rond de hals van de ander draaien (of rond een ander deel van het lichaam) en heel hard trekken. Hebt u een ouder kind, houd dan ook een oogje op zijn speelgoed. Afgezien van het feit dat de tweeling het kapot kan maken, kan het in hun handjes dodelijk blijken.

Doe de zijkanten van het bedje vanaf achttien maanden naar beneden, zodat de kinderen als ze eruit willen klimmen van minder hoog vallen. Soms beginnen ze tijdens vakanties aan een spurt in hun ontwikkeling. Het is duidelijk dat ze op deze leeftijd nog niet in een stapelbed kunnen slapen.

Denk eraan dat, terwijl u bezig bent te voorkomen dat de ene peuter in de problemen komt, de andere stilletjes kan verdwijnen en iets anders kan uithalen. Ik kan er niet genoeg op wijzen hoe gevaarlijk de wereld is met meer dan één peuter en het is onmogelijk alle denkbare gevaren op te noemen. Er bestaat niet zoiets als een kinderveilige kamer: u zult al snel ontdekken dat met twee of meer peuters zelfs een gewatteerde cel gevaarlijk zou kunnen zijn. Tenzij u twee heel rustige peuters hebt, kunt u ze op deze leeftijd beter geen moment uit het oog verliezen. Houd ze, al is het van een afstandje, in de gaten terwijl ze op onderzoek uitgaan. Dit zal natuurlijk gevolgen hebben voor de mogelijkheid de kinderen persoonlijke aandacht te geven, maar u kunt nu eenmaal niet anders en veiligheid komt op de eerste plaats.

Individualiteit en zelfstandigheid

Het is verleidelijk om verzamelnamen te gebruiken voor de kinderen (de tweeling bijvoorbeeld, of de jongens, de bende, het stel, het dynamische duo, de verschrikkelijke vier), maar beperk dit omwille van henzelf tot een minimum. Volgens sommige deskundigen is het politiek incorrect om hen 'tweeling' te noemen, maar (zoals dat bij al dit soort dingen gebeurt) je kunt het ook te ver doorvoeren. Het kan handig zijn om naar ze te *verwijzen* als 'de tweeling' of 'de drieling', maar u moet vermijden ze zo te *noemen* als u met hen praat. Probeer zoveel mogelijk hun eigen namen te gebruiken, al is het maar om te zeggen 'Tom, laat dat'.

Op deze leeftijd zijn persoonlijke aandacht en elk kind apart aanspreken heel belangrijk voor hun ontwikkeling in het algemeen, en hun taal en gedrag in het bijzonder. Geef elk kind de tijd om tegen u te praten, misschien tijdens het bad of bij het naar bed brengen. Elk kind moet soms wel eens iets kunnen zeggen zonder dat anderen het horen.

Een verhaaltje voor het slapengaan is een goede manier om actieve peuters te kalmeren en ze voor te bereiden op de nacht, maar één verhaaltje of twee? Als u de een al gaat voorlezen, terwijl de ander nog op de grond zit te spelen, zult u al snel worden gestoord. Het beste is om elk kind apart voor te lezen, terwijl de ander in een andere kamer is, en misschien een verhaaltje voorgelezen krijgt door uw partner, maar er zijn maar weinig twee- en meerlingen die deze luxe kennen. Dit zal misschien in de weekenden wel kunnen, maar door de week moeten de kinderen het verhaaltje delen. Voorlezen, of dat nu apart of samen is, is een waardevol moment voor veel ouders.

Aparte uitjes zijn vaak ook nuttig, misschien zelfs een nachtje uit logeren bij de grootouders (vooral omdat veel grootouders meer dan één peuter iets te veel vinden). U kunt op dit punt het best flexibel blijven en het gewoon laten ontstaan. Pogingen om jonge tweelingen voor meer dan een uur of twee te scheiden, kunnen een averechtse uitwerking hebben, zoals sommige moeders al hebben ontdekt. Als beide kinderen het weekend bij oma als een straf ervaren, omdat ze niet gescheiden willen worden, dan doet u niemand er een plezier mee.

Kleren

Voor zaken als ondergoed maakt het niet uit, maar over het algemeen zullen uw peuters het wel fijn vinden om hun eigen kleren te hebben, vooral als u een jongen-meisjetweeling hebt. Door ze verschillend te kleden, zoals geopperd in het vorige hoofdstuk, helpt u hen om zich tot individu te ontwikkelen en de kinderen zullen al snel hun eigen kleren willen kiezen en aantrekken. Het is ook een belangrijk hulpmiddel tot veiligheid. Peuters moeten in elk geval verschillende buitenkleding en laarsjes dragen. Een kind dat zich op een drukke weg waagt, zal waarschijnlijk de volwassene die het bij de verkeerde naam roept, negeren – niet omdat het tegendraads is (hoewel dat ook kan), maar omdat het niet degene is die geroepen wordt.

Toegegeven, het kan wel eens voorkomen dat het handig is als de kinderen hetzelfde gekleed zijn. Een moeder die een van haar identieke tweelingdochters kwijtraakte op het strand, vond haar snel terug toen ze tegen iedereen zei dat ze een kind zocht dat 'er net zoals deze' uitzag.

Desalniettemin moeten ze niet dezelfde kleuren dragen. Toen mijn jongens in het winkelcentrum allebei een andere kant op gingen, vroeg ik een voorbijganger om 'de rode' te halen, terwijl ik achter zijn broer aanging, die in het blauw gekleed was.

Aankleden

Het is één ding om peuters uit de kleren te krijgen en een ander verhaal om ze er weer in te krijgen. De ellendigste tien minuten (of soms zestig) van de dag spelen zich waarschijnlijk wel 's morgens af als ze aangekleed moeten worden. Als ze heel klein zijn, kunt u ze zelf aankleden, maar het is niet zo gemakkelijk om achter twee of meer peuters aan te hollen, die zoveel meer energie hebben dan uzelf. Probeer het aankleden voor de kinderen leuk te maken door hun medewerking te prikkelen:

- Houd het bij eenvoudige kleren.
- Houd het overzichtelijk (de avond tevoren kleren uitzoeken kan helpen).
- Leid ze af terwijl u ze aankleedt.
- Hol niet achter ze aan, maar probeer ze zover te krijgen dat ze naar u toe komen.

Het is heel handig om ze zelf aan te kleden, net zoals u ze liever zelf wilt blijven voeren, maar na hun tweede verjaardag zullen de kinderen aanstalten maken om zich zelf aan te kleden. Er zijn moeders die, zeker als ze op tijd op hun werk moeten zijn of een ouder kind naar school moeten brengen, deze periode ongelooflijk ergerlijk vinden met twee peuters, die vastbesloten zijn om zichzelf aan te kleden ondanks het feit dat ze dat absoluut niet kunnen. Dit stadium duurt heel lang bij sommige kinderen, maar het gaat voorbij en u zult er uiteindelijk voordeel van ondervinden.

Eerlijk, maar anders

Het leven is niet eerlijk, maar dat is een moeilijke les, vooral voor kleine kinderen. Op deze leeftijd liggen de verwachtingen rond eerlijkheid heel hoog. Als een van de twee een cadeautje krijgt of iets ontvangt dat in bepaald opzicht 'beter' is, wordt dat door de ander vaak beschouwd als straf.

Zijn ze zich eenmaal bewust van de mate van jaloezie en competitie tussen hun kinderen, dan zullen ouders heel erg proberen eerlijk te zijn. Maar er zullen onvermijdelijk momenten zijn waarop ze ongelijk behandeld worden, zoals bij feestjes. Op lange termijn kan het voor kinderen een voordeel zijn om niet eerlijk behandeld te worden, maar dat is heel moeilijk en op deze leeftijd is het beter ze gelijk te behandelen.

Over het algemeen geldt dat hoe jonger de kinderen zijn, des te beter het voor ze is om cadeautjes te krijgen die grofweg hetzelfde zijn qua idee en afmeting; maar de cadeautjes hoeven niet hetzelfde te zijn. Hoewel identieke geschenken vaak aanvaardbaar zijn, kunnen ze ook teleurstellend zijn: als beide kinderen van een tweeling uit gewoonte dezelfde verjaardagscadeaus krijgen, is de verrassing voor het ene kind bedorven als het andere kind het al opengemaakt heeft. (In zekere zin kunt u dit voorkomen door de kinderen met de rug naar elkaar te laten zitten als ze hun cadeautje openmaken.)

Voor grotere cadeaus, zoals een driewieler, ligt het voor de hand de kinderen hetzelfde te geven, maar in verschillende kleuren. Bepaald speelgoed, zoals een speelhuis, kunnen ze delen, maar het is duidelijk dat er maar één kind tegelijk kan gebruikmaken van een fiets of een kruiwagen, dus die kunt u het beste dubbel aanschaffen. Daarnaast is het voor kleine kinderen heel belangrijk wie de eigenaar van iets is. Als ze echt een cadeau samen krijgen – dit moet een uitzondering zijn en geen regel – dan zou u ze daarbij elk een klein aanvullend geschenkje kunnen geven.

Mensen kunnen ongelooflijk onnadenkend zijn en als ouder moet u anderen er misschien op wijzen dat ze uw twee- of drieling beter verschillende cadeautjes kunnen geven. Een verjaardagskaart met daarop 'Wel gefeliciteerd, tweeling' is daarom uit den boze. Mensen kopen ze omdat ze bestaan, maar hoe zou u het vinden als u een kaart met iemand anders moest delen?

Om het goede voorbeeld te geven, moet u daar ook aan denken als u andere kinderen een cadeautje geeft. Gaan ze naar een feestje, dan moet elk van de tweeling een cadeautje meenemen voor de jarige. Dit hoeft niet duur te zijn, maar kan wel wat fantasie van uw kant vragen.

Eerlijk is niet hetzelfde als gelijk. Hebt u een kind met speciale wensen, dan weet u dat al. Het is beter een kind iets te geven dat het wil en dat geschikt voor hem is. Volwassenen denken soms ten onrechte dat ze elk kind hetzelfde moeten geven. Een tante was ervan overtuigd dat het niet meer dan eerlijk was om een bepaald bedrag uit te geven voor een cadeautje voor haar beide nichtjes van vier jaar. Op een zeker moment leidde dat ertoe dat Sarah twee presentjes kreeg en Frances slechts één, dat echter wel groter en duurder was. Geen van de kinderen kon dit waarderen: Frances was verontwaardigd, terwijl Sarah zich verkneukelde.

Er zullen momenten zijn waarop u moet veronderstellen dat ze allebei zo'n beetje hetzelfde willen. Als een van de kinderen bijvoorbeeld iets wil eten of drinken, dan is het logisch om de ander dat ook aan te bieden, al is het alleen maar om te voorkomen dat u twee minuten later weer overeind moet.

Moet u echter op beslist hetzelfde moment kleren en schoenen voor de tweeling kopen? U zou heel wat meer geld kwijt zijn als u dat deed, dus is het beter alleen iets te kopen voor degene die echt nieuwe kleren nodig heeft. De ander zal zich op dat moment een beetje achtergesteld voelen, maar mettertijd zal hij het als normaal gaan zien. Een ijsje voor de een die geen nieuwe jas gekregen heeft, is niet nodig en maakt de zaken alleen maar erger. Zijn er afdankertjes, probeer dan af te wisselen wie nieuw krijgt en wie de tweedehandskleren – dat is gemakkelijker gezegd dan gedaan als u een jongen-meisjetweeling hebt en een ouder meisje.

Net als echtgenoten kopen ouders soms een cadeautje als ze zich schuldig voelen, maar dat geeft nooit voldoening. Het is belangrijker om eerlijk te zijn met tijd en aandacht dan met geld. Dit kan echter moeilijk zijn. Bij een tweeling van verschillend geslacht zal een meisje langer aandacht nodig hebben en misschien meer voorgelezen moeten worden. De verschillen zullen heel duidelijk zijn als u een kind met speciale behoeften hebt.

Mettertijd zult u veel meer verschillen tussen de kinderen ontdekken. De een kan heel rustig zijn, de ander juist veeleisend of avontuurlijk. Net als in het eerste jaar heeft het plakken van etiketten echter zijn nadelen voor de hele jeugd. De verschillen kunnen aangemoedigd worden – en dat zal later misschien moeten, bijvoorbeeld bij de keuze van een muziekinstrument of een sport – maar het is iets heel anders om de kinderen te splijten. Net als voorspellingen worden overdrijvingen ook zelfvervullend. Vaker echter blijven etiketten niet bestaan.

Amanda was heel lang een peuter met een lief karakter en ze was de onschuld zelve. Zoe echter mopperde en morde. Op een zeker moment veranderde dat zonder enige reden en gedroeg Amanda zich alsof de duivel in haar gevaren was.

Tweelingen, zeker eeneiige, kunnen veranderen – schijnbaar om u op een dwaalspoor te brengen. Dit verschijnsel, ook in het vorige hoofdstuk genoemd, kan in de peuterperiode heel uitgesproken zijn, maar het doet zich bij tweelingen gedurende de hele jeugd voor en heeft misschien iets te maken met de verdeling van werk en de gewaarwording van de rollen binnen hun tweelingrelatie.

Boze buien

U zult misschien denken dat, als u angstvallig eerlijk bent, alles goed zal komen. Helaas zitten peuters zo niet in elkaar. Boze buien zijn een onvermijdelijk onderdeel van het groter worden en de meeste peuters tussen de twee en drie jaar hebben er ten minste eens per week last van. Dat komt mogelijk voort uit het feit dat een kind heel goed weet wat het wil, maar niet kan begrijpen waarom dat op dat moment niet mag en kan.

Kinderen groeien eroverheen, maar tweelingen – vooral jongens – lijken vaker nog woedeaanvallen te hebben dan de meeste eenlingen die die periode allang gehad hebben. U zult ontdekken dat een van uw peuters veel vaker uitschiet dan de ander, of dat ze elkaar opjutten.

> Ik ontdekte dat alleen Paul woedeaanvallen kreeg, maar als ik daar oververhit door raakte, werd David ook stapelgek, mogelijk van angst.

U kunt een woedeaanval helpen voorkomen door:

- rechtlijnig maar resoluut te doen;
- de peuters veel aandacht te geven;
- toe te geven op onbelangrijke punten (ongeacht de leeftijd van uw kinderen, is dit nooit een verkeerd principe, ook al hebt u tieners);
- onnodige verleidingen, zoals de supermarkt met al die chocolade, te voorkomen;
- zelf het goede voorbeeld te geven: de kans bestaat dat u met twee of meer kleine kinderen heel vaak staat te schreeuwen alleen maar om gehoord te worden, maar het loont de moeite om de emotionele temperatuur laag te houden.

Tijdens een woedeaanval leidt schreeuwen of een pak slaag er alleen maar toe dat de ellende voor iedereen langer duurt. Een knuffel kan een kind kalmeren, maar misschien moet het even alleen gelaten worden, waarbij u wel een oogje in het zeil dient te houden om zeker te weten dat het veilig is. Vergeet ondertussen de andere peuter niet: hij kan de gelegenheid te baat nemen om ervandoor te gaan of stilletjes iets uit te halen terwijl u met zijn broer bezig bent.

Als de storm is gaan liggen, doet u alsof er niets gebeurd is. Er mag niets veranderd zijn. Als u niet van plan was snoepgoed voor het kind te kopen, gaat u dat nu ook niet doen. Dat is moeilijk, vooral als uw peuters de supermarkt hebben uitgekozen als decor voor hun woedeaanval, maar ze moeten leren dat het zinloos is om zo uit je vel te springen. (Zie hoofdstuk 9 voor meer informatie over wangedrag in het algemeen.)

Zindelijkheidstraining

Veel moeders zien dit moment met angst en beven tegemoet, maar de zindelijkheidstraining van twee of meer peuters hoeft niet beslist een verschrikkelijke ervaring te zijn. Het kan echter een knoeiboel worden, omdat het moeilijk is om ze allebei tegelijk in de gaten te houden. Dat doet zich voor als uw tweeling tegelijk zover is om de luier aan de wilgen te hangen. Dat hoeft natuurlijk niet en zelfs bij eeneiige tweelingen kunnen er een paar maanden tussen zitten. Kinderen verschillen ook in de volgorde van deze ontwikkeling: er zijn kinderen die eerder de blaas onder controle hebben dan de darmen, en omgekeerd.

> Ze waren allebei zover toen ze tweeënhalf waren. Ooit deden ze allebei de grote boodschap toen ze van het potje opstonden en ze wreven het allebei in het tapijt. Een plasje was niet zo'n probleem hoewel beide meisjes er meestal in slaagden in elk geval een beetje tot het laatst te bewaren, dat ze lieten lopen zodra ik me omdraaide.

Hebt u het niet eerder gedaan, dan is het belangrijk te weten dat de sleutel tot een succesvolle zindelijkheidstraining ligt in het niet overhaast te werk gaan. Dit te forceren werkt contraproductief, dus negeer pochende moeders, ook uw eigen moeder als ze zegt dat u met negen maanden zindelijk was. Baby's van die leeftijd zijn duidelijk neurologisch nog niet in staat de betrokken spieren te beheersen. Uw moeder was waarschijnlijk heel handig in het 'opvangen' van uw plasje in het potje.

Let op tekenen die aangeven dat een van de peuters er klaar voor is: misschien ontwikkelt hij een afkeer van zijn vuile luiers of trekt hij zijn luier uit als die nat of vies is.

Afgezien van andere zaken moet u kort na de tweede verjaardag met zindelijkheidstraining beginnen als het mooi weer is. Er zijn twee veelgebruikte methoden, maar u moet in elk geval voldoende potjes hebben en voortdurend alert zijn. Trek ze kleren aan die gemakkelijk uit kunnen of laat ze gewoon in de blote billetjes rondlopen.

Laat de kinderen tien minuten op het potje zitten of af en toe even (of zolang het kind zich er prettig voelt). In dit stadium weten de kleintjes wel waar wc's en potjes voor dienen, dus wacht gewoon tot ze er iets op doen of er genoeg van hebben. Vaak moeten darmen zo'n twintig minuten na het ontbijt geleegd worden, dus dat is een goed moment. Prijs het kind als het resultaat heeft geboekt, maar ga daarin niet te ver. Als u zich te dankbaar toont, zal het kind u uiteindelijk 'geschenken' van zijn stoelgang aanbieden!

U kunt ook beginnen om de peuters een uur of langer zonder luier te laten rondlopen en die periode steeds rekken. Houd de potjes binnen handbereik, maar laat het kind er niet op zitten tenzij het tekenen vertoont dat het naar de wc moet, zoals springen, hand in het kruis, knijpen of stilletjes in een hoekje neerhurken. Er zullen ongetwijfeld heel wat ongelukjes gebeuren, maar op een dag zal het lukken.

Maak u geen zorgen als maar een van de kinderen het begint te begrijpen. Vaak zal de ander deze prestatie een paar weken later evenaren en eigenlijk leert een tweeling het min of meer van elkaar, zoals al veel moeders hebben ontdekt. Blijf geduldig. Kijk echter wel uit dat niet een van de twee triomfantelijk de inhoud van zijn potje over het hoofd van de ander kiepert.

Al snel zal het zover zijn dat u de potjes meeneemt als u uitgaat. Het is verstandig om de kinderen voor een uitstapje een badstoffen broekje aan te trekken, waarbij u oude handdoeken op de zitting van de buggy legt. Gelukkig zijn de meeste buggy's gemakkelijk af te spuiten met de tuinslang.

Peuters hebben 's nachts natuurlijk nog wel een poosje een luier nodig, waarschijnlijk tot ze een jaar of drie zijn. Door een plastic matrasbeschermer te gebruiken zult u bij kleine kinderen heel wat tijd en moeite kunnen besparen. Het gaat niet alleen over blazen en darmen, maar kinderen spugen ook wel eens of hebben een bloedneus!

Spelen

Spelen is iets dat peuters instinctief doen, maar sommige aspecten van hun spel verschillen iets (of veel) van dat van meerlingen. Speelgoed kan bijvoorbeeld eerder als wapen worden gebruikt. Hoewel het kan gebeuren, is het niet waarschijnlijk dat een eenling zichzelf met een pen in het oog zal prikken of zijn vingers zal pletten onder het hobbelpaard. Daarom moet u goed nagaan of speelgoed dat geschikt is voor hun leeftijd, wel zo onschuldig is voor twee of meer kinderen. U moet de kinderen ook beter in de gaten houden als ze aan het spelen zijn.

Tenzij het heel sterk is, zal speelgoed bij meerlingen ook sneller kapotgaan, wat natuurlijk veel teleurstelling oplevert.

Meerlingen maken meer rommel en u kunt daarom besluiten niet te beginnen met experimenten als vingerverven. U kunt ze echter ook buiten laten schilderen of in de gang op een plastic tafelkleed. Een moeder die begreep dat ze twee jonge graffiti-kunstenaars in huis had, vond het goed dat ze een bepaalde muur aan de buitenkant van het toilet beschilderden. 'Dat deed het goed,' laat ze weten, 'hoewel ze ruzieden over hoeveel muur ze elk mochten hebben. Toen heb ik een verticale streep in het midden gezet.'

Buiten kan een schommel regelrecht gevaarlijk zijn. De zitting van de schommel in beweging kan tegen het hoofd van de ander komen en de peuter bewusteloos slaan. Een wip wordt vaak als het ideale speelgoed voor een tweeling beschouwd, maar die kan letsel veroorzaken en voldoet daarom zelden. Als u buitenspeelgoed overweegt, kies dan voor een glijbaan, een trampoline, een speelhuisje, of het allerbeste, een zandbak. Hier kunnen ze hun fantasie kwijt zonder dat het u energie kost.

Er zijn positieve kanten, vooral als peuters samenwerken. Ze kunnen elkaar rondrijden in een speelgoedkruiwagen (dat wil zeggen tot een van de twee het beu wordt en de ander er met geweld uitkiepert). Fantasiespelletjes doen het ook vaak goed met twee- of meerlingen: er is nooit een tekort aan gasten als je restaurantje speelt en er zijn ook altijd patiënten in het ziekenhuis.

U zult ontdekken dat spelen of voorlezen heel leuk is en ook ruzies kan voorkomen, waardoor u minder onder druk staat, maar het is moeilijk, zo niet onmogelijk, om met de een te spelen en niet met de ander. De ene zal er altijd bij willen zijn, wat de ander ook doet en u zult uw aandacht moeten verdelen. De aanwezigheid van een ouder kind of nog een volwassene kan heel handig zijn, maar meestal zult u zich zo goed mogelijk alleen moeten redden.

Een regelmatig probleem met een tweeling is het geruzie over speelgoed. Als ze ruziën, zullen ze elkaar meestal stevig aanpakken zonder zich bewust te zijn van de schade die ze berokkenen. Wat is van wie? Sommig speelgoed moet gedeeld worden, maar hoe zit het met bouwstenen? Als ze elk hun eigen materiaal hebben, zullen ze of apart moeten spelen of moeten samenwerken. Dan gaan de stenen op een hoop en moeten ze grabbelen.

Als ze ruziemaken, neem ik hun speelgoed weg en geef ze iets anders, of het liefst een aantal andere stukken speelgoed, om ze af te leiden. Op die leeftijd zijn ze gelukkig kort van memorie!

Het is goed om elk kind zijn eigen speelgoed te geven, hoewel u natuurlijk onnodige (en kostbare) duplicering moet voorkomen. Iets van jezelf hebben, is mogelijk een basisinstinct van de mens, terwijl om de beurt doen dat minder is. Een kind dat zijn eigen speelgoed heeft en zijn eigen doos of plank om het op te bergen:

- zal er zorgvuldiger mee omgaan;
- zal leren het (uiteindelijk) op te ruimen;

- zal minder vechten;
- vindt het gemakkelijker te kiezen wat het als cadeautje wil.

Natuurlijk kunnen ze altijd alles met de ander delen en het is heerlijk om te zien dat dat gebeurt, hoewel u daarop de eerste jaren nog niet moet rekenen.

Uit en op reis

U zult voor uitstapjes meestal nog wel de buggy gebruiken. Wat speelgoed in een tas is handig om de peuters bezig te houden. U kunt ook een paar boeken meenemen: peuters verslinden boeken – vaak letterlijk.

Het is verleidelijk om de tweeling tot een jaar of vier in de buggy te houden, maar de kinderen moeten wel lopen. Het probleem is vaak dat ze verschillende kanten uit gaan. Als ze eraan toe zijn om buiten te lopen, laat ze dan, maar neem de buggy wel mee voor het geval ze moe worden of het beu zijn.

Een tuigje geeft zowel u als de kinderen meer vrijheid. Leren tuigjes doen het meestal beter dan stoffen. Tuigjes geven de kinderen ook vrijheid, hoewel ze in de knoop kunnen raken (uiteraard is de kans bij een drieling nog groter).

Het feit dat een tweeling langer in de buggy zit, kan invloed hebben op hun verkeersbesef, hoewel veel moeders denken dat dat geen verschil maakt. In feite kunt u van een kind onder de vijf niet verwachten dat het veilig oversteekt en ook daarna kunt u het nog niet alleen laten gaan. Echt verkeersinzicht zou pas redelijk aanwezig zijn als een kind een jaar of elf is.

Onder het autorijden kan zingen of het luisteren naar cassettebandjes peuters bezighouden. Volgens onderzoek zouden bakerrijmpjes een waardevolle hulp zijn bij het ontwikkelen van de taal – als u de eeuwige herhaling aankunt.

In de auto zal het grootste probleem met meerlingen van deze leeftijd zijn dat ze naar elkaar schreeuwen of elkaar krabben, waardoor uw aandacht van het verkeer wordt afgeleid. Als dat gebeurt, moet u onmiddellijk ingrijpen en de kinderen stoppen.

> Ik ben tegen slaan, maar ik vond het geen punt om een flinke tik uit te delen als ze lastig waren. Schreeuwen en jammeren op de autoweg is gewoon te gevaarlijk.

Een ander probleem is de veiligheidsriem van het kinderzitje. Het hangt van het model zitje af, maar sommige kinderen ontdekken al snel dat ze de riem los kunnen maken. Dit is ook weer iets om snel op te reageren, want het kan heel gevaarlijk zijn.

Peuters in en uit de auto tillen kan een belasting zijn als u dat een aantal keren per dag moet doen. En soms zijn ze net in de auto in slaap gesukkeld als u ze eruit wilt halen. Gebeurt dat als u een ouder kind van school haalt, dan zou u een andere ouder kunnen vragen het kind mee te nemen naar uw auto.

Een taxi kan heel aantrekkelijk zijn – u hoeft dan niet zowel op de weg als op de kinderen te letten – maar ze zijn niet geschikt voor twee- of meerlingen omdat er geen autostoeltje in zit. Als u probeert twee beweeglijke peuters met één hand op een bochtige weg vast te houden, zult u ontdekken wat het probleem is.

Winkelen zal altijd heel veel energie blijven vragen. Het wordt iets eenvoudiger als u een kind achterlaat bij een vriendin. Als u twee winkelwagentjes gebruikt, zorg dan wel dat de kinderen in een tuigje vastzitten: ze kunnen er gemakkelijk uit vallen als ze zelf iets van de schappen proberen te graaien. En ontzie vooral uw rug: veel moeders hebben rugklachten. Hebt u kleren nodig, dan kan de catalogus van een goed postorderbedrijf misschien uitkomst bieden.

Vrije tijd

Ja, u kunt af en toe uitgaan en uzelf ontspannen, hoewel sommige uitstapjes misschien wat meer problemen opleveren dan dat het geval zou zijn als u maar één kind op sleeptouw had. Zelfs naar het park gaan is veeleisend als de peuters hebben besloten allebei een andere kant op te gaan. Een afgesloten kinderspeelplaats is duidelijk gemakkelijker, hoewel u daarbij altijd nog het probleem hebt dat u twee kinderen op hetzelfde moment moet duwen op de schommel.

Trek de kinderen voor dergelijke uitstapjes gemakkelijke kleren aan, met laarzen bij nat weer, zodat het niet erg is als ze vies worden. Het is tenslotte onderdeel van de pret om op een regenachtige dag in de plassen te stampen.

Omwille van de veiligheid is het niet verstandig te gaan zwemmen met kinderen van deze leeftijd tenzij er nog een volwassene mee het water in gaat en helpt met aan- en uitkleden. Zwemlessen zijn nu ook nog niet aan de orde, omdat de meeste zwemscholen op deze leeftijd in elk geval een volwassene per kind vragen mee het water in te gaan. Wacht gewoon tot de kinderen iets ouder zijn en naar de zwemles kunnen. De meeste kinderen kunnen niet voor hun zesde of zevende jaar zwemmen. En bedenk dat een klein kind dat in een rustig, verwarmd zwembad kan zwemmen niet meer kans heeft dan een kind dat niet kan zwemmen als het in ijskoud of onrustig water valt.

Themaparken en pretparken zijn lastig zonder hulp van een volwassene. Heel veel moeders vinden dit soort uitstapjes zo lastig dat ze het gewoon de moeite (en de kosten) niet waard vinden. U zult misschien denken dat uw kinderen niet voldoende pretjes hebben, maar dit soort dingen gaat gemakkelijker als ze wat ouder zijn en dan zullen ze dat mogelijk ook meer waarderen. Bovendien: hoeveel pret het ook oplevert, een bezoek aan een themapark behoort niet tot de noodzakelijke levensbehoeften. Een gevarieerde en stimulerende thuisomgeving met veel aandacht van volwassenen en de gelegenheid om vrienden te maken, is goed genoeg. Maak het beste van de uitstapjes die u wel maakt: praat met uw peuters over wat u hebt gezien en gedaan. Vergeet niet om oogcontact te maken met het kind waarmee u praat.

Op visite gaan

Op visite gaan bij vrienden kan heel vermoeiend zijn als de tweeling de gastheer of -vrouw voor de voeten loopt, vooral als die maar één peuter heeft. Het kan ook heel pijnlijk worden als ze iets breken op een moment dat u niet kijkt. Als dit soort visites slecht uitpakt, zult u misschien tot de conclusie komen dat het niet de moeite waard is om uw vrienden te bezoeken. U kunt het uzelf echter gemakkelijker maken.

- Vraag uw vriendin om de kwetsbaarste voorwerpen en de eigendommen waar haar kind het meest aan gehecht is, weg te zetten. Misschien kan haar kind van tevoren beslissen welk speelgoed het eventueel wil delen met uw spruiten.
- Doorbreek het bezoek met een maaltijd, een picknick of een wandelingetje door het park. Buiten zijn verbrandt energie.
- Ontmoet elkaar op een neutrale plaats: het park of een kinderspeelplaatsje in een recreatiecentrum bijvoorbeeld.
- Kies liever voor een kort bezoek dan voor een marathon van een hele dag.
- Beschouw dit soort uitstapjes echt alleen als positief voor de kinderen en probeer niet te veel met uw vriendin te praten. U kunt haar altijd op een ander moment nog bellen.
- Ga in het weekend op bezoek als u of uw vriendin mogelijk een volwassene in de buurt hebt om op de kinderen te letten.
- Neem zo mogelijk slechts één van de kinderen mee. Of nog beter: regel een uitwisseling met een andere ouder van een tweeling van gelijke leeftijd, zodat u een van haar kinderen krijgt en zij een van de uwe. Veel moeders vinden dit de ideale oplossing voor hun bezoekproblemen en het helpt de kinderen om zelfstandig te worden.
- Als het niet lukt, zult u misschien een paar weken niet op bezoek kunnen gaan, maar zorg er wel voor dat u geen kluizenaar wordt.

Bezoek ontvangen

Het kan ook gebeuren dat uw kinderen een bezoekend kind overdonderen of weigeren hun speelgoed te delen. De tweeling kan ook de hele middag ruziën over de vraag wie van de twee met het bezoekende kind mag spelen met als resultaat dat dat kind zichzelf maar moet vermaken.

Als ze in een slecht humeur zijn, kunnen uw kinderen tegen het bezoekende kind samenspannen ondanks het feit dat ze gisteren in de peutergroep de beste maatjes waren. Een ongelijke strijd kan het gevolg zijn, vooral als er spullen in het rond gaan vliegen.

Een gesprek met andere tweelingouders laat zien dat dit soort gedrag helaas niet ongewoon is. Er zijn ouders die toegeven dat het jarenlang een probleem was als er vriendjes kwamen spelen, soms zelfs tot de tweeling naar school ging. Hier zijn drielingouders lichtjes in het voordeel. Een moeder vertelde dat haar problemen voorbij waren toen ze een kind te spelen vroeg bij haar drie dochters.

Hebt u een tweeling:

- Vraag twee andere kinderen om te komen spelen.
- Probeer een kind een paar uur uit te wisselen met een van een andere tweeling.
- Vraag een vriendje om te komen spelen als een van de peuters naar opa en oma, een tante of een ander vriendje gaat.
- Doe een spelletje met een van de kinderen terwijl de ander met het bezoekende kind speelt (niet gemakkelijk, maar het kan goed gaan).

U zult wellicht merken dat u een poosje geen tijd hebt voor uw vrienden tot de kinderen kunnen omgaan met hun jaloezie en hun geldingsdrang. Als dat niet zo is, moet u niet wanhopen. Hoewel het heel stimulerend is om met andere kinderen om te gaan, maken ze tot een jaar of drie waarschijnlijk niet snel echte vrienden buiten het gezin. Tegen die tijd gaan ze wellicht naar een peuterspeelzaal of de kleuterschool, wat nieuwe en verschillende mogelijkheden biedt tot sociale omgang.

Verjaardagsfeestjes

In elk geval een terrein waarop twee- of drielingen economisch voordelig blijken te zijn. Als ze klein zijn, is een feestje voor allemaal tegelijk meer dan genoeg. Bovendien delen ze op deze leeftijd nog vriendjes en familie. Ook later zal een gezamenlijk verjaardagsfeestje voor de kinderen niet zo'n probleem zijn, hoewel ouders zich daar nog wel eens zorgen over maken.

Ze moeten echter niet cadeautjes of kaarten delen, dus vraag mensen om ze apart iets te geven. Elke tweeling moet een eigen verlanglijstje maken, zodat u elke gast kunt vragen een cadeautje mee te nemen voor het kind dat hem uitgenodigd heeft (dit kan alleen als elke tweeling evenveel vriendjes uitnodigt). Kinderen moeten ook niet samen de kaarsjes op de taart uitblazen. U zou kunnen kiezen voor twee taarten of twee stel kaarsjes op een taart. Dit doet het een aantal jaren heel goed als u een rechthoekige taart in de vorm van bijvoorbeeld een trein hebt (tot er te veel kaarsjes zijn). De meeste ouders van meerlingen zingen 'Lang zal hij (of zij) leven' net zo vaak als er jarige kinderen zijn.

Wees voorzichtig met spelletjes waarbij slechts één kind kan winnen, zoals stoelendans. U zult zien dat een van de peuters triomfantelijk rondkijkt omdat hij gewonnen heeft, terwijl zijn tweelingbroer of -zus ten prooi is aan wanhoop of een woede-uitbarsting (niet ongewoon op verjaardagsfeestjes overigens, ook bij eenlingen). U kunt spelletjes doen als koekhappen of andere spelletjes zonder wedstrijdelement. Probeer de situatie te voorkomen waarin een of meer kinderen 'af' zijn en als een dolle door het huis gaan rennen en allerlei onheil kunnen aanrichten. Een extra volwassene is daarbij heel handig.

Een moeilijke dag zien door te komen
De meeste peuters willen niet alleen alles meemaken, maar hebben ook nog eens veel minder slaap nodig dan voorheen. Rond deze tijd zult u eraan moeten wennen dat een of meerdere dutjes op een dag tot het verleden behoren. U kunt ze een poosje lang nog wel eens in slaap laten sukkelen door ze op een strategisch moment van de dag in de buggy te zetten en te gaan wandelen, of een eindje met de auto te gaan rijden. Slapen uw peuters overdag nog, gebruik die tijd dan voor uzelf en niet voor klusjes. Als er slechts één een dutje doet, zorg dan dat u een paar keer tijd vrijmaakt voor de ander. Het is goed voor hem en voor u ook. Vaak wordt een heel druk kind heel handelbaar als het alleen is.

Hoe kunt u verder omgaan met energieke peuters, vooral als uw eigen energie een beetje uitgeput is?

1 Beperk de klussen. Stel huishoudelijke karweitjes die niet echt nodig zijn, uit of laat ze zitten en roep bij andere klusjes de hulp van de kinderen in. Uw peuters kunt u de spijlen van het traphek laten 'poetsen' terwijl u stofzuigt. Toegegeven, het duurt allemaal een beetje langer met hun 'hulp', maar ze vinden het vast heel leuk, ze zijn bezig en u zult waarschijnlijk het een en ander kunnen afwerken.
2 Probeer zonder botsingen de dag door te komen, ook al moet u steeds weer hetzelfde zeggen om problemen te voorkomen. Het klinkt veel aardiger als u iets 'mal' of 'dom' noemt dan te zeggen dat het 'stom' is.
3 Houd speelgoed redelijk opgeruimd, zodat niet alles in één keer wordt uitgespreid. Troep leidt tot spanning. Houd ook altijd iets achter de hand voor noodgevallen. Gelukkig is het niet nodig pietepeuterig netjes te zijn – dat zou het spel en het avontuur tegengaan!
4 Zorg voor een of twee activiteiten of grote stukken speelgoed die energie verbruiken, zoals een trampoline of een oude matras op de grond waarop ze kun-

nen springen. Of probeer een paar heel grote kartonnen dozen te krijgen om mee te spelen (maar kijk wel uit voor scherpe nietjes).

5 Ga ten minste een keer per dag de deur uit. Een peuterspeelplaatsje is een goede manier om een teveel aan energie te verbranden en u kunt even lekker uitrusten.

6 Wissel af en toe van kamer. Uw peuters kunnen een poosje aan de keukentafel zitten krabbelen, daarna met de bouwstenen spelen in de slaapkamer, en vervolgens bellen blazen in de tuin of de badkamer. U zou ook kunnen picknicken in de tuin of de schuur als die groot genoeg is.

7 Gebruik de televisie met beleid. Er zijn maar heel weinig echt goede programma's voor de kleintjes. Bovendien kunnen kinderen ongelooflijk overactief worden als ze te lang voor de televisie hebben gezeten.

8 Als de kinderen rusteloos zijn, kunt u wat muziek opzetten en samen dansen. Een paar koekjes en wat te drinken maken er een spontaan feestje van.

9 Probeer de kinderen niet oververmoeid te laten worden. Als ze zeurderig en moe zijn, maar niet willen slapen, kunt u ze gewoon wat voorlezen. Rustig genieten van een boek vraagt van niemand te veel energie en helpt om het taalgevoel te ontwikkelen.

10 Peuters kunnen meestal niet meteen slapen als ze vlak voor bedtijd hebben rondgesprongen. Tweelingen hebben vooral vaak de neiging elkaar te veel op te winden, dus help ze tot rust te komen door een voorspelbaar en kalmerend avondritueel.

Hoofdstuk 8

Familierelaties

Zuiver redeneren suggereert dat het feit dat je als twee- of meerling bent geboren gevolgen zal hebben voor veel relaties en dat is ook zo, alleen al omdat er iemand anders van precies dezelfde leeftijd dezelfde aanspraken op je ouders maakt. Het aantal kinderen per huishouden maakt het aantal mogelijke relaties binnen een gezin zoveel groter.

De meeste – misschien alle – tweelingen hebben een andere uitwerking op hun omgeving dan eenlingen. Een tweeling is niet hetzelfde als één kind, en het is evenmin zomaar twee kinderen die ongeveer even oud zijn. Ze zijn even oud: een overduidelijk feit, maar het is bovendien de kern van het probleem. Hoe moet dat nu met een verhaaltje voor het slapengaan? Wie mag er eerst, wie komt er laatst?

> Ze konden er een enorm probleem van maken wie het eerste een welterustenkus kreeg. Toen ze tweeënhalf waren, lagen ze allebei altijd in bed te roepen: 'Mam, kusje!' Ik moest een wisselschema aanhouden.

Hoewel een tweeling vaak dezelfde dingen op hetzelfde moment nodig lijkt te hebben, is het niet uitvoerbaar om dat te geven, dus zullen ze moeten leren op hun beurt te wachten, wat sommige tweelingen dan al eerder kunnen dan eenlingen. Tijdens het leerproces daarvan bestaat natuurlijk een enorme rivaliteit tussen hen. Geen wonder dat tweelingen een intense en soms exclusieve verhouding kunnen ontwikkelen.

Tweelingen onder elkaar
Liefde-haat is een goede omschrijving voor veel tweelingrelaties, goed-slecht een andere. Er zijn heel veel positieve aspecten aan een tweelingrelatie, zoals:

- affectie
- wederzijdse ondersteuning
- samenwerking en aanmoediging
- stimulans
- sympathie
- inlevingsvermogen en begrip

Er zijn minder aantrekkelijke kanten, zoals:

- dominantie of afhankelijkheid
- rivaliteit
- samenzwering
- exclusiviteit

Het is echter een beetje simplistisch om de eigenschappen in termen van goed of slecht te willen vangen. Zowel positieve als negatieve eigenschappen kunnen gewoon verschillende uitingen van eenzelfde verschijnsel zijn, bijvoorbeeld als ondersteuning en samenwerking op de spits gedreven worden, kan dat leiden tot samenspanning bij kattenkwaad.

> Ik vraag me af hoe de driejarige Olivier de emmer om zijn borst kon hebben gekregen, maar met de hulp van Anthony was hij daarin geslaagd. Geen van beiden kon hem er weer af krijgen. Hij zat vast met het hengsel aan de voorkant en de buik van de emmer aan de achterkant. Ze stonden allebei hulpeloos te lachen. En ik ook.

Persoonlijkheid

Tweelingen brengen meestal meer tijd met elkaar door dan met iemand anders (waaronder hun moeder), en dat vormt een belangrijke factor in hun verbondenheid en de intensiteit van hun relatie. Van jongsaf kan een lid van een tweeling het moeilijk vinden te herkennen wie hijzelf is. Het klassieke voorbeeld daarvan is de identieke tweeling die in een spiegel kijkt: is hij dat zelf of ziet hij zijn tweelingbroer? Als hij in het ledikantje naast zijn tweelingbroer ligt en op een duim zuigt, is dat dan zijn duim of die van zijn broer? Er zullen zeker momenten zijn waarop een tweeling net zoveel moeite heeft als een buitenstaander om hen uit elkaar te houden. Zoals de schrijver Mark Twain al zei: 'Toen ik twee weken oud was, verdronk mijn tweelingbroer in bad en ik weet nog altijd niet wie van ons toen overleden is.'

We moeten dus leren om tweelingen uit elkaar te houden en dat moeten zij ook. Misschien is dat de reden waarom tweelingen elkaar vaak verschillende rollen toewijzen, zodat ze elkaar aanvullen. Het is het duidelijkst als de een een zin begint die de ander mag afmaken. De ene maakt vrienden terwijl de andere op de achtergrond blijft. De ene probeert nieuwe dingen, die zijn tweelingbroer niet doet, enzovoort. De Franse professor René Zazzo noemt een dergelijke verdeling in werk tussen tweelingen 'het koppeleffect'.

Het koppeleffect kan zelfs genetische overeenkomsten maskeren of overschaduwen. Het is bekend dat eeneiige tweelingen die samen opgegroeid zijn, veel minder op elkaar lijken dan tweelingen die alleen zijn opgegroeid. Waarom? Misschien omdat de tweeling daarnaar streeft. Natuurlijk hebben ook ouders invloed op hun kinderen: volwassenen zullen waarschijnlijk alle verschillen tussen de kinderen creëren en beantwoorden. Veel ouders zullen de verschillen bij hun tweeling koesteren en aanmoedigen. Er zijn echter ook ouders die het tweeling-zijn van hun kinderen waarderen boven de meeste andere eigenschappen en geneigd zijn hen als eenheid te behandelen.

Als tweelingen groter worden en leren om los van hun moeder te functioneren, hebben ze als extra taak ook nog om los te komen van elkaar. Door een tweeling als eenheid te behandelen, kan dit proces bemoeilijkt worden en op lange termijn voor verdriet binnen een gezin zorgen (een onderwerp dat in hoofdstuk 15 nauwkeuriger wordt bekeken), maar het is beslist niet ongewoon, vooral niet als een tweeling met meer mensen van buiten het gezin in contact gaat komen, zoals in een peuterspeelzaal en op school.

Rivaliteit

Rivaliteit kan goed zijn. Veel ouders zeggen dat rivaliteit het beste in hun tweeling bovenbrengt, hetzij op het sportveld of in de klas. Uw tweeling kan zelfs proberen de ander te overtreffen door te helpen met huishoudelijke karweitjes – als u geluk hebt.

> Ze waren allebei niet te houden, wilden helpen afwassen of de tafel dekken, maar zodra de een me hielp en liet zien hoe leuk hij het vond, gooide de ander het bijltje erbij neer, ging iets heel anders doen en verdween gewoon naar de achtergrond.

Een zekere rivaliteit en zelfs conflict is normaal. Volgens sommige psychiaters en psychologen kan de poging om rivaliteit helemaal uit te bannen nieuwe problemen binnen een gezin opleveren.

Natuurlijk kan het ongezond zijn en leiden tot vechten, een onderwerp dat in hoofdstuk 9 behandeld wordt, dat gaat over gedrag en taal. Bij elke strijd kan slechts een van de twee winnen. Dit zou mogelijke verschillen tussen hen kunnen benadrukken, waarbij de een de leidersrol neemt en de ander volgt.

Er zijn ouders die dit heel erg vinden, omdat ze denken dat hun tweeling helemaal hetzelfde moet zijn, terwijl anderen juist blij zijn en dat ook aan de kinderen laten merken. 'Zijn broer is de dominantste', kan een moeder zonder enige rem zeggen, hoewel dit effect kan hebben op de eigenwaarde van de afhankelijkste van de twee en hem misschien zelfs weerhouden van een poging de leidende rol te pakken. U kunt de weegschaal van macht tussen de twee niet helemaal in evenwicht houden, maar u kunt wel de eigen persoonlijkheid en het gevoel van eigenwaarde van elk kind naar voren halen.

Vergelijken

Tot op zekere hoogte kan een tweeling het leuk vinden om vergeleken te worden; het is ten slotte een manier waarop ze hun persoonlijkheid kunnen doen gelden. Een vergelijking kan echter ook beledigend zijn. Een van de kinderen kan dan vrijwel altijd de 'slechterik' zijn en uiteindelijk als zondebok dienen voor alles wat misgaat. Soms moedigen ouders of grootouders dit op een onopvallende manier ook aan door bijvoorbeeld te zeggen 'Het is ook altijd Kathy' of gewoon verbaasd te kijken als een van de twee in het bijzonder een overtreding begaat.

Het is duidelijk dat niemand helemaal goed of helemaal slecht is en een tweeling te verdelen in goed en slecht is oneerlijk. Het geeft geen van de kinderen een kans. Het is moeilijk voor het veronderstelde 'goede' kind, dat misschien niet aan dit beeld kan voldoen, maar ook voor zijn broertje of zusje.

Een zondebok kan uiteraard ook voorkomen in gezinnen zonder tweelingen, maar het is pijnlijker als het zich voordoet bij kinderen van dezelfde leeftijd. Men ziet soms ook het omgekeerde gebeuren, waarbij de een de schuld van het wangedrag van de ander krijgt toegeschoven.

Begrip

Veel, misschien wel de meeste, mensen veronderstellen dat tweelingen elkaar min of meer zonder woorden begrijpen en hun gevoelens zonder verbale communicatie kunnen delen. Er zijn ook wel tweelingen die dat denken. 'Ze hoeft me niets te vertellen als ze van slag is', vertelt een vrouw over haar tweelingzus. 'Ik weet altijd wat er in Iris omgaat.'

'Vraag het maar aan mij – ik weet altijd wat Oliver denkt', zegt een jongetje van zeven.

Een minimale communicatie lijkt soms voldoende. Een moeder vertelde dat ze haar tweeling van een jaar eens mee naar de winkel nam:

Ik stond in de boekenwinkel met Alex en Kim, die tegenover elkaar in de kinderwagen zaten. Alex maakte een paar geluidjes en Kim kirde daarop alsof hij zijn broertje een grap vertelde, waarna ze begonnen te giechelen. Iedereen in de winkel stond doodstil en keek met open mond toe.

Tweelingen van hetzelfde geslacht tegenover jongen-meisjetweelingen

Algemeen is men het erover eens dat eeneiige tweelingen dichter bij elkaar staan en elkaar meer ondersteunen, ook al zijn ze soms bittere rivalen. Jongenstweelingen hebben de reputatie opgebouwd dat ze lastige druktemakers zijn. Meisjestweelingen lijken volgzamer, maar kunnen ook problemen opleveren. Meisjestweelingen, vooral als ze identiek zijn en leuke kleren aan hebben die bij elkaar passen, oogsten vaak veel bewondering en kunnen behoorlijk blasé reageren als ze in het middelpunt van de belangstelling staan.

Twee-eiige tweelingen kunnen ook een heel hechte relatie hebben en sommige lijken ook uiterlijk heel erg op elkaar. Jongen-meisjetweelingen lijken misschien het minst op elkaar en worden soms ook niet eens beschouwd als 'echte' tweeling.

Onder tweelingen wordt de relatie van een jongen-meisjetweeling als het meest afstandelijk gezien, maar toch kan deze heel aanmoedigend werken. Vaak is een meisje wat socialer en lichamelijker en neemt ze de rol van beschermster of 'moeder' voor haar tweelingbroer op zich, soms zal het broertje dat fijn vinden of zich eraan storen, vooral als ze over hem 'baast'. De rollen kunnen in de tienerjaren omgekeerd worden, wat in een later hoofdstuk aan de orde komt.

Het gedrag van een jongen-meisjetweeling is vaak minder stereotiep dan het geval geweest zou zijn als ze gewoon broer en zus waren geweest. De jongen zal bijvoorbeeld zachtaardiger en minder agressief zijn, iets waar zijn ouders dankbaar voor mogen zijn.

Drielingen

Drie is een oneven getal: veel moeders veronderstellen dat een vierling minder problemen zou veroorzaken. Hoewel ze een uitzondering zijn, lijken drielingen in veel gezinnen niet allemaal op hetzelfde moment goed samen te gaan. Een wordt vaak uitgesloten. Dit kan gebeuren via een soort wisselrooster, ofwel is het altijd dezelfde die wordt buitengesloten, een situatie waar moeilijk mee om te gaan is.

Een eeneiig paar zou het derde, twee-eiige kind kunnen negeren. Soms is het degene van het andere geslacht die uit de boot valt; in een enkel geval zal hij of zij er zelfs een hekel aan krijgen om tot een drieling te behoren. Dit is een uiterst moeilijke situatie voor de ouders. Het enige dat ze kunnen doen, is te proberen elk van hen te doen uitgroeien tot een persoonlijkheid en misschien de betekenis van hun drielingstatus wat af te zwakken.

In de baarmoeder

'Ze beginnen hun leven in de baarmoeder zoals ze denken dat ze buiten de baarmoeder verder zullen gaan', is een waarschuwing die veel gynaecologen geven aan zwangere vrouwen die een heel actief kind hebben. Baby's hebben zeker al een leven voor de geboorte, maar wat voor soort leven is dat?

Als baby spelen tweelingen al vanaf een paar maanden met elkaar en dat is veel eerder dan de meeste eenlingen. Men denkt dan ook dat er in de baarmoeder al een zekere wisselwerking was. Er zijn gevallen bekend van drielingen waarbij een stel voor de geboorte heel veel contact had, elkaar kuste en streelde, en de derde helemaal niet meedeed.

Er zijn deskundigen die zich hebben afgevraagd welke speciale gedragspatronen of aspecten van tweelingrelaties al voor de geboorte kunnen worden vastgesteld. Alessandra Piontelli, een Italiaanse psychoanalytica, heeft onlangs tweelingen voor de bevalling bestudeerd met echoscopie en is tot de conclusie gekomen dat ze op elkaar reageren op een manier waardoor hun eigen identiteit al voor de geboorte duidelijk is.

Ze bestudeerde dezelfde kinderen later weer en ontdekte een aantal verbazingwekkende voorbeelden van overeenkomst. De tweeling Marissa en Beatrice bijvoorbeeld sloeg elkaar in de baarmoeder en deed dat na de geboorte zo snel ze daar lichamelijk toe in staat waren. De tweeling Alice en Luca streelde elkaar door het vlies heen dat hen van elkaar gescheiden hield, en toen ze een jaar oud waren, vonden ze het vooral fijn elkaar te strelen vanachter een gordijn. Het is heel verleidelijk om iets uit deze waarnemingen te destilleren, maar het onderzoek was uiterst subjectief (Piontelli bestudeerde zelf de kinderen voor en na de bevalling) en niemand is er nog in geslaagd om de resultaten op een objectievere basis te herhalen.

Volgorde van geboorte

Buitenstaanders vragen vaak welk van de twee de oudste is: het is de meest gestelde vraag na 'Zijn jullie eeneiig?' En de kinderen zullen het ook willen weten.

Tenzij ze in de verloskamer heel erg door elkaar gehaald zijn en de plastic armbandjes zijn verwisseld, zullen u en uw partner in elk geval wel weten welke van de twee het eerst geboren is. Maar moet u dat aan anderen vertellen?

Terwijl sommige ouders heel open zijn over deze informatie, willen andere het juist voor zichzelf houden en zullen het, althans niet meteen, aan de tweeling willen vertellen. De waarheid komt toch wel een keer aan het licht. In sommige ziekenhuizen wordt de geboortetijd op het armbandje vermeld; in ziekenhuisverslagen en in het dossier van uw huisarts zal dus ook de volgorde vermeld staan. Er zijn echter ouders die dat nog een poosje willen geheimhouden. U kunt het misschien nog een tijdje uitstellen door tegen de kinderen zelf te zeggen dat ze precies tegelijk geboren zijn tot het moment dat ze iets weten over de gang van zaken bij een bevalling.

> Ik had eigenlijk tegen iedereen gezegd dat ze tegelijk geboren waren, omdat ik een keizersnede had gehad. Er zijn maar weinig mensen buiten de medische wereld die weten wat er bij een keizersnede precies gebeurt.

Het probleem is dat als u eenmaal uit de biecht geklapt hebt, het nieuws voorgoed uit uw macht is – maar is dat erg?

> Ja, het is heel erg, niet voor mij, maar voor mijn aangetrouwde familie, die uit India komt en de eerstgeboren zoon als heel belangrijk beschouwt. Ik had me niet gerealiseerd dat dat zou gebeuren. Als ik dat had geweten, zou ik mijn mond gehouden hebben.

Vaak is de volgorde voor een ouder kind belangrijker. Misschien valt dat ook wel te verwachten: de status van grote broer binnen het gezin stoelt immers op het feit dat hij als eerste geboren is. Kent hij eenmaal de volgorde van zijn tweelingbroers of -zussen, dan zal hij de eerstgeborene veel meer gezag toekennen of het gebruiken om de verschillende eigenschappen van de tweeling te verklaren.

Vaak is de eerstgeborene inderdaad de dominante van de twee, hoewel het niet zeker is of dat oorzaak of gevolg is. Onderzoek suggereert echter dat de laatstgeboren tweeling vaker lacht en gemakkelijker tevreden te stellen is. Dit is vooral het geval bij twee-eiige tweelingen van hetzelfde geslacht, maar het is beslist geen algemene regel.

Kinderen kunnen er voordeel van hebben als ze de volgorde van geboorte kennen. Het wat verlegen of teruggetrokken tweelingkind kan het fijn vinden te weten dat hij als eerste geboren is, voor zijn veel assertievere broer of zus.

Veel tweelingen willen de volgorde van de geboorte weten omdat het het enige is waardoor ze van de ander verschillen. Aan de andere kant vinden sommige kinderen het niet belangrijk. Zoals een van een eeneiige tweeling zegt:

> Mijn broer en ik zijn uit hetzelfde eitje gekomen. We werden op hetzelfde moment verwekt en het is gewoon een kwestie van toeval wie zijn hoofd het eerst heeft uitgestoken.

Het kan een nadeel zijn om de oudste te zijn. Er zijn mensen die denken dat de eerstgeborene langer en intelligenter is, alsof een paar minuten echt zoveel verschil kunnen maken. Katya was acht minuten ouder dan haar twee-eiige zus, waardoor ze ook de oudste was van een gezin van zes kinderen. Ze wist dit al heel jong en het was een enorme verantwoordelijkheid omdat er van haar werd verwacht dat ze zich beter zou gedragen.

Of en wanneer u het tegen de tweeling zegt, is aan u. Over het algemeen is het misschien beter om het ze in hun jeugd te vertellen in plaats van te wachten tot ze een jaar of vijftien zijn, maar dat is uw beslissing.

> Ik kon er nooit toe komen het ze te vertellen, want elke keer als de meisjes me vroegen wie van hen het eerst geboren was, waren ze altijd in een heftige ruzie verwikkeld en wilden ze het alleen maar weten om te zien hoe ze de strijd konden beslechten! Het leek het verkeerde moment als ze zo opgewonden waren, dus vertelde ik het ze pas toen ze een jaar of tien waren.

De oudste is misschien niet altijd degene waarvan u denkt dat hij de eerste is: in sommige delen van Afrika wordt de tweede als de oudste beschouwd, omdat de oudste zijn tweelingbroer of -zus zou hebben opgedragen om als eerste naar buiten te gaan om te zien of de wereld klaar voor hem was!

Favorieten

> Je hebt Gareth liever dan mij.

Een lievelingetje hebben is heel gewoon, zoals al gemeld in hoofdstuk 4. Dit is heel natuurlijk en verdwijnt vaak vanzelf. Na verloop van tijd zult u misschien zien dat uw voorkeur weer veranderd is.

Een lieveling kan echter blijven bestaan en er kunnen verschillen blijven in de gevoelens die een ouder voor beide leden van een tweeling heeft. Als dat het geval is, moet u zich afvragen waarom u altijd hetzelfde lievelingetje hebt. Is het de eerstgeborene of is het de jongen van een jongen-meisjetweeling? Misschien stoelt uw voorkeur op stereotiepe redenen, die beide kinderen mogelijk geen dienst bewijzen.

Presteert uw favoriete kind misschien meer? Dit zou een reden kunnen zijn, maar ook de oorzaak van uw gevoelens. Als dat zo is, probeer de mindere van de twee dan ook te helpen zijn mogelijkheden te benutten. Hij zal misschien niet echt tot minder in staat zijn: ouders overdrijven vaak kleine verschillen en negeren het feit dat tweelingen vaak meer op elkaar lijken dan op iemand anders ter wereld.

Wat moet u doen als u een voorkeur hebt?

- Voel u vooral niet schuldig. Dat maakt de dingen alleen nog maar erger. Zo-als gezinstherapeut Audrey Sandbank zegt, is het belangrijk om niet te zeer ge-obsedeerd te reageren op het hebben van een lieveling.
- We vinden allemaal het een leuker dan het ander. Accepteer uw gevoelens van dit moment als een feit, maar weid er niet over uit en breng ze ook niet onge-past naar buiten, vooral niet waar de kinderen bij zijn.
- Doe uw best om geen etiketten te plakken of te vergelijken. Etiketten kunnen veranderen.
- Probeer eerlijk te zijn, hoe moeilijk dat ook is. Eerlijkheid is niet altijd gelijk-heid. Een ondeugend kind moet bestraft worden, en een gehoorzaam kind moet een complimentje krijgen, ook al is het er een van een tweeling.
- Probeer niet te overcompenseren. Als u het probeert goed te maken bij de minder favoriete, zult u onacceptabel gedrag versterken.
- Misschien bent u niet degene met een favoriet, maar iemand anders, zoals uw partner, een grootouder of de oppas. Het kan gebeuren. In die situatie is het heel belangrijk om eerlijk te zijn en alle volwassenen te vragen de voornoem-de punten te bekijken – anders zou u wel eens met onoprechte verhoudingen te maken kunnen krijgen. Dit kan ongelijkheid zaaien binnen het hele gezin en maakt discipline heel moeilijk.

De verhouding met andere broers en zusjes

Het is moeilijk om de broer of zus van een tweeling te zijn. Australisch onder-zoek geeft aan dat 64 procent van de gezinnen met jonge tweelingen problemen heeft met het oudere kind. Dit lijkt vooral het geval te zijn bij eeneiige tweelin-gen in het gezin, misschien omdat er (vanuit het oogpunt van het oudere kind) te veel nadruk ligt op het tweeling-zijn.

Het is heel moeilijk als er, als je tussen de anderhalf en drie jaar bent, een twee-ling geboren wordt; en dat is geen wonder. Een peuter is oud genoeg om het leuk te vinden wat er gebeurt, maar te jong om het zonder slag of stoot te accepteren. Kijk eens vanuit zijn gezichtspunt naar de situatie en stel u voor hoe het is om in de schaduw gesteld te worden door niet één nieuw kindje, maar door twee.

Baby's vragen tijd, energie en uw armen, en dat zijn allemaal dingen die een ouder kind ook nog nodig heeft. De tweeling zal misschien een paar maanden in uw slaapkamer slapen. De logistiek vereist wellicht dat uw peuter nu naar een groot bed moet verhuizen of moet gaan lopen, omdat u hém in de buggy niet kunt duwen, maar wel een tweelingwagen. En dat allemaal op een moment dat hij begint met zindelijk worden of naar de peuterspeelzaal/kleuterschool gaat.

Als er iemand op straat blijft staan praten, kunt u ervan uitgaan dat de aan-dacht helemaal gericht is op de tweeling. Het oudere kind wordt genegeerd of hooguit zal iemand vragen hoe hij het vindt om nu een grote broer te zijn. Hij moet nu 'groot' zijn, maar hij weet niet hoe en hij wil het misschien ook helemaal niet. Eigenlijk is het misschien wel leuker om een tweeling te zijn. Er zijn kinderen die hierop reageren met bedplassen of driftbuien. Andere – ook jongens – vinden het leuk om een poosje een pop te hebben als hun tweelingbroer of -zus, of komen met een denkbeeldige tweelingbroer of -zus op de proppen.

De jaloerse oudere broer of zus kan allerlei aandachttrekkend gedrag vertonen en misschien agressief worden naar de tweeling toe. Dit veroorzaakt heel veel spanning bij de ouders, die toch al aan het eind van hun Latijn zijn; er zijn onderzoekers die een hoger cijfer aan kindermishandeling hebben vastgesteld bij broers of zussen van een tweeling.

Te zijner tijd komt alles goed. Later zal de oudste heel goed met de tweeling overweg kunnen, of heel goed functioneren in de omgang met een jonger kind (als u dat hebt). Sommige kinderen hebben langdurige problemen. Audrey Sandbank geeft aan dat broers en zusjes van tweelingen vaker gezinstherapie nodig hebben dan de tweeling zelf. Het gebruik van 'hij' in het bovenstaande verhaal is bewust: vergeleken met meisjes lijken jongens het moeilijker te vinden om zich aan te passen aan een jongere meerling in het gezin. Audrey Sandbank denkt dat dat komt omdat kleine meisjes gemakkelijker in het middelpunt blijven staan en ook omdat ze dezelfde relatie met hun vader blijven houden.

Het oudere kind helpen

Hoe eerder u erbij stilstaat hoe het oudere kind zich moet voelen, des te meer u kunt doen om het hem gemakkelijker te maken.

Voordat de tweeling geboren wordt

- Vertel hem niet te snel over uw zwangerschap. Zes of acht maanden is een lange tijd voor een peuter, dus u kunt beter wachten tot uw buik dikker wordt, maar geef wel antwoord op zijn vragen. Hij wil niet graag in het ongewisse verkeren of uit allerlei losse flarden van gesprekken moeten opmaken wat er aan de hand is.
- Zeg niet dat de baby's alleen voor hem zijn. Ze zullen ook de komende jaren nog geen speelkameraadje voor hem kunnen zijn. Eigenlijk is het voor hem allemaal nogal saai.
- Vertel hem ook niet dat hij de tweeling krijgt, omdat hij zo lief is. Het kan zijn dat er complicaties zullen optreden, die hij zichzelf dan weer zal verwijten.
- Mopper niet over uw klachten, ook al hebt u deze keer een veel moeilijker zwangerschap. Hij zou al heel snel een vooroordeel tegen de tweeling kunnen ontwikkelen.

- Laat hem voelen dat hij bijzonder is, maar verwacht niet dat hij zich al te groot zal gedragen. Hij zal misschien bang worden als u tegen hem zegt dat u hem nodig hebt om voor de baby's te zorgen: hij is immers veel te klein voor ouderlijke verantwoordelijkheden! U kunt hem echter wel uitleggen dat u nog altijd zijn liefde en zijn knuffeltjes nodig hebt (en vice versa).
- Als er genoeg tijd is en u wilt beginnen met zindelijkheidstraining, hem naar de peuterspeelzaal of kleuterschool wilt brengen of hem wilt verhuizen naar een groter bed, dan kan dat beter nu. Het is beter om dit soort dingen niet meteen voor of na de geboorte van de tweeling te doen.
- Probeer een bijzonder ouder iemand te vinden aan wie hij zich kan hechten, iemand die een beetje meer aandacht geeft. Dat zou een tante, oom, peetouder, tiener-buurmeisje kunnen zijn – iedere betrouwbare persoon die hij mag en die hem af en toe tijd en aandacht kan geven. Dit soort dingen is nu eenmaal wat minder beschikbaar als de baby's er zijn.
- Als hij naar een oppas gaat en die graag mag, laat dit dan zo mogelijk doorgaan, al is het maar af en toe een paar uur. Het contact kan voor hem nuttig zijn.

Als ze er zijn
- Iemand waar uw kind op gesteld is (en die u vertrouwt) is duidelijk de aangewezen persoon om op hem te passen als u in het ziekenhuis ligt.
- Laat hem naar het ziekenhuis komen om de kinderen te zien. En alweer: klaag ook hier niet over uw hechtingen of uw klachten.
- Als u naar huis belt, vraag dan of uw oudste ook aan de telefoon wil komen.
- Laat hem (ook al is het uw geld) iets voor de baby's uitkiezen en dat in het wiegje leggen – een eerste zachte speeltje bijvoorbeeld. Zeg dat hij ook mag kiezen wie van de kinderen wat krijgt.
- Moedig hem aan om de baby's aan te raken als hij dat wil. U moet hem misschien wel laten zien dat je zachtjes moet doen, zoals je ook doet met een klein poesje.
- Overweeg een cadeautje voor hem te kopen.

Als u thuiskomt
Veel peuters lijken dit stadium goed door te komen, maar rivaliteit en terugvallend gedrag bij broertjes of zusjes hoeven zich niet altijd meteen te manifesteren.

Ik dacht echt dat Thomas het prima deed. Hij had belangstelling voor de tweeling, deed heel lief en gedroeg zich verder doodnormaal, dus ik dacht dat er niets aan de hand was. Toen de kleintjes een week of zes waren, veranderde hij totaal. Hij werd agressief, wilde niet eten, wilde niet slapen en plaste weer in zijn broek, en dat bleef bijna een jaar zo. Ik had op de duur drie kinderen in de luiers.

Niet elke peuter reageert zo, maar het is waarschijnlijk veiliger om ervan uit te gaan dat uw peuter enigszins jaloers zal worden als de tweeling ook daadwerkelijk zijn terrein binnenkomt.

- Maak tijd voor hem. Als u hulp hebt en de tweeling het goed doet, overweeg dan eens om de hulp voor de baby's in te zetten, zodat u tijd hebt voor het oudste kind. Ouders die het zo gedaan hebben, zeggen dat het prima werkte en zouden beslist dezelfde tactiek weer kiezen.
- Laat hem zo mogelijk iets langer opblijven dan de baby's. Dit zal eerst voor u wat moeilijker zijn, maar hij zal het heerlijk vinden.
- Hoe uitgeput u ook bent, probeer niet tegen uw kind te schreeuwen.
- Knuffel hem veel en geef hem telkens weer zelfvertrouwen.
- Prijs hem zoveel mogelijk. Hij kan op het moment negatieve gevoelens koesteren, maar u moet proberen positief te zijn!
- Er zijn oudere zusjes, maar ook broers, die dolgraag willen helpen met het in bad doen, voeden, enz., maar er zijn ook genoeg kinderen die dat niet willen. Geef het oudere kind de kans om mee te helpen, maar dring het hem niet op.
- Overweeg voor hem een pop of een beer te kopen, die hij kan verschonen of eten geven als u met de baby's bezig bent. Hij zal hem na een poosje laten liggen, maar de eerste paar maanden kan het helpen. Dit is echter een slechte tijd om een huisdier te nemen, zoals sommige ouders tot hun ellende hebben ontdekt.
- U bent heel kwetsbaar als u beide baby's tegelijk voedt en geen extra paar handen in de buurt hebt. Dit kan een goed moment zijn hem iets speciaals te geven: een favoriete video, een nieuwe legpuzzel of gewoon een doos met veilige, maar interessante spullen. Dit zou een handig ritueel rond voedingstijd kunnen worden.
- Als mensen langskomen en tegen de baby's kirren of u op straat aanhouden en in de kinderwagen kijken, moet u wel opletten dat uw peuter er niet vandoor gaat. Als men bijvoorbeeld vraagt hoe de baby's heten, zou u eerst uw oudste kunnen voorstellen, waardoor u hem erbij betrekt.
- Geef het oudste kind een eigen ruimte en zorg dat hij zijn speelgoed op een plek bewaart waar het niet door de baby's vernield kan worden, vooral als ze eenmaal gaan kauwen, kwijlen, kruipen en op onderzoek uitgaan.
- Houd zo lang mogelijk zijn gewone routine aan, zoals een verhaaltje voor het slapengaan.

- Gun hem een eigen uitje. Hij moet er wel aan wennen dat de nieuwe baby's bij het gezin horen, maar heel rustig aan.
- Het is misschien een goed idee hem vanaf nu wekelijks zakgeld te geven, maar ga niet zover dat u hem compenseert of hem heel veel snoepgoed of koekjes geeft of dingen waar u later spijt van kunt krijgen.
- Laat hem niet alleen met de tweeling. In dit stadium is hij minder betrouwbaar dan de hond.
- Dreigt hij de baby's pijn te doen, leg hem dan uit dat dat niet mag en probeer hem te belonen voor beter gedrag in de toekomst. Als hij bijvoorbeeld niet elke morgen in de oogjes van de baby's prikt, leest u hem een verhaaltje voor. Beloning kan heel effectief werken.

Broertjes of zusjes van drie- of meerlingen

De komst van een drie- of vierling is vooral voor een ouder kind heel moeilijk. Afgezien van het feit dat u het heel druk zult krijgen, zijn drielingen zo ongewoon dat u zeker alle aandacht van vrienden en onbekenden zult trekken, en soms ook van de media.

Introduceer ook hier weer uw oudste kind nadrukkelijk, als eigen persoon en niet als 'broertje van de drieling', en zorg dat hij ook op de foto's komt, of die nu voor het familiealbum zijn of voor de publiciteit.

Als u een interview aan de pers geeft, zorg dan dat het oudste kind er ook in genoemd wordt. Over het algemeen is het goed om de naam en het telefoonnummer van de journalist te vragen voor het geval u nog iets bedenkt voordat een artikel in de krant komt. U zou ook kunnen vragen of u het mag lezen voordat het wordt gepubliceerd. Denk goed na over wat u zegt. Een ouder kind kan zich opgelaten voelen als er persoonlijke gegevens in de lokale krant verschijnen. En u misschien ook wel. Bedenk dat buren en vrienden zullen lezen wat er staat, en daar moet u mee kunnen omgaan. Zeg niets dat u liever niet in het openbaar ziet verschijnen, bijvoorbeeld dat u een vruchtbaarheidsbehandeling hebt ondergaan.

Ouders en tweelingen

Als u ouder wordt, zult u uw zelfbeeld moeten bijstellen – vooral andere mensen zien vrouwen vaak anders als ze moeder geworden zijn – en uw manier van leven verandert waarschijnlijk veel ingrijpender als er twee of meer baby's tegelijk komen.

Als tweelingmoeder zult u het drukker hebben dan andere moeders en u zult uw aandacht vaker van de een naar de ander moeten verleggen. De relatie tussen de tweeling heeft ook effect op uw relatie met hen: ze zullen waarschijnlijk uw goedkeuring minder nodig hebben dan een eenling. Uw gevoelens voor hen kunnen dus beïnvloed worden door het feit dat meer mensen, uit uw uitgebreide familie of een *au pair*, bij hun verzorging betrokken zijn. Om al deze redenen hebben moeders soms een andere relatie met hun tweeling dan ze met twee eenlingen gehad zouden hebben.

> Ik denk dat ik nooit het gevoel heb gehad dat Alex en Kim me echt nodig hadden, zoals dat bij mijn eerste zoon het geval was. De tweeling leek altijd heel onafhankelijk en toen ze eenmaal een jaar of twee, drie waren, sloten ze me min of meer buiten. Ik moest ze meenemen naar het park en in plaats van dat ik met ze bezig was en hen wees op dingen, dolden ze heel blij samen rond.

De ervaring van een andere moeder was heel anders.

> Ik was totaal verrast door een meisjestweeling en ik dacht dat ik er nooit aan gewend zou raken. Ik wilde ze ook niet zelf voeden, zoals mijn oudste dochter, die ik zes maanden zelf gevoed heb. Vreemd genoeg sta ik dichter bij de tweeling dan bij mijn oudste. En ze zijn veel aanhankelijker. Misschien breekt het met alle regels, maar het is een feit.

Er bestaat niet zoiets als de typische moeder, en er zijn ook geen typische tweelingen, dus het is de vraag of er handige regels zijn die de relatie tussen moeders en hun tweelingen bepalen. Er is echter één belangrijke algemene regel: hoe minder blij u was dat u zwanger was van een tweeling, des te meer moeilijkheden zult u later hebben in de relatie met hen. Dat is een heel goede reden om zoveel mogelijk psychologische en praktische ondersteuning te vragen als u nodig acht voor hun komst.

De ouders als paar

Wat gebeurt er met de ouders zelf? In gezinnen met tweelingen moeten de vaders vaak een veel actievere bijdrage leveren dan elders. Een van de pluspunten van een meerling is dat het de vader een nieuwe dimensie biedt en hem de kans geeft ouderschap een inhoud te geven. Als ze nodig zijn, worden de weinig belovende mannen opeens een heel handige vader. Helaas kan het tegenovergestelde ook gebeuren.

Meerlingen maken van het gezin iets bijzonders. Mannen pochen vaak over het feit dat ze vader zijn van een tweeling of een drieling. In veel opzichten kunnen meerlingen een gezin hechter maken (net als een oorlog dat kan doen), omdat u er allemaal bij betrokken bent, maar voor sommige paren zijn een tweeling de laatste twee nagels aan de doodskist van het huwelijk.

Ouders discussiëren het meest over kinderen en geld, en een jonge meerling geeft heel veel redenen om te kibbelen. De onmin is vooral te zien bij degenen die de zwangerschap niet gepland hadden, die al ten minste één kind jonger dan twee jaar hadden, of al een drie- of meerling hebben. Moeders vinden vaak dat eeneiige tweelingen en tweelingjongens, eeneiig of niet, heel veel druk op een huwelijk leggen.

Een vader van een tweeling, architect van beroep, merkte op:

> Le Corbusier zei dat een huis een machine was om in te wonen. Als je me vraagt wat een paar was, zou ik jaren geleden hebben gezegd dat het een machine was om kinderen groot te brengen. Een heel efficiënte manier moet ik eraan toevoegen, maar dat is het dan ook. Nadat de tweeling geboren was, bleef er voor mijn vrouw en mijzelf niets meer over.

Tweelingen lijken een gezin te domineren, niet alleen omdat ze de meeste aandacht krijgen, maar ook omdat ze voorschrijven wat kan en wat niet kan. Vaders en broertjes en zusjes passen niet meer in het rooster van de vrouw door de voortdurende vraag om zorg van de tweeling. Een moeder kan zichzelf uitputten in haar pogingen een perfecte ouder en huismoeder te zijn. Vermoeidheid en geldgebrek kunnen gigantisch worden en vrijetijdsbesteding vervalt omdat het onpraktisch is. Het is moeilijker om 's avonds uit te gaan: kan de tienerdochter van hiernaast op twee of drie kleine kinderen passen?

De horizon kan snel kleiner worden, het gezin sociaal isoleren en seks kan een opgave zijn. Het is veel beter om een langetermijnvisie op het ouderschap te ontwikkelen, waarin u als paar ook belangrijk bent. Uiteindelijk worden de kinderen groot en zult u met uw partner verder moeten als de kinderen uit huis zijn.

Er zijn geen voorgeschreven manieren om de romantiek of de begeerte levend te houden, of zeker te weten dat u bij elkaar blijft, maar de volgende suggesties hebben heel veel ouders goed gedaan.

- Ga eens in de zoveel tijd samen uit. Ik ken heel veel tweelingmoeders die twee jaar of langer na de geboorte van hun tweeling niet uit geweest zijn. Toen ze dat uiteindelijk weer deden, vroegen sommigen zich af wie de man was waarmee ze waren getrouwd. 'Ik herkende hem natuurlijk wel', grapte een van hen. 'Hij was de vent die ik meestal 's nachts om drie uur op de gang tegenkwam met een huilende baby op zijn arm.'
- Sluit u aan bij een lokale tweelinggroep. Afgezien van enkele sociale activiteiten vindt u het misschien leuk om er eens uit zijn – het geeft aan dat er inderdaad leven na de tweeling is.

- Probeer niet te kibbelen over onbelangrijke dingen. Het is niet de moeite waard. Hebt u echter het gevoel dat u ontploft over de vuile sokken die (alweer) in de hal liggen, waarom zegt u dan niet gewoon 'Ik denk dat ik ga ontploffen'?
- Dineer regelmatig bij kaarslicht. Dat kan in uw eigen keuken, maar het punt is dat de sfeer ontspannen moet zijn en een contrast moet vormen met de gebruikelijke drukke maaltijden.
- Doe alsof u uw partner pas hebt ontmoet. Dit klinkt misschien gek en werkt bij u wellicht niet, maar heel veel stellen vinden het heel opwindend om weer bij het begin te beginnen, te flirten en verliefd te doen, sexy dingen tegen elkaar te zeggen.
- Probeer elkaar een hele avond (of zolang als u hebt) overal te strelen, behalve over de genitaliën. Veel mensen worden stapelgek van deze manier van prikkelen, die in sommige sekstherapieën wordt gebruikt.
- Gebruik een betrouwbare anticonceptie. Ze zeggen wel dat baby's op zich een manier van geboortebeperking zijn, maar dat is helaas niet waar. Vrouwen die een tweeling hebben, zijn vaak verhoogd vruchtbaar en het gebeurt niet zelden dat er binnen een jaar weer een tweeling bij komt. Ook als u niet tot die gelukkigen behoort, zult u niet graag wakker liggen van de gedachte dat u misschien zwanger bent van een drieling. Er is geen ideale anticonceptie. Kies een manier die voor u werkt zonder dat u allerlei onaangename bijverschijnselen hebt. Stel de beslissing niet uit.

Hoofdstuk 9

Gedrag en taal

'Een tweeling! Wat schattig!' Dat zullen veel mensen zeggen, maar dat zijn zeker niet precies de woorden die u zich zult laten ontvallen als uw tweeling zich niet wil gedragen – en dat gebeurt. En als het zover is, zult u waarschijnlijk wel begrijpen waarom in sommige Afrikaanse stammen de uitspraak 'Dat je moeder mag worden van een tweeling' een van de ergste vloeken is.

> We zouden een paar dagen naar mijn schoonouders gaan. Martha en David waren twee jaar oud. In minder dan drie uur tijd hadden ze de video vernield, alle stekkers uit de apparaten getrokken, met kracht de antenne uit de televisie gehaald, een antieke klok gebroken en het behang van de muur gescheurd. De middag eindigde met een kibbelpartij onder de eettafel.

Alle kinderen vechten, toch? Natuurlijk doen ze dat. Maar onderzoek toont aan dat slecht – of als u dat liever hoort, sociaal onaangepast – gedrag ongeveer tweemaal zoveel voorkomt bij tweelingen van drie dan bij eenlingen van dezelfde leeftijd. Duidelijker: sommige ouders weten uit ervaring dat een tweeling lastiger in bedwang te houden is, soms tot iedereen om hen heen uitgeput is. In een aantal gevallen is er een verband tussen taal- en gedragsproblemen, daarom behandelt dit hoofdstuk beide onderwerpen.

Slecht gedrag
Het is duidelijk dat:

- woede-uitbarstingen (zie hoofdstuk 7) vaak doorgaan tot voorbij het moment dat eenlingen eroverheen gegroeid zijn;
- tweelingen last hebben van concentratiestoornissen;

- Probeer elk van de kinderen dezelfde hoeveelheid aandacht te geven. Gebruik zo nodig de kookwekker om heel eerlijk te zijn – en dat ook te kunnen laten zien.
- Geef elk kind de kans om iets onder vier ogen aan u te vertellen, bijvoorbeeld in bad of voor het slapengaan. Privacy is iets dat meerlingen maar zelden hebben.
- Een uitje met een van de kinderen kan de ogen openen. Als een van uw monstertjes in zijn eentje allerliefst is, is dat, volgens tweelingexpert Elizabeth Bryan, zoals hij werkelijk is.
- Doe uw best om positief in plaats van negatief te zijn. Een kind hoort liever 'Ga maar met opa mee' dan 'Doe toch niet altijd zo traag'.
- Een vorm van uitdaging kan helpen. Een ongelovig 'Kun jij echt zelf je schoenen aantrekken?' doet wonderen, net als 'Ik durf te wedden dat jij dat speelgoed niet in twee minuten kunt opruimen'.
- Probeer grenzen te stellen – redelijke grenzen! Het is zinloos om bijvoorbeeld alles opgeruimd te willen zien als u een aantal kleine kinderen hebt.
- Geef zo mogelijk eenvoudige redenen voor uw regels. In haar haast is een tweelingmoeder wel eens wat kortaf in haar instructies, maar 'omdat ik het zeg' is voor kinderen onaanvaardbaar.
- Probeer te voorkomen dat kinderen zich vervelen of oververmoeid raken, want dan zijn ze nog lastiger in de omgang.
- Probeer het tijdig te onderkennen als ze ziek zijn. Normaal zijn kinderen veel vaker ongehoorzaam dan ziek, maar ook ouders die zelf arts of verpleger zijn, zitten er wel eens naast.
- Als u aan het eind van uw Latijn bent of zich niet lekker voelt, moet u niet te veel willen. Schrap zo mogelijk het tochtje naar de supermarkt en probeer de dag gewoon op de gemakkelijkste manier door te komen.
- Houd verleidingen zoveel mogelijk weg. Leg felbegeerde voorwerpen bijvoorbeeld buiten bereik. En geef nooit toe aan die vele speeltreinen of -motoren in het winkelcentrum, want dan zullen de kinderen blijven zeuren als u eens weigert.
- Houd uzelf in bedwang. Onnodig schreeuwen roept agressie op en bovendien geeft u het slechte voorbeeld.
- Als u de kinderen met iets dreigt, moet dat wel iets reëels zijn. Ze zullen heel snel begrijpen dat u ze niet op de snelweg uit de auto zet als ze zitten te gillen of dat u niet het kind van de buren zult halen om hun bord leeg te eten als ze dat zelf niet doen.
- Probeer eten (of het niet willen eten) niet als straf te gebruiken. Het maakt een maaltijd alleen maar meer emotioneel beladen.

- Zoek hulp voordat een crisis losbarst. Een vriendin die een van de kinderen een paar uur onder haar hoede kan nemen, kan een explosieve situatie bezweren.
- Hebt u een ouder kind met verantwoordelijkheidsgevoel, dan is dat een handige bondgenoot, maar maak er geen 'big brother' van die alleen maar over de kleintjes wil bazen.
- Prijs de kinderen altijd op die zeldzame momenten dat ze een wandaad toegeven. Opbiechten is vooral een probleem bij kleine kinderen en ze doen het beslist niet als het resulteert in straf.
- Wat er overdag ook allemaal voorvalt, probeer ze niet naar bed te brengen met een schuldgevoel. Een kusje en een herkansing zorgen voor zoete dromen.

Omgaan met een nukkige tweeling

De hele weg naar huis mepten ze elkaar op de achterbank van de auto met een boek dat ik zojuist uit de bibliotheek had gehaald – het heette toevallig *Peuters de baas*...

Eeneiige jongenstweelingen zouden het langzaamste groeien en hebben de reputatie de grootste gedragsproblemen te vertonen. Ze hebben een heel stevige, maar liefhebbende hand nodig. Veel moeders hebben ontdekt dat aparte slaapkamers gerechtvaardigd zijn op basis van hun gebrek aan discipline als ze bij elkaar zijn, maar verbaas u niet als ze – eenmaal verhuisd naar een groter huis – een groot deel van de tijd bij elkaar in de slaapkamer doorbrengen! (Regelmatig kibbelend over de afmetingen van hun respectievelijke slaapkamers.)

Wat voor soort twee- of drieling u ook hebt, ze zullen onvermijdelijk hun lastige momenten hebben. Mettertijd zult u uw eigen manier vinden om daarmee om te gaan, maar ondertussen kunnen de volgende adviezen misschien helpen:

- Als de tweeling ondeugend is, moet u laten blijken dat u hun gedrag afkeurt, maar hen tegelijk verzekeren dat u wel van hen houdt (bijvoorbeeld 'Ik houd van je, maar ik vind het heel erg wat je met je zusje gedaan hebt.').
- Maak het wangedrag saai. U kunt een kibbelende tweeling uit elkaar halen (hierover later meer), maar door de agressor aandacht te geven kan het wangedrag versterkt worden.
- Sla niet, tenzij er fysiek gevaar dreigt, zoals een kind dat met de ovendeur speelt of de weg op rent.
- Laat ze hun verontschuldigingen aanbieden als een van hen de ander(en) pijn gedaan heeft. Meer dan een nors gemompeld 'Sorry' zal het niet zijn, maar u mag ook geen wonderen verwachten.

- Verontschuldig uzelf ook als dingen misgaan. Dat is een goed voorbeeld. Bovendien kunt u zich, door u feilbaar op te stellen, ook verontschuldigen voor fouten in de toekomst…
- Probeer te voorkomen dat één kind de zondebok wordt, ook al is het altijd een van de twee die zich misdraagt. Als u niet zeker weet wie iets heeft gedaan, kunt u ze allebei laten gaan (waardoor de samenzwering wordt versterkt) of ze allebei straffen (het is oneerlijk, maar als u een relatief milde straf kiest, kan het heel goed werken en veel ouders vinden dat het de tweeling ook helpt om alles op te biechten).
- Een 'time out' in een ander vertrek of in de hoek staan is een aloude opvoedingsmethode en haalt een kibbelende tweeling meestal uit elkaar, maar bij heel kleine kinderen werkt het alleen als het niet te lang duurt, bijvoorbeeld vijf minuten voor een kind van vijf. Het idee is niet dat het kind iets leukers te doen vindt (of ander onheil kan uithalen), maar om hem van de plaats van de misdaad te verwijderen. Natuurlijk zullen er momenten zijn waarop u ze drie kwartier achter elkaar apart wilt laten spelen, maar dat kunt u beter niet als straf opleggen.
- Het is geen goed idee om een van de twee al te vaak naar zijn slaapkamer te sturen: na verloop van tijd krijgt hij zo een hekel aan zijn slaapkamer, en aan bedtijd. Bovendien zal de ander, die wel beneden mag blijven, waarschijnlijk glunderen en dat is niet eerlijk, omdat ze allebei vervelend zijn geweest. Als de tweeling een slaapkamer deelt, dan is het duidelijk contraproductief om ze naar boven te sturen.

Speciale problemen

Moet u tussenbeide komen als ze vechten?
Tweelingen vechten nu eenmaal vaak, maar het is van voorbijgaande aard en een evenwichtige, jongvolwassen tweeling zal maar zelden met elkaar op de vuist gaan. Maar dat kan nog een eeuwigheid weg lijken.

Zoals een moeder zegt:

> De jongens zijn nu ruim negen jaar en de meeste dagen kan ik niet rustig in bad gaan of naar het toilet zonder dat de Derde Wereldoorlog uitbreekt. Onlangs probeerde de een de ander met zijn riem te wurgen.

De oorzaak is vaak niet agressie zelf. Sommige schoolgaande tweelingen zullen elke dag met elkaar vechten, zowel op het schoolplein als thuis, maar nauwelijks een vinger uitsteken naar hun medeleerlingen.

De grote vraag is of u wel of niet tussenbeide moet komen. Ouders van een-lingen adviseren andere ouders meestal om de kinderen te laten begaan, maar be-kijk het ook vanuit het andere gezichtspunt van tweelingmoeders die uiteindelijk op de afdeling 'Eerste hulp' terechtkwamen, omdat de een de ander had ver-wond. Zelfs een behandeling in het ziekenhuis zal een tweeling er niet van weer-houden elkaar op leven en dood te bevechten.

Het probleem van vechtende tweelingen is bepaald niet eenvoudig en metho-den die het wel doen bij agressieve eenlingen doen het vaak niet bij tweelingen. Een moeder had problemen met haar driejarige zoons, waarbij een van hen de ander met een stok op het hoofd had geslagen. Toen ze de stok afgepakt had, be-gon de dader hard te huilen en het slachtoffer was er zo mee begaan dat hij de stok terugpakte en weer aan zijn broer gaf, waarna het geweld weer begon!

Een eigenschap van vechtende tweelingen – of drielingen – is dat ze, als ze vechten, dat doen zonder enige rem of zelfbeheersing, waardoor ze ernstiger let-sel veroorzaken dan een eenling een vriendje of een broer of zus zou toebrengen. Misschien ontstaat een serieus gevecht omdat ze allebei in hetzelfde onvolwassen stadium van ontwikkeling zijn. Hun gebrek aan beheersing kan ook voortkomen uit hun babytijd, toen ze nauwelijks beseften waar het lichaam van de een ein-digde en dat van de ander begon.

Op een zeker moment vroeg ik, tot wanhoop gedreven door hun geschreeuw en gestomp, elk van mijn jongens, toen acht jaar oud, of ze dachten dat een vol-wassene hen zou kunnen tegenhouden. Zonder enige aarzeling zeiden ze dat ik dat kon. Ze konden echter niet aangeven hoe ik dat zou moeten doen…

Over de tactiek die u moet aanwenden, adviseren de meeste ouders die deze fase doorgemaakt hebben, dat je daarbij op je gevoel moet afgaan. De tweeling laten begaan en ze het zelf laten uitzoeken, is prima zolang er geen gewonden val-len en als er geen mogelijk dodelijke wapens in het spel zijn. Onder die omstan-digheden kunnen ze het heel goed binnen een paar minuten verwerkt hebben en weer de beste vrienden zijn. Het is echter wel verstandig een oogje in het zeil te houden en te letten op tekenen die erop wijzen dat ze te ruw worden, zodat u tussenbeide kunt komen voordat ze elkaar ernstig letsel toebrengen.

Bijten

Mijn dochters waren allerliefste peuters of zouden dat geweest zijn als ze elkaar niet re-gelmatig gemeen gebeten hadden. Dit kon overal op het lichaam zijn, ook in het ge-zicht. Als de afdrukken van de tanden dan verdwenen waren, leken het blauwe plekken en ik weet zeker dat menige voorbijganger zich heeft afgevraagd wat ik met mijn kin-deren deed.

Een van de problemen waar adviesinstellingen het meest mee geconfronteerd worden, is die van bijtende tweejarigen. Audrey Sandbank en Elizabeth Bryan waarschuwen ouders dat ze de dader absoluut geen aandacht moeten geven. Er is een geval bekend van een moeder die haar zoon van twee voortdurend met zich meedroeg om te voorkomen dat hij de andere twee van de drieling zou bijten. Daarmee kreeg hij precies wat hij wilde.

Bijten beperkt zich altijd tot de eigen twee- of drieling; de kinderen bijten zelden andere kinderen. Vaak bijten tweelingen elkaar, hoewel er wel altijd een dader en een slachtoffer aan te wijzen valt. Het is lastig om met bijtende peuters om te gaan, omdat ze onbeperkt zoveel letsel aan kunnen richten – en soms bevatten tanden bacteriën.

De beste manier om op een bijtaanval te reageren is gewoon de dader weg te halen en hem minimale aandacht te geven, waardoor bijten heel saai wordt en niets oplevert. Wat u ook doet, laat het kind nooit merken dat zijn gedrag u irriteert.

Audrey Sandbank, gezinstherapeute, raadt vooral aan het slachtoffer op te tillen en het twee minuten onverdeelde aandacht te geven. Als de bijter daarop reageert, legt u uit dat hij moet wachten, omdat hij gebeten heeft. Dat zal hij al snel begrijpen.

Moet u terug bijten? Er zijn moeders die dat voorstaan, maar het werkt maar zelden en maakt de zaak vaak nog erger. Als u dat doet, geeft het kleine kinderen de indruk dat geweld in het algemeen en bijten in het bijzonder binnen het gezin geaccepteerd worden.

Hulp zoeken bij gedragsproblemen

Er zijn verschillende wegen om hulp te zoeken bij gedragsproblemen waarmee u kunt worden geconfronteerd:

- De huisarts of consultatiebureau-arts: zij zijn waarschijnlijk te onervaren in de omgang met meerlingen, maar kunnen toch wel goede adviezen en ondersteuning geven, en de juiste weg wijzen naar andere instanties.
- De NVOM, de V.Z.W. Twins of de Nederlandse Opvoedtelefoon of Meerlingtelefoon. Misschien kunt u de problemen met hun deskundige vrijwilligers bespreken.
- Een opvoedingspsycholoog: vooral als het gaat om problemen met schoolgaande kinderen (bespreek het ook met de onderwijzer van uw kinderen). Moeilijkheden op school hoeven niet altijd over het gedrag op school te gaan om een kind te laten doorverwijzen naar een opvoedkundige – het kan ook om gedrags- of sociale problemen gaan.

Taal

Ook in de jaren '30 van de 20ste eeuw was het al bekend dat de taal van twee-lingen tussen de twee en vijf iets verschilde van die van eenlingen. Sindsdien heeft veel onderzoek dat bevestigd en geholpen een beeld te scheppen van de taal-ontwikkeling bij tweelingen. Er is veel minder gekeken naar drie- en meerlingen – daarom gaat het grootste deel van dit hoofdstuk over tweelingen.

Taal bestaat uit een aantal symbolen voor communicatie, die geschreven of ge-sproken kunnen worden. Natuurlijk leren kinderen meestal eerst praten en daar-na pas lezen of schrijven, dus leert een kind meestal een taal door te luisteren naar anderen. Het vergaren van een taal is een tweevoudig proces: anderen begrijpen en spraak vormen.

Hoe leren kinderen een taal? Hoewel deskundigen van mening verschillen over het relatieve belang van diverse aspecten, zijn de voornaamste factoren:

- de aangeboren bereidheid of het talent van een kind
- intelligentie of begrip van de wereld
- imitatie

Deze laatste factor moet niet onderschat worden. Ik herinner me nog heel goed een moeder die met haar kind in het kinderziekenhuis kwam omdat hij nauwe-lijks iets zei. 'Maar natuurlijk,' zei ze, 'kan hij wel "sodemieter op" zeggen.'

Bij tweelingen is het over het algemeen zo dat:

- tweelingen ouder zijn dan eenlingen als ze hun eerste woordje zeggen;
- de lengte van elke uiting korter is;
- de zinsstructuur eenvoudig is;
- de woordenschat kleiner is;
- babytaal langer blijft bestaan.

Gemiddeld lopen tweelingen in hun taalontwikkeling zo'n zes maanden achter op eenlingen. Dit wil niet zeggen dat alle tweelingen achterlopen op eenlingen. Veel tweelingen zijn juist heel ver in hun taalgebruik. Onderzoekers leggen meestal de nadruk op tweelingen die achterlopen, maar dat betekent niet dat uw kinderen problemen zullen hebben.

Er wordt nog altijd heel veel werk verricht op dit gebied en het laatste woord over taal is nog niet gesproken. Een enorm project is de Twins' Early Develop-ment Study (TEDS). Die strekt zich uit over tweelingen die in 1994, 1995 of 1996 in Engeland of Wales geboren zijn, en er wordt gekeken naar taal en de sa-menhang met andere eigenschappen, zoals gedrag en genen.

Problemen

Is het een probleem dat uw tweeling iets later gaat praten? Het wordt nu duidelijk dat taalproblemen vaak van voorbijgaande aard zijn. Met andere woorden: het is een uitstel, maar geen afwijking. Bij de meeste tweelingen heeft het uitstel op lange termijn geen gevolgen voor hun opvoeding of hun gedrag.

Al met al is het voor ouders en onderwijzers wel belangrijk om alert te zijn op mogelijke taalproblemen, omdat:

- er soms een verband bestaat tussen slechte taalontwikkeling en wangedrag, vooral bij tweelingjongens;
- sommige tweelingen met vroege taalproblemen ook moeilijkheden zullen hebben met lezen;
- er hulp geboden kan worden, die het meeste resultaat heeft als er vroeg mee begonnen wordt;
- een goed woordgebruik een wezenlijk deel is van succes op andere gebieden.

Op school hangen veel vakken, zelfs wiskunde, nauw samen met woorden. Een kind met taalproblemen is niet noodzakelijk dom of 'traag', maar zijn score bij een IQ-test kan bedrieglijk laag zijn tot zijn problemen voorbij zijn.

Oorzaken van taalproblemen

Het feit dat een tweelingouder niet elk kind zijn onverdeelde aandacht kan geven, ligt ten grondslag aan de vertraging, zoals waarschijnlijk ook het geval is bij zoveel andere problemen bij tweelingen. Eenlingen in grote gezinnen zouden ook veel minder verbale gereedschappen hebben en misschien is een situatie met tweelingen een extreem voorbeeld van hetzelfde fenomeen.

Bij de nauwkeurige bestudering van taalhulpmiddelen voor tweelingen is ontdekt dat er slechts één ding is waar ze goed in zijn: meteen antwoorden, hoewel niet altijd als hun moeder iets vraagt! Als er druk achter zit, worden ze duidelijk heel bedreven om iets te berde te brengen.

Onderzoek en observatie tonen de uitdagingen waarvoor ouders en hun tweelingen zich geplaatst zien en een aantal redenen voor taalproblemen:

- Voortdurende interrupties houden in dat moeders van kleine tweelingen veel minder lange gesprekken of onderonsjes met hun kinderen kunnen hebben.
- Moeders van tweelingen praten vaak in eenvoudige, korte zinnen. Het is duidelijk dat u met twee peuters eerder snel zult zeggen 'Zet dat neer!' en niet rustig gaat uitleggen: 'Dat is een heel mooie vaas, die papa en mama cadeau gekregen hebben en we zouden het heel jammer vinden als jij die laat vallen.'

- Moeders praten vaak tegen beide kinderen tegelijk. Bij 'Paul-en-Jan kom hier' wordt Paul noch Jan als persoon aangesproken. Veel van de dagelijkse conversatie gaat op deze manier.
- Vanwege rivaliteit en gebrek aan privacy is veel van de conversatie die de moeder heeft met elk van haar kinderen een soort 'drieweg-communicatie', een verwarrend geheel dat lijkt op een telefoongesprek met iemand, waarop iemand anders op de achtergrond meepraat.
- Als een moeder iets tegen een kind van de tweeling zegt, kunnen haar gebaren – heel verwarrend – niets te maken hebben met hetgeen ze zegt. Als u later bijvoorbeeld de kleine kinderen te eten geeft, dan zult u zien dat u de een een hap in de mond schuift, terwijl u met het andere kind over iets heel anders praat.
- Moeders hebben de neiging veel minder op meerlingen te reageren – het ligt voor de hand te denken dat ze elkaar wel gezelschap kunnen houden en geen ander stimulansen nodig hebben.
- Het is niet helemaal duidelijk waarom, maar ouders zeggen waarschijnlijk minder tegen tweelingjongetjes van twee jaar – en ze worden blijkbaar ook minder geknuffeld dan eenlingen. Heel veel moeders vermoeden dat ze echter wel meer tegen de jongens schreeuwen.
- Tweelingen lijken elkaars behoeften aan te voelen en kunnen middels lichaamstaal met elkaar praten, dus is het voor hen waarschijnlijk minder belangrijk om hardop met elkaar te praten. Dit heeft waarschijnlijk vooral betrekking op eeneiige (MZ) tweelingen.
- Als tweelingkinderen praten, maken ze vaak dezelfde fout als de ander, waardoor fouten versterkt worden en mogelijk zelfs verergerd. Onderzoek toont aan dat tweelingen tussen de twee en vier jaar elkaars taal heel goed begrijpen, ook al zit deze vol fouten. Dit gebeurt niet bij andere kinderen van dezelfde leeftijd.
- Moeders zullen niet zoveel moeite doen het verkeerde taalgebruik van hun tweeling te verbeteren als ze bij hun eenling zouden doen. Dat ligt ten dele aan de tijdsdruk, maar babytaal kan aantrekkelijk zijn. Zoals Audrey Sandbank aangeeft, vinden sommige moeders dat een deel van de onloochenbare 'schattigheid' van kleine tweelingen.
- De taalproblemen bij drielingen zijn grotendeels dezelfde als bij tweelingen, maar misschien iets minder ernstig. Het zou afhangen van de hoeveelheid externe hulp die een gezin krijgt en van de hoeveelheid individuele aandacht voor de kinderen. Het is echter lastig om te generaliseren; degenen die drielingen met taalproblemen behandelen, zien meestal maar een kleine, selecte groep.

- Het feit dat ze te vroeg geboren worden, een groeiachterstand in de baarmoeder, problemen bij de bevalling en genetische invloeden: dit kan allemaal invloed hebben op taalproblemen. Ook voor eenlingen zijn deze echter van toepassing. Recent onderzoek door Dorothy Bishop in Cambridge toont aan dat belangrijke taalverzwakking bij tweelingen heel waarschijnlijk voortkomt uit dezelfde soort oorzaken als bij eenlingen.

Hoe taalontwikkeling kan worden aangemoedigd

Misschien kunt u de vroeggeboorte of de medische complicaties die uw tweeling als pasgeboren baby's plaagden, niet helpen, maar er zijn nog heel veel factoren die u vroeg in hun leventje wel kunt beïnvloeden om te helpen taalproblemen te voorkomen.

Er is echter geen bewijs dat tweelingen met een vertraagde ontwikkeling van taal of spraak enig probleem hebben met begrijpen. Dit suggereert dat in de meeste gevallen het potentieel aanwezig is en alleen nog maar geëxploiteerd moet worden.

Een aantal van de hierna genoemde punten is door La Trobe Twin Study in Australië naar voren gehaald en wordt op grote schaal als belangrijk gezien.

- Hoewel het niet eenduidig bewezen is, lijkt het erop dat wanneer ouders taalontwikkeling vanaf een maand of vier aanmoedigen, het kan helpen om later taalvaardigheden te ontwikkelen. Dit is waar tijd en aandacht, inclusief het zo belangrijke oogcontact, echt helpen. Tijd nemen voor ieder van de baby's en met hen afzonderlijk praten is niet alleen veel leuker dan klusjes opknappen, maar het loont ook. Als u met hen praat, zorg dan dat uw gebaren bij uw woorden passen.
- Als de tweelingkinderen beginnen te praten, probeer ze dan te laten zeggen wat ze willen. Het leven wordt veel rustiger als u op hun behoeften kunt inspelen, maar dat leert hen nog niet om te communiceren. Als een kind alleen maar op zijn beker wijst en gromt, dan zou u kunnen zeggen: 'Wil je melk?' Mettertijd zal dit hem leren om woorden te gebruiken.
- Laat elk kind voor zichzelf spreken. De ene helft van de tweeling moet niet voor de ander praten. Probeer elk kind bijvoorbeeld te vragen hoe het die morgen in de peuterspeelzaal is geweest. Eerst zullen ze beslist gaan kibbelen over de vraag wie als eerste mag vertellen, maar gaandeweg zullen ze leren om uw vragen om de beurt te beantwoorden.
- Reageer niet op interrupties of gedrag dat om aandacht vraagt. Het beste kunt u beginnen met het negeren van interrupties en natuurlijk zelf ook niet interrumperen. (Gemakkelijker gezegd dan gedaan.)

- Laat ze horen hoe iets moet klinken zonder er een punt van te maken of te zeggen: 'Nee, je bedoelt waarschijnlijk...' Herhaal het woord dat uw kind verkeerd heeft uitgesproken gewoon en spreek het juist uit. De boodschap komt dan wel over.
- Als babytaal blijft bestaan, probeer ze dan duidelijk te maken dat door beter te praten de communicatie met anderen kan verbeteren, ze iets gemakkelijker kunnen krijgen wat ze hebben willen, ze meer vriendjes kunnen maken, enzovoort. Uw pogingen om goed taalgebruik te activeren zullen waarschijnlijk worden ondermijnd door mensen die glimlachen om de uiterst kinderlijke manier van praten.
- Lees elk kind vanaf jonge leeftijd apart voor. Als het lukt, kunnen tien ongestoorde minuten per dag voor elk van de kinderen wonderen doen. Het is veel beter om het zo te doen dan ze allebei tegelijk twintig minuten lang voor te lezen. Het probleem is dat u iemand anders nodig hebt – nog een volwassene of een kind – om de ander van de twee op dat moment bezig te houden, zodat het er niet bij komt zitten. Het is natuurlijk heerlijk om tussen twee kinderen in te zitten met een arm om elk van hen, dus is er geen reden waarom u ze niet ook nog eens allebei zou voorlezen als u daar tijd voor hebt.
- Een ouder kind is heel handig als voorbeeld, maar alleen als het goed praat. Vaak is het zinloos te leunen op een broertje of zusje dat maar heel weinig ouder is dan de tweeling: afgezien van mogelijke gevoelens van rivaliteit, kan dat kind ook taalproblemen hebben, die de problemen van de tweeling alleen nog maar vergroten.
- Hoed u voor het oudere zusje of de oudere broer die misschien zo dol is op de tweeling dat zij of hij al hun behoeften voor zijn, wat wel eens gebeurt. Hoe gemakkelijk dit voor u ook moge zijn, het helpt de kleintjes niet bij hun ontwikkeling.

Taalontwikkeling

Het is niet altijd gemakkelijk de echte problemen te onderkennen. Sommige taalproblemen, zoals enige achterstand, verdwijnen in de loop van de tijd, terwijl andere behandeld moeten worden.

Een bijkomende complicatie is dat normale kinderen onderling kunnen verschillen: ze leren niet allemaal op dezelfde leeftijd praten, hoewel ze over het geheel genomen wel in een vooraf bepaalde volgorde het spraakvermogen ontwikkelen.

In de eerste acht weken van hun leven maken baby's basisgeluiden als huilen. Tussen de twee en zes maanden ontwikkelen ze meestal lachen, kirren en giechelen, vaak als antwoord op iets dat de moeder zegt of doet.

De periode tussen de zes en twaalf maanden wordt ook wel vocaal spelen genoemd. Baby's vinden het leuk om geluiden te maken en beginnen te brabbelen. Tegen het eind van het eerste jaar worden er dan woorden geproduceerd – gewoon lettergrepen om mee te beginnen en vaak hetzelfde geluid voor verschillende dingen. Op deze leeftijd is ook te zien dat baby's met een verschillende moedertaal iets andere geluiden gaan maken.

Tussen de achttien maanden en de twee jaar worden zinnen gevormd en worden deze langzaam wat ingewikkelder. Veel grammatica is meestal rond het vijfde levensjaar eigen gemaakt.

Geluiden zijn niet allemaal gemakkelijk te produceren. Ze komen vaak in deze volgorde:

Normaal zijn op deze leeftijd	*…deze klanken geen probleem:*
1,5 jaar	p, b, m
2,5 jaar	t, d, n, k, g
3 jaar	j, f, s
4 jaar	ch, z, v
5 jaar	l
7 jaar	r

Er zijn verschillen tussen culturen. Sommige klanken die voor bijvoorbeeld een vijfjarig Arabisch sprekend kind heel gemakkelijk zijn, kunnen een enorme uitdaging vormen voor een Nederlandstalig kind van welke leeftijd dan ook!

Problemen onderkennen

De volgende lijst, gemaakt door het Adelaide Hospital en de La Trobe Study, is een handig hulpmiddel bij het opsporen van problemen. Er kan sprake zijn van spraakproblemen als zich bij een of beide kinderen een van deze symptomen voordoet:

- het is een jaar achter in het maken van de klanken die hierboven genoemd worden;
- het gebruikt veel klinkers bij het praten;
- het praat op de leeftijd van tweeënhalf onverstaanbaar;
- het laat op driejarige leeftijd medeklinkers weg of vervangt deze;
- het vervormt veel medeklinkers als het vier jaar is geweest;
- het praat met een wisselend ritme of op vreemde hoogte (bijvoorbeeld monotoon, nasaal of te luid).

Andere symptomen van taalachterstand zijn:

- niet 'spelen' met woorden als het een jaar is;
- geen woorden zeggen als het anderhalf is;
- geen zinnen van twee woorden als het twee jaar is;
- geen zinnen als het drie jaar is, of alleen zinnen die een echo vormen van wat het kind hoort;
- babytaal of heel povere zinsstructuur als het vier is.

Als een kind moeite heeft met de zinsbouw, maar ook met het maken van klanken en het interpreteren van de bedoeling, is er waarschijnlijk sprake van een ernstig probleem dat behandeld moet worden.

Wat u kunt doen

De taalkundige David Crystal denkt dat een taalachterstand, die vaak duidelijk aanwezig is als een tweeling een jaar of drie is, rond het zevende, achtste jaar verdwenen is. Dit wordt bevestigd door andere onderzoekers – vooropgesteld dat de achterstand vrij gering is.

Er zijn enkele tweelingen (en eenlingen) waarbij de taal zo verstoord is dat het langetermijneffecten geeft op het gebied van gedrag en opvoeding. Een voorbeeld daarvan vormen een paar jongens die bijna naar school zouden gaan toen ze naar een kinderziekenhuis werden gebracht, waar ze nauwelijks in staat bleken een woord te zeggen. Het is duidelijk beter niet te wachten tot dat stadium bereikt is.

Hoe eerder er stappen worden ondernomen, des te beter het is. Tweelingen doen het prima – en de verwachting ten aanzien van hun leesvaardigheid en hun gedrag verbetert ook – als hun taalproblemen rond het vierde jaar worden behandeld en liever nog rond hun derde jaar.

Hoewel meerlingen gevoelig kunnen zijn voor taalproblemen, is het belangrijk dat de oorzaken aan het licht komen. Omdat het spraakvermogen wordt ontwikkeld door anderen te imiteren, is een normaal gehoor een voorwaarde. Bij alle kinderen wordt het gehoor getest als ze negen maanden oud zijn, maar het gehoor kan ook nadeel ondervinden van recente oorontstekingen of verkoudheden.

Wat moet er, ervan uitgaande dat het gehoor van een kind normaal is en niemand het vermoeden heeft dat er sprake is van een communicatiestoornis als autisme, vervolgens gebeuren?

Als de tweeling nog heel klein is en het taalprobleem niet zo groot – stel dat ze een paar maanden achterlopen op het 'normale' moment – dan is er misschien alleen wat individuele aandacht nodig. Elk van de kinderen dagelijks apart voorlezen, terwijl de ander ondertussen wordt beziggehouden in een andere kamer, is een prima manier om die aandacht te geven.

Omdat ongeveer 5 procent van de kinderen een taalachterstand heeft en de meeste kinderen die inlopen, is er enige discussie over wat er wel of niet gedaan moet worden. Bij alles wat meer lijkt dan enige achterstand, is het raadzaam naar een logopedist te gaan en te vragen welke therapie uw kind nodig heeft. Indien mogelijk zou u naar een specialist moeten gaan die ervaring heeft in het werken met tweelingen.

Uw huisarts kan een spraaktherapie voor u regelen. Het zal misschien even duren voordat u ergens terechtkunt, dus wacht niet te lang met het in gang zetten van het proces. Terwijl u wacht, zou u alvast kunnen beginnen de kinderen apart voor te lezen (als u dat niet al deed).

Eeneiige tweelingen lijken vaak dezelfde taalvaardigheden te hebben. Toch komt het voor dat slechts een van de twee spraaktherapie nodig blijkt te hebben, waarbij de ene zal glunderen en de andere verontwaardigd is – soms is het kind dat therapie krijgt, degene die zich dominant gedraagt! Deze situatie moet met tact behandeld worden. Er zijn geen gemakkelijke antwoorden en u zult:

- ervoor moeten zorgen dat geen van de twee nu denkt dat hij 'beter' is dan de ander;
- het kind dat in therapie is, moeten helpen en versterken wat het geleerd heeft;
- moeten voorkomen dat het 'niet-behandelde' kind het andere overhaalt weer in zijn oude spreekfouten te vervallen.

De geheime taal van een tweeling

Ik heb al opgemerkt dat tweelingen met elkaar communiceren, maar hoe vaak gebruiken ze een eigen taal die alleen zij begrijpen?

De geheime taal van een tweeling is al jaren het voorwerp van grote belangstelling. Het is waar dat er tweelingen zijn die niets anders spreken dan hun 'eigen' taal en soms komen dramatische voorbeelden daarvan in de openbaarheid.

Er zijn onderzoekers die zeggen dat in de peutertijd zo'n 40 procent van de tweelingen een geheime taal spreekt, die niemand anders, ook de ouders niet, kan verstaan en dat dat cijfer bij eeneiige tweelingen zo mogelijk nog hoger is. Het bestaan van een geheime taal is volgens professor Hay en een aantal andere deskundigen echter een illusie. De 'geheime' taal kan vaak worden begrepen door buitenstaanders, als ze heel erg hun best doen. Onderzoek geeft ook aan dat:

- de tweeling heel goed elkaars spraak en lichaamstaal kan begrijpen;
- ze dezelfde fouten maken in de spraak;

- omdat ze elkaars fouten versterken, deze langer blijven bestaan;
- hun taalontwikkeling vertraagd kan zijn.

Al met al is dit waarschijnlijk genoeg om een indruk te geven van het feit dat geheimtaal een illusie is. Als iemand zorgvuldig luistert naar een stukje ervan, is het in veel gevallen gewoon heel onvolwassen taal.

En als de tweeling nu echt een eigen taal heeft? Het antwoord luidt dat het niet erg is, vooropgesteld dat ook de normale taal zich op het juiste moment ontwikkelt. Als we erbij stilstaan, gebruiken veel mensen, echtgenoten onder elkaar bijvoorbeeld, eigen woorden voor dingen. Zolang we maar normaal met anderen kunnen communiceren, is dat niet belangrijk.

Meer dan één taal

Nu onze samenleving in zo'n grote mate multicultureel wordt, zijn er veel gezinnen waar de kinderen met de ouders een andere taal spreken dan met hun grootouders, oppas of in de crèche. Ouders van kinderen met spraakachterstand denken vaak dat het probleem is te herleiden tot het feit dat ze meer dan een taal tegelijk moeten leren.

Een tweetalige, of zelfs een meertalige opvoeding kan zeker verwarrend zijn. Een tijdlang kunnen jonge tweetalige kinderen verschillende talen in hetzelfde gesprek of dezelfde zin vermengen, maar het belangrijkste is dat ze net zo vloeiend spreken als elk ander kind.

Een tweetalige opvoeding is meestal niet verantwoordelijk voor een taalachterstand. Nadere beschouwing van kleine kinderen die niet praten, maakt duidelijk dat ze in geen enkele taal veel zeggen. De boodschap is, dat als u denkt dat uw tweeling een taalprobleem heeft, u dat moet laten constateren (inclusief een gehoortest), hoeveel talen ze ook te horen krijgen.

Hoofdstuk 10

Tweelingen in de voorschoolse leeftijd

De voorschoolse leeftijd bestrijkt de periode van tweeënhalf tot drie à vier jaar. Het is een heerlijke tijd die volgens veel ouders het beste van twee werelden verenigt. Kinderen staan op deze leeftijd nog heel dicht bij hun moeder, en de meesten krijgen al de kans om een crèche of peuterspeelzaal te bezoeken, waar ze nieuwe ervaringen kunnen opdoen.

Hoewel de voorschoolse leeftijd heel veel voordelen kent – niet in de laatste plaats het feit dat de kinderen langzaam groter en communicatiever worden – is er toch een aantal punten om bij stil te staan:

- Hoe goed de lokale preschoolse mogelijkheden ook zijn, ouders – in de praktijk vooral de moeder – blijven de voornaamste opvoeder voor een kind van deze leeftijd.
- Een tweeling in de voorschoolse leeftijd heeft nog altijd heel veel tijd en aandacht van een volwassene nodig – en dat betekent waarschijnlijk van u. Dat is iets waar gebrek aan is, vooral als u eraan denkt om weer te gaan werken.
- In de voorschoolse leeftijd worden veel tweelingen zich bewust van hun tweeling-zijn en dus dat ze anders zijn dan de meeste kinderen, die eenling zijn. Dit is ten dele omdat volwassenen en andere kinderen hen als anders ervaren en behandelen.
- Dit kan resulteren in een tweeling die op één hoop geveegd wordt, wat vaak het begin markeert van een levenslang gevecht om gewaardeerd te worden.

Ik was zo teleurgesteld dat, na drie jaar hard werken om de kinderen tot persoonlijkheden op te voeden, onze pogingen totaal werden ondermijnd door een aantal ochtenden in de peuterspeelzaal. De leidster behandelde hen duidelijk als één geheel en tegen het einde van de tweede ochtend noemden de kinderen hen 'de tweeling' in plaats van hen bij de naam te noemen.

- Helaas hebben veel peuterspeelzalen en crèches nog geen ervaring op het gebied van meerlingen, ook al vinden ze zelf van wel. U moet extra alert zijn om zeker te weten dat de kinderen goed af zijn met de peuterspeelzaal of crèche die ze bezoeken.

    Meerlingen zouden voorrang moeten krijgen bij een peuterspeelzaal of crèche, maar het aantal mogelijkheden verschilt per plaats. Er is een enorm aanbod aan overheids- en particuliere mogelijkheden.
- Hoe meer u uit de voorschoolse jaren haalt, des te beter de kinderen voorbereid zullen zijn op hun schoolloopbaan en hoe beter ze het waarschijnlijk zullen doen in zowel taal als gedrag.

Voorschoolse opvoeding

Het is duidelijk dat de peuterspeelzaal of crèche de kinderen de kans geeft om te leren van huis en hun ouders weg te zijn. In elk geval helpt het kleine kinderen te wennen aan een scheiding, wat voor velen een heel belangrijke ervaring is, vooral als ze nooit een poosje onder de hoede van een oppas achterblijven.

Een peuterspeelzaal of crèche leert jonge kinderen ook omgaan met een iets anders gestructureerde omgeving, wat een goede voorbereiding vormt op de 'grote school'.

Kinderen kunnen er spelen met speelgoed dat ze thuis niet hebben en ze leren omgaan met allerlei nieuwe materialen. Tweelingen en andere meerlingen krijgen de kans te spelen met dingen die veel geknoei geven, zoals vingerverven, dat ze thuis wellicht nooit hebben gedaan omdat zoveel rommel in een redelijk net huishouden niet gewaardeerd wordt. Het versterkt ook het plezier van samen zingen, rijmpjes opzeggen, luisteren naar verhaaltjes en het bekijken van boeken, wat allemaal weer belangrijk is voor het ontwikkelen van taalvaardigheden en het leren lezen. Dit is het moment waarop de liefde voor boeken, maar ook de basis voor schrijven en rekenen, worden gevormd.

Spelen is eigenlijk een serieuze zaak, zoals opvoedkundigen altijd weer benadrukken. Neem het rollenspel als voorbeeld. Behalve het plezier van het verkleden en het in verschillende rollen kruipen geeft het een kind de mogelijkheid met verschillende situaties om te gaan en te experimenteren. Een kind leert door allerlei spelletjes iets over zijn omgeving. Pat Preedy, hoofd van een school, wijst erop: 'Bedenk dat spelen niet beschouwd mag worden als beloning voor het werken. Door te spelen bouwt een kind een stevige basis voor het latere leren. Kinderen met leermoeilijkheden hebben vaak weinig gespeeld.' Ze voegt eraan toe dat het voor een kind belangrijk is om langdurig te kunnen spelen en niet van de ene activiteit naar de andere te vliegen. Dat is iets wat veel tweelingen wel doen, misschien omdat ze eraan gewend zijn voortdurend afgeleid of gestoord te worden.

De manier waarop een kind met taken omgaat, is ook belangrijk. Van tevoren en naderhand praten over een activiteit is heel wezenlijk voor het leerproces. Het kind dat leert om 'te spelen, te doen en terug te blikken', verkrijgt de mogelijkheid om zich te concentreren en in het spoor te blijven, en dat is zeker een waardevolle vaardigheid in het leven.

Peuterspeelzalen en crèches leren kinderen ook elementaire sociale vaardigheden, zoals op je beurt wachten, iets wat sommige meerlingen zeker moeten kunnen. Kinderen van een jaar of drie zijn meestal zover dat ze vrienden kunnen maken buiten het gezin. Het spel biedt goede mogelijkheden om ook eens met een ander kind dan de tweelingzus of -broer te spelen. Voor veel meerlingen en hun ouders kan het echter praktische problemen opleveren, wat betekent dat de omgang met anderen veel minder gemakkelijk gaat dan bij eenlingen.

Welke peuterspeelzaal of crèche?
De mogelijkheden zijn per gemeente verschillend. Het is belangrijk kinderen tijdig in te schrijven voor de peuterspeelzaal of crèche om te voorkomen dat ze niet aan de beurt zijn als ze qua leeftijd wel in aanmerking komen.

Hebt u de keuze, ga dan eens bij verschillende peuterspeelzalen of crèches kijken. Informeer naar de kosten, de duur van de opvang en stel ook belangrijke vragen zoals:

1 Hoe zijn de ochtenden of middagen gestructureerd? Mogen kinderen kiezen wat ze gaan doen of worden ze op gezette tijden van het ene onderdeel naar het andere gestuurd? Zit er groei in? Worden de oudere kinderen bijvoorbeeld een deel van de ochtend of de middag apart gehouden om ze voor te bereiden op de kleuter- of basisschool? Worden tweelingen automatisch in dezelfde groep geplaatst? Dit kan voor meerlingen misschien heel prettig zijn, maar u moet beslissen wat het beste is voor uw kinderen.

2 Hoe wordt kinderen geleerd om te luisteren? Gebeurt dat uitsluitend met verbale waarschuwingen of wordt er ook gestraft middels uitsluiting of een 'time out'?

3 Heeft de peuterleidster enige ervaring met meerlingen? Wellicht niet, maar dat is een goede vraag om het onderwerp ter sprake te brengen. Misschien heeft de leidster nog niet zo vaak meerlingen gehad, maar is ze bereid literatuur

daarover te lezen of een cursusdag mee te maken. Ervaring is wezenlijk, maar de juiste houding is nog veel belangrijker. Hoed u voor uitspraken als: 'Zo zijn tweelingen nu eenmaal.' In werkelijkheid zijn er maar weinig situaties waarin alle tweelingen op elkaar lijken.

4 Stuurt u de kinderen allemaal naar dezelfde peuterspeelzaal of crèche, vraag dan eens naar korting op de kosten. Het klinkt brutaal en waarschijnlijk zult u die niet krijgen, maar vragen staat vrij.

5 Denk eraan dat u bij uzelf te rade gaat of u de sfeer in de groep prettig vindt. Dit is misschien wel belangrijker voor u en de kinderen dan menige andere factor.

Samen of apart?

Een peuterspeelgroep of crèche kan de ideale oplossing zijn om af en toe met elk kind afzonderlijk wat tijd door te brengen, dus waarom zou u beide kinderen er tegelijk naartoe sturen? Dit is wellicht de eerste keer dat u moet nadenken over een scheiding, maar het is een vraag die tijdens de schooltijd van de kinderen telkens weer aan de orde zal komen.

Het is onmogelijk te zeggen welke optie op lange termijn beter is voor de tweeling. Er is nog geen onderzoek naar gedaan en eigenlijk hangt het af van uw gezin. Uw beslissing wordt beïnvloed door de mogelijkheden, maar ook door uw eigen situatie en voorkeuren. Een tweeling met enige taalachterstand of gedragsproblemen heeft wellicht voordeel van aparte groepen, maar als de kinderen nooit eerder alleen ergens naartoe gegaan zijn, kunnen de kinderen het een traumatische ervaring vinden.

Hebt u een drie- of meerling, dan zijn de mogelijkheden, maar ook uw tijd beperkt. Met een tweeling zal er meestal wat extra speelruimte zijn. Hier volgen enige mogelijkheden:

1 U kunt uw kinderen op verschillende dagen naar dezelfde groep sturen. Op die manier doen ze wel allebei dezelfde ervaringen op en leren ze niet alleen van u, maar ook van elkaar gescheiden te zijn. Doordat ze op verschillende dagen gaan, is de kans kleiner dat de kinderen voor elkaar worden aangezien – in theorie althans! Aan de andere kant hebt u hierdoor minder tijd voor uzelf en het kind dat op een bepaalde dag thuis is, zal zich misschien wat verloren voelen, tenzij u probeert samen met hem iets te ondernemen.

Ongeveer de helft van het semester ging James op maandag en woensdag naar de peuterspeelzaal, en Ben op dinsdag en donderdag. Degene die thuis was, hing maar wat rond en leek niet echt zijn draai te kunnen vinden, terwijl ik steeds geïrriteerder werd.

De consultatiebureau-verpleegkundige maakte me er uiteindelijk op attent dat ik mijn eigen graf aan het delven was.

2 Ze zouden tegelijk naar verschillende groepen kunnen gaan. Dit geeft u meer tijd voor uzelf en ze hebben zo het voordeel dat ze het maximaal aantal dagdelen kunnen bezoeken. Als ze er geen moeite mee hebben om gescheiden te zijn, werkt dat goed, maar als dat niet zo is, zouden ze deze gedwongen scheiding wel eens kunnen zien als straf of beproeving. U moet ook de logistieke kant ervan bekijken. Het kan heel lastig zijn om ze naar verschillende locaties te moeten brengen, vooral als u nog meer kinderen hebt.

3 U zou ze samen kunnen laten gaan. De kinderen leren zo om van u gescheiden te zijn zonder dat ze ook nog eens zonder elkaar moeten. U moet wel bekijken hoe de leiding van de peutergroep of crèche de kinderen behandelt. Misschien zijn ze voortdurend bezig hen te vergelijken, weten ze niet wie wie is of behandelen ze de kinderen als eenheid. Andere kleine kinderen weten vaak heel goed wie wie is, ook bij eeneiige tweelingen, maar als volwassenen uw kinderen voortdurend 'de tweeling' noemen, wordt dat al snel overgenomen.

Ik vond dat ik het de leidster wel voorzichtig kon zeggen, maar het was een verloren strijd omdat alle kinderen het over 'de tweeling' hadden. Zelfs al wisten ze altijd wie wie was, het leek wel alsof het te veel moeite was om hen afzonderlijk aan te spreken en dat was naar mijn idee niet goed.

4 Een oplossing die voor sommige ouders heel goed werkt, is de kinderen een of twee keer per week afzonderlijk te laten gaan en de rest van de tijd samen. Deze mogelijkheid houdt echter wel in dat u degene die niet naar de peuterspeelzaal of crèche is, moet bezighouden. Bedenk dat er ook peuterleidsters zijn die nog wel eens verwarring zaaien, zoals: 'Je hebt gisteren een mooie tekening gemaakt, Harry. Of was het Jack?'

Mijn moeder had de meisjes een voor een: de ene 's morgens en de andere 's middags. Dat was leuk voor het kind en voor haar. Eigenlijk kon ze maar een van de kinderen tegelijk aan, dus dit was een ideale oplossing voor alle betrokkenen – als ik tenminste tussen de middag thuiskwam om een handje te helpen.

Als de kinderen naar de peuterspeelzaal of crèche zijn

Voor u als ouder zijn er heel wat dingen die u kunt doen om de kinderen zoveel mogelijk voordeel te geven van de peuterspeelzaal of crèche:

- Een tweeling hoeft niet altijd alles samen te doen. Samenwerking kan soms goed zijn, maar het kan ook de ontwikkeling van hun individualiteit verhinderen. Ze moeten ook leren omgaan en samenwerken met andere kinderen en niet alleen met elkaar.

  Als uw kinderen nog niet in een aparte groep geplaatst zijn, vraag er dan om. Er zijn peuterleidsters die hen bij elkaar zetten 'om ze op weg te helpen', en daarna vergeten ze weer uit elkaar te halen. In werkelijkheid hebben maar weinig tweelingen de behoefte om de hele tijd naast elkaar te zitten – ook kinderen die heel erg van elkaar afhankelijk zijn, zijn meestal heel tevreden, zolang ze maar weten waar de ander is.

- Help het personeel en andere ouders om het verschil tussen uw kinderen te zien, hoewel liever niet met een etiket of een trui waarop hun naam staat. Namen op de kleren (of op de gymtas, lunchtrommel, enz.) kunnen ook een nadeel blijken, omdat iedere onbekende nu weet hoe ze heten. Het is veel beter om ze verschillend te kleden (ook het haar anders laten kappen) zodat de kinderen en de leiding meteen weten welke van de twee ze voor zich hebben.

- Behandelen andere kinderen de tweeling als eenheid? Alleen als volwassenen hen dat geleerd hebben. U kunt er in elk geval op letten dat *u* ze altijd bij de naam noemt.

Ik wist dat ik gewonnen had toen een nieuwe peuterleidster pas na twee ochtenden ontdekte dat Alex en Kim bij elkaar hoorden. Het feit dat ze allebei verschillend gekleed zijn, heeft daar zeker toe bijgedragen.

- Trek de kinderen kleren aan die vies mogen worden: ze zullen aan het eind van de morgen beslist vies zijn en u zou nijdig kunnen worden als ze bedekt zijn met verf wanneer u ze weer ophaalt. Hebben ze kleren aan die vies mogen worden, dan zult u zich daar prettiger bij voelen. Vochtige doekjes in de auto helpen bij kleverige handjes en soms kunnen plastic zakken in de kofferbak handig zijn bij het vervoer van natte plakwerkjes en tekeningen.

- Als u ze komt halen, vraag dan aan elk kind afzonderlijk hoe het gegaan is. Tweelingen hebben zelden privacy en daarom ligt jaloezie op de loer. Uw kinderen moeten ook voelen dat u geïnteresseerd bent in henzelf. Laat dus niet de een al het nieuws vertellen, hoe leuk hij dat ook doet.

- Als u wilt weten of Becky gehuild heeft toen u wegging, of misschien nog in de hoek heeft moeten staan wegens wangedrag, vraag het dan liever aan een volwassene dan aan haar broertje Sam. Bovendien krijgt u dan misschien iets op de mouw gespeld: veel kinderen vinden het prachtig als hun tweelinghelft in de problemen zit en zullen heel ver gaan om dat te bewerkstelligen.

- Probeer hun pogingen te waarderen, of ze nu een ketting van pastavormen hebben gemaakt of scheve fantasiekoekjes. Het is belangrijk dat u de juiste geluiden maakt, ook al moet u twee keer zoveel mee naar huis sjouwen dan een andere moeder en zal het nieuwtje er zeker snel af zijn.
- Als uw tweeling heel verschillende talenten of interesses heeft, moet u negatieve vergelijkingen zoveel mogelijk voorkomen. De tekening van het ene kind mag dan absoluut niets lijken vergeleken met het zelfportret van de ander, maar met een beetje moeite kunt u altijd wel iets zeggen dat positief, vermakelijk of zelfs belangrijk klinkt. Een moeder koos voor: 'Dat is een geweldige stijl, George – ik denk dat het kubistisch is.'
- Als het uw beurt is om te helpen, blijf dan op de achtergrond, maar neem de gelegenheid te baat om uw kinderen in deze omgeving te bekijken. U zult verbaasd zijn te zien hoe anders ze zich in een groep gedragen. Aan de andere kant zou het ook net als thuis kunnen zijn. Een drielingmoeder merkte op dat die van haar in een peutergroep net als anders samenklitten en nauwelijks enige interactie hadden met andere kinderen. Dit zou bij andere meerlingen ook het geval kunnen zijn.
- Als ze vrienden gaan maken, moet u zich voorbereiden op heel veel uitroepen als 'dat is niet eerlijk!'. Een van de kinderen zou wel eens vaker uitgenodigd kunnen worden dan de ander, althans in het begin. Als de een bij een vriendje wordt uitgenodigd, onderdruk dan de verleiding te vragen of de ander ook mag meekomen. Probeer juist dat moment aantrekkelijk te maken voor het kind dat niet is uitgenodigd. Ga samen iets gezelligs doen. Ga bijvoorbeeld zwemmen, want dat is met twee kinderen heel lastig. Of vraag een ander kind om te komen spelen als een van de tweeling weg is. Misschien wordt de ander ook wel ergens uitgenodigd en staat de stand weer gelijk. Het gebeurt niet altijd, maar het leven is nu eenmaal niet eerlijk.

Voorbereiden op de 'grote school'

Of de kinderen nu naar een peuterspeelzaal of crèche gaan of thuis zijn bij u, de voorschoolse jaren zijn heel belangrijk om hen voor te bereiden op de rest van hun schoolcarrière. Over het algemeen geldt dat hoe meer u in deze periode doet om de persoonlijkheid en de identiteit van de tweeling naar voren te halen, des te gemakkelijker ze het op school zullen hebben – hoewel dat niet altijd het geval is! Het is verbazingwekkend te zien hoeveel tweelingen niet alleen een slaapkamer, maar ook een bed delen als ze zo'n jaar of vijf zijn.

- Doe niet aan drillen, stampen of andere methoden om het leren te versnellen. Dit zijn niet zozeer leermethoden als wel stokpaardjes en, hoe geïmponeerd andere moeders ook mogen zijn, u zult uw kinderen hier waarschijnlijk niet mee helpen.

- Moedig elk kind aan om te leren zich te concentreren – of het nu gaat om een boek, een legpuzzel of constructiespeelgoed – voor vijf tot tien minuten achter elkaar, ook al is zijn tweelingbroer of -zus erbij. Dit is voor heel veel tweelingen ongelooflijk moeilijk, omdat ze gewend zijn zich met elkaars activiteiten te bemoeien.

- Leer ze om de beurt te spelen, praten, enz. Dit is ook weer een vaardigheid die wezenlijk is voor succes in de klas en op het speelplein, en een die u heel gemakkelijk kunt leren met vrijwel elke dagelijkse bezigheid.

- Leer ze communiceren. Zoals in het vorige hoofdstuk al genoemd, zijn tweelingen vaak heel goed in het interrumperen. Veel tweelingkinderen moeten leren om te praten in een juist tempo.

- Moedig de kinderen aan te praten zonder schreeuwen. Ik weet dat het moeilijk is in een huishouden met luidruchtige kinderen en u zult af en toe wel eens uitschieten, al is het alleen maar om boven het kabaal uit te komen.

- Breid hun woordenschat en hun taalvaardigheid zoveel mogelijk uit. Dit betekent dat u tegen elk kind duidelijk, langzaam en aangepast praat (met gebaren die passen bij wat u tegen het kind zegt). Denk eraan dat u oogcontact houdt met het kind waartegen u praat.

- Maak het bekijken van boeken aantrekkelijk. Leen allerlei boeken uit de bibliotheek. Uw kinderen kunnen al heel jong zelf lid worden. Praat over de boeken die u leuk vindt en lees ze voor. Het is altijd goed om elk kind zo mogelijk apart voor te lezen, maar u kunt het verhaaltje voor het slapengaan beter aan hen samen voorlezen dan helemaal niet.

- Geef het goede voorbeeld: in huishoudens waar volwassenen van lezen houden, blijken kleine kinderen dat ook graag te doen. Moedig de tweeling aan om over dingen te praten en te denken. U zou bijvoorbeeld kunnen vragen: 'Waarom denk je dat de bus langzamer gaat rijden als het regent?' Als u het antwoord niet weet als ze iets vragen, beloof dan (een enkele keer) dat u het zult opzoeken en laat het ze alsnog weten. Het zal nog heel lang duren voordat ze zelf een encyclopedie kunnen hanteren, maar dat geeft niet – het gaat erom dat u ze aanmoedigt om na te denken en te laten zien dat ze het antwoord alleen te weten kunnen komen als je ernaar zoekt.

- Leer uw kinderen zichzelf aan te kleden. Dit geldt ook voor eenlingen, maar bij tweelingen is het nog veel verleidelijker (en sneller) om ze zelf aan te kleden, hoewel ze moeten leren het zelf te doen. Hoed u voor een tweeling die elkaar aankleedt: bij een jongen-meisjetweeling zal het meisje soms haar broertje aankleden.

- Gun elk kind af en toe enige privacy van de ander. De meeste tweelingen delen op deze leeftijd een slaapkamer, maar ze hoeven er niet altijd op hetzelfde moment te spelen. Vergroot het een-op-eencontact als dat kan door bijvoorbeeld een van de twee mee uit te nemen.
- Ga er, net als eerder, niet toe over ze te etiketteren of een kunstmatig onderscheid tussen hen aan te brengen.
- Behandel uw kind op een manier die past bij zijn leeftijd. Uw tweeling wordt groter. Natuurlijk groeien kinderen altijd, maar dat merken ouders minder snel, vooral als hun kinderen in de voorschoolse leeftijd nog altijd in een buggy zitten of heel lief zijn om te zien, zoals vaak het geval is bij meerlingen.
- Wees positief over school. Als u slechte herinneringen hebt aan uw eigen schooltijd, zeg daar dan niets over of wees selectief in wat u zegt. 'Ik vond mijn schooltas niet mooi, omdat hij bruin was' is minder alarmerend dan het feit dat u doodsbang was voor de directeur van de school. In feite moet u altijd zo positief mogelijk over de toekomst praten.

Ten slotte moet u zichzelf voorbereiden op de tijd dat de kinderen een aantal uren per dag naar school gaan, waarbij u – waarschijnlijk voor het eerst sinds hun geboorte – weer eens de luxe zult hebben om te beslissen wat *u* wilt gaan doen; het kan zijn dat u weer aan het werk gaat of dat u een cursus bloemschikken gaat volgen. Geconfronteerd met de veeleisende opvoeding van een twee- of meerling, zult u misschien het contact verloren hebben met dingen die u raakten. Als dat zo is, kan het begin van het schooljaar in september een soort mijlpaal zijn, die u de kans geeft eens even aan uzelf te denken. Het is niet aan mij om te suggereren dat het belangrijkste voordeel zal zijn dat u meer vrije tijd hebt. Een van de aardigste kanten van het feit dat de tweeling naar school gaat, is dat u ziet hoe de kinderen genieten van nieuwe ervaringen en deze heel enthousiast met u delen.

> Mijn dochters begroetten me bij de klas met glimmende wangen en ogen als schoteltjes. Ze brandden van verlangen om me de nieuwste ontdekking te vertellen: dat ze vissticks lekker vonden.

U zult zich een beetje leeg voelen als de 'baby's' naar school gaan. Vreemd genoeg zijn het soms de moeders die altijd hun eigen werkkring hebben gehad, die zich het meest verloren voelen wanneer de tweeling naar school gaat.

Hoofdstuk 11

Basisschool

De mooiste jaren van hun leven? Misschien wel: de basisschool is een opwindende plaats, vol kansen om nieuwe vrienden te maken en nieuwe vaardigheden aan te leren, voordat zaken als huiswerk, proefwerken en examens gaan overheersen. Er kunnen echter ook problemen ontstaan en elk jaar weer worden adviesinstellingen op dit gebied overspoeld met vragen over tweelingen op de basisschool.

Ouders hebben duidelijk zorgen over de opleiding van hun tweeling door eerdere problemen met te vroeg geboren zijn of groeiachterstand, of misschien omdat een van de kinderen als baby een poosje in de couveuse heeft gelegen. Medische of fysieke klachten in het verleden kunnen soms invloed hebben op de schoolcarrière van een kind. Ook als dat niet zo is, is het moeilijk te geloven dat alles goed gaat op school als ze zo'n moeilijke start in het leven hebben gehad. Het is begrijpelijk dat er ouders zijn die zich nog jaren zorgen blijven maken over hun ooit zo zieke meerling.

Hoe zal het de tweeling vergaan? Er zijn diverse onderzoeksprojecten die zich hebben gericht op twee- of meerlingen op de basisschool. De eerste grootschalige onderzoeken kwamen uit Australië, waar in 1985 een nationale studie begon, en van de La Trobe University, die sinds 1978 onderzoekt hoe tweelingen het doen op het gebied van gedrag en vaardigheden, zowel thuis als op school.

Nieuwe onderzoeken hebben een waardevol licht geworpen op de manier waarop tweelingen in Groot-Brittannië het doen op de basisschool. Pat Preedy, hoofd van de Knowle Infant School in de Midlands, begon haar onderzoek naar tweelingen op school toen ze in 1992 het recordaantal van negen tweelingen onder haar hoede had. Aangemoedigd door de TAMBA, de Britse Vereniging voor Meerlingen, heeft ze nu een nationaal onderzoek gedaan in 2993 scholen en hoe die omgaan met meerlingen, waarbij in het totaal 11.878 tweelingen, 351 drielingen en 5 vierlingen zijn bekeken. Later in dit hoofdstuk wordt teruggekomen op een aantal van haar bevindingen (en van anderen), die van belang zijn voor ouders.

Samen of apart?

Of een tweeling wel of niet in dezelfde klas komt, is niet noodzakelijk de belangrijkste vraag waar het gaat om hun opvoeding, maar het heeft enorme praktische gevolgen en moet bijtijds bekeken worden. De meeste ouders hebben hierin wel een keuzemogelijkheid, maar de omstandigheden zullen bepalen wat u moet doen als bijvoorbeeld:

- een van de twee speciale behoeften heeft;
- u in een dorp woont waar slechts één klas per leeftijd is.

Zoals een ouder zegt:

> Voordat we hierheen verhuisden, kreeg ik te horen dat het gebruikelijk was tweelingen te splitsen en ze in twee verschillende klassen binnen de school te plaatsen, maar toen we hiernaar informeerden, kregen we te horen dat dat op geen van de drie basisscholen mogelijk was. Als we de meisjes in verschillende klassen wilden hebben, zouden ze naar verschillende scholen moeten met alle gevolgen vandien, en dat was voor ons praktisch onmogelijk.

Laten we eerst eens kijken naar de mogelijke voor- en nadelen van het scheiden van een tweeling op de basisschool.

Tweelingen die in dezelfde klas zitten, kunnen:

- zoveel voordeel hebben van elkaars aanwezigheid, dat ze het gemakkelijker zullen vinden om van thuis en hun ouders weg te zijn;
- academisch voordeel hebben van elkaars concurrentie (als ze heel veel dezelfde talenten hebben, fungeert de een als aanjager voor de ander);
- heel verwarrend zijn voor de onderwijzer, vooral als ze eeneiig zijn – maar sommige onderwijzers hebben er ook moeite mee twee-eiige tweelingen van dezelfde sekse te onderscheiden;
- naar elkaar trekken ten koste van het leren en hun gedrag (dit lijkt vooral te gebeuren als ze naast of dicht bij elkaar zitten);
- elkaars werk controleren (en blijven vastzitten in hun tweelingstijl);
- als eenheid werken, waarbij het ene kind bepaalde taken op zich neemt en het andere andere taken;

- zo nauw samenwerken dat ze elkaars werk overnemen, in de klas, maar ook thuis;
- verdacht worden van spieken, ook al doen ze helemaal niets samen; het is tenslotte zo dat veel tweelingen dezelfde fouten maken;
- proberen elkaar in de problemen te brengen, waarbij het ene kind het andere beschuldigt van wandaden die het zelf heeft begaan;
- samenzweren of eventueel wangedrag dekken zodat de volwassene niet weet wie ervoor gestraft moet worden;
- in de klas de aandacht trekken door zich te misdragen;
- problemen krijgen als ze niet even begaafd zijn en er een voortdurend achterblijft;
- problemen veroorzaken als de ene dominant is en de andere zo afhankelijk van hem is dat hij niet in staat is zelfstandig te werken of contacten te leggen;
- ten onrechte met elkaar vergeleken worden – ook al zijn ze allebei even begaafd, dan nog zullen sommige onderwijzers weinig vleiende en onnodige vergelijkingen tussen hen maken.

Tweelingkinderen in aparte klassen zullen:

- gemakkelijker zelf vrienden maken (maar dat is niet altijd het geval – bedenk dat de school maar enkele uren per dag duurt en dat een deel van die tijd op het schoolplein wordt doorgebracht);
- minder verwarrend zijn voor de onderwijzers; het personeel zal elk van de tweelingkinderen daardoor beter kennen;
- in hun eigen tempo kunnen werken zonder zich zorgen te maken over de vorderingen van de ander – dat is belangrijk als beide kinderen heel verschillend begaafd zijn of een andere houding met betrekking tot schoolgaan hebben;
- meer privacy genieten, iets dat een tweeling zelden heeft;
- zich in de klas beter gedragen omdat de een de ander niet kan afleiden;
- minder hoeven wedijveren en zich daardoor beter gedragen;
- elkaar aan het eind van de dag meer te vertellen hebben;
- de onderwijzers vergelijken – en een van hen 'achterlijk' vinden! (Deze laatste factor kan een punt van discussie worden als de manier van lesgeven of orde houden verschilt. Een van de twee kan bijvoorbeeld voortdurend hogere cijfers krijgen terwijl zijn werk en zijn gedrag nauwelijks verschillen van dat van de ander.)

Dus, samen of apart? Er bestaat geen eenduidig antwoord en het gaat erom welke keuze het beste in uw tweeling naar boven brengt. Veel opvoedkundigen zullen het erover eens zijn dat het niet bewezen is dat gescheiden klassen per se goed zijn voor de individuele ontwikkeling van tweelingen. Bij de beslissing wat juist is voor uw kinderen, zult u twee grote factoren moeten laten meespelen: de talenten van de tweeling en hun relatie met elkaar.

Hebt u een jongen-meisjetweeling, dan zullen de onderwijzers het niet zo moeilijk vinden hen uit elkaar te houden, maar een mogelijk probleem kan zijn dat meisjes vaak iets verder zijn, vooral op gebied van taal, en in de klas de verantwoordelijkheid naar zich toe zullen trekken (ze zou ook het werk van haar tweelingbroer kunnen doen).

Is een van de twee dominant, dan zal het voor de afhankelijkste van de twee een voordeel zijn om in een andere klas te zitten (of zelfs op een andere school), hoewel de dominantste het moeilijk zal vinden om het in zijn eentje te doen.

Kan de tweeling goed zelfstandig functioneren? Als dat zo is, dan is de scheiding minder belangrijk, maar als een van de twee zich aan zijn verantwoordelijkheden onttrekt, dan kunnen ze allebei voordeel hebben van een aparte plaatsing.

Zijn er duidelijk fysieke verschillen tussen de kinderen? Een tweelingkind dat minder zelfvertrouwen heeft omdat het kleiner en minder gezond is dan de ander, of zich minder gelijkwaardig voelt, kan iets meer zelfvertrouwen krijgen als het eens uit de schaduw van zijn tweelingbroer of -zus komt.

Kijk ook of ze elkaar sterk beconcurreren. Kan elk kind zich goed concentreren of worden ze door elkaar afgeleid? Soms kunnen gelijkgestemde tweelingen een brandbaar mengsel vormen.

Wat is er nog meer aan de hand in het gezin: een scheiding, een sterfgeval of een verhuizing? Op zulke moeilijke momenten kunnen tweelingen heel veel steun aan elkaar hebben, dus kunt u ze beter niet scheiden.

Veel tweelingen die naar school gaan, zijn nog nooit zonder elkaar geweest, zoals bevestigd wordt door het onderzoek van Pat Preedy. Er zijn tweelingen die alleen van elkaar gescheiden zijn geweest als gevolg van een onaangename gebeurtenis, bijvoorbeeld doordat een van hen naar het ziekenhuis moest. Onder die omstandigheden hebben ze allebei extra steun en begrip op school nodig.

Is de tweeling al eens van huis geweest, naar een peuterspeelzaal bijvoorbeeld? Hoe vaak en hoe lang zijn ze normaal gesproken gescheiden? Misschien hebben ze eens een weekend alleen bij opa en oma doorgebracht? Denk eens na over hun beeld van een scheiding: is dat leuk of zal het een straf zijn? Vinden ze elkaars gezelschap prettig?

Het is de moeite waard al deze punten eens nader te bekijken. U hoeft niet beslist iets te doen omdat de kinderen dat willen, maar hun gezichtspunt moet wel meespelen. Tweelingschap geeft een bijzondere band, die je niet moet negeren of met geweld moet proberen te doorbreken.

Drie- en meerlingen

Als u besluit uw drieling in verschillende klassen te plaatsen, hoe gaat dat dan in de praktijk? Er zijn maar weinig scholen waar drie parallelklassen haalbaar zijn. De twee kinderen die het meest aan elkaar hangen bij elkaar in een klas zetten, kan een oplossing zijn, maar dan kan de derde zich buitengesloten voelen. Voor sommige drielinggezinnen is het een oplossing om het kind van het andere geslacht apart te zetten, voor andere is dat om het twee-eiige paar bij elkaar te zetten. U zult er misschien op uitkomen de kinderen naar twee of meer verschillende scholen te sturen, maar bedenk wel dat dat heel veel extra inspanning vereist, vooral als ze verschillende schooltijden hebben.

> Eigenlijk vond ik het heerlijk de kinderen op verschillende momenten thuis te hebben, vooral als ze eens een dagje vrij hadden. Het kwam niet vaak voor, maar als dat gebeurde, betekende dat een heel speciale dag met een of twee van de drieling in plaats van het hele stel.

Aan de andere kant is er geen reden waarom de drieling (of de vierling) niet bij elkaar in de klas zou kunnen zitten, vooral als er binnen de klas verschillende groepen bestaan. Hoe meer kinderen er zijn, hoe minder mogelijkheden u hebt. Een school zou ook 'uit principe' kunnen weigeren alle drie de kinderen te plaatsen: er zijn directeuren die vinden dat ze niet alle beschikbare plaatsen aan één gezin kunnen geven. Bedenk dat u het recht hebt te protesteren tegen beslissingen die u niet in het belang van uw kinderen vindt.

Beleid van de school

Sommige scholen hebben als regel dat ze tweelingen in aparte klassen plaatsen (of minder vaak, ze juist bij elkaar zetten), ongeacht de omstandigheden.

Het kan alleen verkeerd zijn om een vaste strategie te hanteren voor de omgang met twee- of meerlingen. Zoals opvoedkundigen met bijzondere belangstelling voor meerlingen vaak zeggen, is het beste beleid geen beleid – of eigenlijk geen strikt beleid. Tweelingen dienen te worden opgevoed tot zelfstandige mensen met eigen waarden en een algemene regel kan een voorwendsel zijn om niet goed over de zaken na te denken.

Als het beleid op een school toevallig past bij wat u voor uw kinderen wilt, dan is dat prima. Als dat niet zo is, kunt u het aan de orde stellen.

In de praktijk

Wat gebeurt er als er geen resoluut beleid is inzake meerlingen? De beslissing over de plaatsing wordt meestal collectief genomen door directie, klassenonderwijzer en ouders. Als uw mening niet gevraagd wordt, maak die dan bekend. Soms wordt de beslissing genomen om twee- of meerlingen bij elkaar te houden op basis van twijfelachtige redenen, zoals de geboortedatum!

In de praktijk beginnen de meeste tweelingen op de basisschool in dezelfde klas. Preedy's onderzoek toont aan dat twee keer zoveel kinderen bij elkaar zaten dan apart in de eerste jaren. Veel tweelingen zullen heel tevreden aan de school beginnen als ze weten dat ze niet zullen worden gescheiden. Op die manier kunnen ze leren om onafhankelijk van u te zijn zonder dat ze tegelijk ook nog eens van elkaar gescheiden worden. Dit zorgt ervoor dat een enkele moeder zich aan de kant gezet voelt:

> Op de eerste dag gingen ze samen de klas binnen zonder ook maar achterom te kijken, terwijl ik daar stond met een enorme brok in mijn keel.

Als de tweeling in dezelfde klas zit, is het meestal het beste dat ze in verschillende groepen binnen de klas geplaatst worden, zodat ze niet aan elkaar klitten, elkaar afleiden of samenzweren als ze zelfstandig moeten werken.

> Sam en Robert kwamen op de nieuwe school naast elkaar te zitten, maar ze hebben zich daar nooit een eigen plek verworven, omdat ze voortdurend vochten in plaats van samen te werken. De onderwijzeres belde me om te vertellen dat ze heel veel problemen met de jongens had en vroeg wat ik dacht dat er aan de hand was – waren er thuis misschien problemen? Ik moest haar vertellen dat het helemaal haar zaak was. De problemen waren voorbij toen ze aan aparte tafels werden gezet en al snel alle andere kinderen in de klas overtroffen! Ik barstte van trots toen ik begreep wat ze allemaal konden.

Heel veel tweelingen komen later in hun basisschooltijd in verschillende klassen terecht en die beslissing wordt vaak aan het eind van het eerste jaar genomen. Sommige kinderen gaan vanaf een jaar of zeven hun eigen weg. Let echter wel op als ze gescheiden zijn: als het ene kind in de oude klas blijft en het andere naar een andere klas gaat, waarbij het zowel zijn vriendjes als zijn tweelingbroer of -zus achterlaat, zou dat wel eens heel moeilijk kunnen zijn. Hij zal er, begrijpelijk, verontwaardigd op reageren en het zal een enorme opdracht voor hem zijn om in een nieuwe groep opnieuw te beginnen, terwijl de andere van de tweeling geen problemen heeft.

Als ze in verschillende klassen geplaatst worden, kan het goed zijn om wel het lokaal van de ander eens te bezoeken, zodat ze van elkaar weten waar de ander het grootste deel van de dag doorbrengt. Als het om verschillende scholen gaat, kan dat nog veel belangrijker zijn.

De balans opmaken

Geen enkele beslissing moet onomkeerbaar zijn: u weet op het moment van beslissen niet wat juist is en grootbrengen is een enorm experiment. Het is goed om de voortgang regelmatig te heroverwegen, mogelijk aan het eind van het schooljaar of als u of de onderwijzer dat raadzaam vindt. Het belangrijkste is om flexibel te zijn. Het doet niet echt terzake of de kinderen samen of apart zitten, zolang ze maar gelukkig zijn en vorderingen maken. En dat hangt heel erg af van de houding waarmee ze op school en thuis tegemoet getreden worden.

Onderwijzers en tweelingen

De laatste jaren is men zich in toenemende mate bewust geworden van het vraagstuk omtrent tweelingen op één school, maar toch zijn er altijd deskundigen die onwetend zijn. Vrijwel elke onderwijzer zal wel een keer in zijn carrière met een tweeling te maken krijgen, maar tijdens de opleiding wordt over dit onderwerp nauwelijks gesproken.

Sommige onderwijzers zullen generaliseren naar aanleiding van de vorige tweeling die ze gehad hebben, maar uiteraard is er niet iets als de 'typische tweeling'. Er zijn tweelingen die zich nauwelijks bewust zijn van elkaar, maar andere zijn heel nauw met elkaar verbonden terwijl weer andere in de klas voortdurend vechten (niet de uwe, moet u maar hopen…).

Bij het begin van het schooljaar zult u niet weten welke ervaring de onderwijzer van uw kinderen met meerlingen heeft. De kans bestaat dat het personeel het heel goed wil doen en dus zal openstaan voor adviezen. Ik heb dit ook wel gezien, en mijn eigen tweeling heeft een aantal onderwijzers van de bovenste plank gehad. Het is echter niet realistisch te denken dat de onderwijzer van uw kinderen ervaren is in de omgang met meerlingen. Er zijn ouders die bijvoorbeeld ontdekken dat hun tweeling een gezamenlijke basisbeoordeling krijgt. Dergelijke situaties kunnen misschien worden voorkomen door vroeg in het schooljaar uit te zoeken hoe een onderwijzer de tweeling in zijn klas behandelt.

Helaas is een groot deel van het materiaal in de klas niet erg handig. Tweelingen vormen vaak het onderwerp van boeken. Vaak staan die vol verhalen over uiterst stereotiepe tweelingen – de tweeling die niemand uit elkaar kan houden, die altijd tegelijk praat, dezelfde kleren draagt en altijd dezelfde dingen tegelijk wil doen 'omdat ze een tweeling zijn'.

Veel onderwijzers willen graag meer leren en we leren allemaal voortdurend. Iedereen die erbij betrokken is, ouders en onderwijzers, moet in elk geval naar de ander kunnen luisteren. In uw gesprekken met de onderwijzer van uw tweeling is samenwerken een betere strategie dan confronteren. Houd de communicatielijnen open. Dit zorgt er ook voor dat u weet wat er in de klas gebeurt.

Hoe meerlingen het op school doen

De meeste tweelingen gaan zonder al te grote problemen naar school, maar het gebeurt wel eens (net als bij alle kinderen) dat ze moeilijkheden hebben, vooral met taal en lezen. Komen die meer voor bij tweelingen?

Er zijn geen duidelijke verschillen tussen eenlingen en meerlingen qua intelligentie, op het gebied van rekenen of andere onderwerpen, maar een Australisch onderzoek wijst er duidelijk op dat leesproblemen vooral veel voorkomen bij tweelingen en dan vooral bij jongens. Hoewel het Australisch onderzoek aantoont dat de meeste tweelingen op school geen problemen hebben, benadrukt het de veronderstelling dat problemen op school meer voorkomen bij:

- eeneiige (MZ) tweelingen;
- mannelijke tweelingen;
- tweelingen met een broertje of zusje dat twee tot drie jaar ouder is;
- tweelingen die thuis een andere taal spreken.

Het zou niet zo gek zijn om problemen bij de bevalling of andere medische problemen toe te voegen aan deze lijst van risicofactoren.

Er is enige controverse omtrent de vraag hoe tweelingen het op school doen. Nieuw onderzoek geeft aan dat ze het niet slechter doen dan eenlingen, dus zou het tweeling-zijn op zich geen handicap hoeven te zijn als het om prestaties gaat.

Een recent project, gericht op de voortgang die kinderen op school maken, werd opgezet om te zien welke waarde het onderwijs toevoegt. Het is bijvoorbeeld bekend dat sommige scholen betere resultaten boeken dan andere, maar in sommige gevallen komt dat alleen voort uit het feit dat ze weinig leerlingen uit achterstandswijken hebben. Met andere woorden: om te weten hoe goed een school het doet, moet je kijken naar het niveau waarop elk kind binnenkomt en waar je verwacht dat het kind zal komen. Als kinderen meer presteren dan verwacht, is dat de toegevoegde waarde.

Mogelijke problemen op school

Van tijd tot tijd lijken problemen de kop op te steken bij tweelingen. Het is verleidelijk aan te nemen dat ze wel over het probleem heen zullen groeien, of dat het gewoon gebeurt omdat ze een tweeling zijn. Beide kanten zijn soms waar, maar soms kan en moet er actie ondernomen worden.

Lezen

Veel kinderen hebben problemen met lezen. Sommige leren later lezen dan andere, sommige lezen onzorgvuldig en enkele lijken het wel te kunnen, maar vinden het gewoon niet leuk. Desalniettemin stelt een Australisch overzicht dat jongenstweelingen met leesproblemen in sommige opzichten verschillen van eenlingen die niet goed kunnen lezen:

- Ze hebben vaker problemen met praten.
- Ze spellen vaak ook slecht.
- Ze lezen vaak de letter d als b (en omgekeerd).
- Ze lezen snel maar onzorgvuldig, alsof ze haast hebben.
- Ze hebben soms ook problemen met cijfers.

Leesproblemen verbeteren soms in de loop van de tijd, maar niet altijd. Als een van de twee problemen lijkt te hebben, is het de moeite waard daar al vroeg in de schooltijd iets aan te doen, want veel hangt af van het kunnen lezen. U zult nauw contact moeten houden met de onderwijzer en misschien is er advies van een kinderpsycholoog nodig. Het is altijd raadzaam het gezichtsvermogen van het kind te testen.

De behoeften variëren per kind. Soms is wat hulp van een ouder voldoende door samen thuis te lezen. Als u dat doet, moet u wel zorgen dat het kind zorgvuldig leert lezen. Houd niet alleen maar uw vinger onder de tekst: een tweelingkind heeft vaak de neiging te gaan jagen en zal de tekst niet begrijpen, dus doe het rustig aan en stel regelmatig vragen om te controleren of het kind de tekst begrepen heeft.

Ondersteuning bij het leren is soms heel noodzakelijk. Dit gebeurt meestal op school, maar als er sprake is van leesproblemen, zou u nauw met de onderwijzer kunnen samenwerken. Meer over speciale behoeften in het onderwijs vindt u in hoofdstuk 14.

Als slechts een van de twee moeite heeft met lezen, moet u hem helpen deze ongelijkheid te aanvaarden. Het is moeilijk om anders te zijn dan je tweelingbroer of -zus (vooral als dat minder goed is) als de hele wereld verwacht dat je hetzelfde zult zijn. Leer het kind te begrijpen dat twee mensen nooit hetzelfde kunnen zijn in iets, of dat nu voetballen of lezen is. Maar negeer de prestaties van de betere helft van de tweeling niet!

Wangedrag

Problemen zijn beslist niet onvermijdelijk, maar van alle problemen is slecht gedrag waarschijnlijk het duidelijkst op school en thuis. Het kan te maken hebben met taal- en leesproblemen, maar dat is niet altijd het geval. In feite gedragen heel begaafde kinderen zich vaak slecht omdat ze zich vervelen en ook omdat hun intellectuele mogelijkheden hun sociale vaardigheden overtreffen. Volgens onderwijzers en tweelingouders lijken bepaalde gedragsvormen de meeste aardverschuivingen te veroorzaken. Deze worden hierna besproken.

Vechten en agressief gedrag

Vechten, dat wordt behandeld in hoofdstuk 9, komt zeker veel meer voor bij tweelingen, vooral bij jongens op basisschoolleeftijd.

> Ik dacht dat alles prima ging omdat ze thuis zo gezellig waren. Maar een van hun medeleerlingen vertelde me dat ze elkaar in de pauze altijd sloegen. Het was waar, ontdekte ik na een aantal ontmoetingen met hun onderwijzeres. Ik zag er steeds meer tegenop om ze om half vier uit school te halen omdat ik bang was dat ze naar buiten zou komen met weer de een of andere klacht.

Vaak richt de agressie bij tweelingkinderen zich alleen tot elkaar: ze meppen elkaar bij de geringste aanleiding, maar steken geen vinger uit naar andere kinderen.

Een van de problemen is uit te zoeken wat er op school gebeurd is. Dat kan zelfs voor een onderwijzer al moeilijk zijn op het moment dat het gebeurt. Tegen de tijd dat de tweeling 's middags uit school komt en de kinderen hun versie geven van de gebeurtenissen – vaak tegelijkertijd en op hoge, opgewonden toon – zijn de verhalen soms al zodanig verminkt dat de realiteit niet meer herkenbaar is.

Het is niet altijd duidelijk wie er begonnen is en waarom, en vaak doet het ook niet terzake. Het punt is dat kinderen die vechten, moeten leren dat ze daar niets mee opschieten.

Het kan lastig zijn om een tweeling te leren gehoorzamen, vooral een tweeling die geen waardering van een volwassene nodig lijkt te hebben. Ook eenlingen kunnen echter niet worden *gedwongen* iets te doen, u kunt kinderen alleen maar overhalen het te *willen*.

Over het geheel genomen is een school heel goed in staat om te gaan met problemen die uit de school voortkomen, maar een school heeft wel de steun van de ouders nodig. Bij het omgaan met een vechtende tweeling kan het helpen om:

- de kinderen voortdurend bezig te houden;
- de kinderen te helpen zelf vrienden te maken;
- goed gedrag te belonen;
- de kinderen te verzekeren dat vechten onvermijdelijk leidt tot sancties (laat u niet vermurwen als ze u twee minuten na de laatste vechtpartij verontschuldigend omhelzen).

Een beetje afstand tussen de vechtersbazen kan ook wonderen doen. Dit is misschien een goede gelegenheid om de kinderen wat vaker afzonderlijk mee uit te nemen of aparte slaapkamers te overwegen, als dat mogelijk is. Vaak is een van de twee agressief omdat hij zich in enig opzicht misbruikt, achtergesteld of minder voelt. Als dat zo is, zou hij wel eens veel minder boos of gefrustreerd kunnen reageren als zijn gevoel van eigenwaarde opgekrikt wordt.

Concurrentie

Dit kan een ander facet van hetzelfde probleem zijn: rivaliteit. Het kan ook, net als vechten, een uiting zijn van de vraag om aandacht. Enige concurrentie is gezond: een tweelingkind kan normen stellen die de ander nastreeft (en als hij net zo begaafd is, zal hij die bereiken).

> Mijn twee jongens lijken als twee druppels water op elkaar wat betreft uiterlijk en schoolwerk. In de klas werden ze beschouwd als een potentiële ramp omdat ze zoveel vochten, maar de lokale school had geen keus omdat er maar één klas was. Het ging echter heel goed. Ze hitsten elkaar zo op dat ze allebei de beste van de klas waren (allebei samen, want hun cijfers waren hetzelfde). Ze zijn meer dan een jaar voor met rekenen en veel andere vakken. Hun oudere zus is net zo goed, maar ze bereikt vaak minder. Omdat ze een eenling is, heeft ze waarschijnlijk niet zo'n prestatiegerichte kant.

Competitie tussen tweelingen kan echter ook leiden tot afgeraffeld werk, fouten, elkaar in de klas in de rede vallen, zinnen voor de ander afmaken – en de onderwijzer danig op de zenuwen werken als de tweeling in dezelfde klas zit.

Ze kunnen echter ook met elkaar strijden om vrienden en in de sport. Als ze op verschillende scholen zitten, kan de een op sportdagen geweldig zijn, terwijl de tweelingbroer of -zus niets presteert.

> Ik wist dat ze allebei goed werk konden leveren, maar ze hadden het zo druk met het in de gaten houden van elkaars vorderingen (en hun pogingen om als eerste te finishen) dat het hun klassenleraar danig op de zenuwen werkte. Ik denk dat ze nauwelijks bereikt hebben wat ze hadden kunnen bereiken. Als ik de meisjes zo neerzette dat ze elkaar niet konden zien, dan draaiden ze zich toch steeds weer om en staken ze hun nek uit…

Er zijn onderwijzers die altijd en overal commentaar hebben op het feit dat tweelingen zich voortdurend bewust zijn van elkaars nabijheid. Als het in de klas storend werkt en tijd kost, kan het beter zijn om ze in twee verschillende klassen te zetten.

Vergelijkingen tussen tweelingen

We vergelijken allemaal mensen en dingen en als er een ander kind van precies dezelfde leeftijd in de buurt is, is de verleiding voor de meeste mensen wel heel groot. Op sommige momenten is dat zinvol: u kunt dan zeggen dat Natalie koorts heeft, omdat haar voorhoofd zoveel warmer aanvoelt dan dat van Julie bijvoorbeeld.

Meestal is het minder handig. Vreemd genoeg worden de talenten van een tweeling vaak vergeleken als de verschillen vrijwel nihil zijn, waardoor het belang ervan buiten proporties groeit. Het is heel gewoon dat het ene tweelingkind wordt beschouwd als minder goed, of zelfs traag, als zijn prestatie vrijwel gelijk is aan die van de ander. Het kind zal waarschijnlijk de meeste klasgenoten op dat gebied ook voor zijn, maar het feit dat zijn tweelingbroer of -zus iets beter is dan hij, kan ertoe leiden dat hij op een ongezonde manier opvalt bij zijn ouders – en vaak ook bij de kinderen. Het kan gebeuren dat een verschil van twee procent bij een rekentest tot een knokpartij leidt.

De meeste ouders koesteren de verschillen tussen de kinderen, waardoor het vooral heel moeilijk is vergelijkingen te vermijden. Maar vergelijkingen kunnen heel veel invloed hebben op de waarnemingen, verwachtingen en ambities van de kinderen zelf, en zouden het zelfvertrouwen van een van beiden lelijk kunnen schaden. Een ander gevaar is dat vergelijken, net als etiketteren, soms verkeerd is. Deze week kan Ruth beter lezen, maar over een paar weken kan dat Becky wel weer zijn.

Verschillende talenten

Een begaafder kind kan gemakkelijk de pogingen van zijn tweelingbroer of -zus overschaduwen. Aan de andere kant kan de ander hem vaak zo goed helpen met huiswerk, dat verschillen in begaafdheid lange tijd onopgemerkt blijven.

Het wordt heel moeilijk voor ouders als er echte verschillen in begaafdheid of prestatie zijn. Als het ene kind meer presteert, dan presteert het andere noodzakelijkerwijs minder. Als de een de winnaar is, zal de ander per definitie verliezen. We zeggen dat we van alle kinderen evenveel houden, en misschien is dat voor sommige mensen ook wel zo, maar het lijdt geen twijfel dat sommige gezinnen – universitair geschoolde en muzikale gezinnen zijn twee duidelijke voorbeelden – een heel hoge waarde toekennen aan bepaalde talenten en prestaties en andere minder zullen waarderen.

Het is belangrijk te zien dat het minder academische kind ergens goed in is en kan genieten van zijn prestaties. Anders kan het zelfvertrouwen wel eens te sterk dalen. Soms kunnen tweelingen heel handig in verschillende activiteiten geleid worden, vooral bij de keuze van een sport of een muziekinstrument, maar er moeten geen verschillende interesses worden verzonnen of de eigen voorkeuren en talenten van het kind mogen niet worden genegeerd. Misschien willen ze inderdaad wel allebei op vioolles of voetballen. Het kan vreemd genoeg beter zijn voor hun ontwikkeling tot individu als ze allebei naar hetzelfde gaan. Maar als het u lukt, is het soms beter voor de kinderen om dat los van elkaar te doen.

De genoegens

Net als de meeste boeken over opvoeden is dit boek gericht op de moeilijkheden en eisen van het grootbrengen van kinderen – in dit geval meerlingen. Tweelingen die voor het eerst naar school gaan, kunnen hun ouders veel plezier bezorgen en het is de moeite waard even stil te staan bij het plezier en de voordelen te tellen. Hier enkele commentaren van ouders:

Ik ging weer aan het werk. Het leven was uiteindelijk weer normaal.

Het ontroerde me te weten dat we dit stadium hadden gehad. Toen ze zo klein en prematuur waren, waren er dagen dat dat onmogelijk had geleken.

Het beste? Zonder twijfel de eerste schoolfoto. Andere ouders hebben gewoon een foto van één kind, maar ik kreeg er een van hen samen, met hun gezichtjes schoongeboend en hun ogen stralend als altijd.

Ze vonden het heerlijk op school en gingen er vrijwel elke morgen dolblij naartoe. Maar ze waren altijd weer net zo blij als ik op het plein stond als de school uit was. Elke middag word ik bijna omvergelopen als ze me willen begroeten met een dubbel aantal knuffels. Ik weet dat er moeders zijn die me benijden.

Ze maken nieuwe vriendjes. Tweelingen zijn nogal populair bij andere kinderen en geen van de kinderen heeft er moeite mee ze uit elkaar te houden.

Twee bergen kunstwerken om te koesteren. Ik heb ook een aantal schilderijen ingelijst. Ze hangen zo mooi naast elkaar.

En het lijdt geen twijfel dat u nog andere voordelen zult kunnen bedenken.

Wat ouders kunnen doen
• Help elk kind zich tot een individu te ontplooien. Dit is vooral belangrijk voor tweelingen van dezelfde sekse. Meisjes en (sommige jongens) kunnen een verschillend kapsel hebben.

- Spreek niet over de kinderen als 'de tweeling' of 'de drieling' als het te vermijden is. Zoekt u een collectief zelfstandig naamwoord, noem ze dan 'mijn/de kinderen'.
- Wees alert voor onderwijzers en anderen die hen als eenheid behandelen. U kunt hen er rustig op wijzen dat dit voor de kinderen pijnlijk kan zijn. Een moeder was uiterst verontwaardigd toen ze ontdekte dat de onderwijzer hen Knabbel en Babbel noemde, en de medeleerlingen dat helaas al snel overnamen.
- Zorg dat elk kind zijn eigen rapport, briefjes, geld, enz. in een aparte envelop meeneemt voor de onderwijzer. Anders kunnen ze elkaar wel eens rollen toewijzen en volhouden dat 'Kim altijd de rapporten mee terugneemt'.
- Vraag de kinderen zo af en toe of de onderwijzer hen door elkaar haalt. U zult verbaasd zijn te horen dat sommige tweelingen een onjuiste opvoedkundige beoordeling krijgen, omdat de onderwijzer hen niet goed uit elkaar kan houden.
- Vertelt het ene kind vaak het nieuws van de ander? Moedig elk van de kinderen aan om u om beurten te vertellen hoe de schooldag is geweest. Vraag 'Daniëlle, hoe is jouw dag geweest?' Ook al antwoordt ze met 'Saai' of 'Er is niets gebeurd', dan heeft ze toch even uw onverdeelde aandacht. Ze zullen op termijn wel leren om de beurt te praten.
- Kinderen hebben persoonlijke ruimte nodig in de letterlijke zin van het woord, maar een tweeling krijgt die zelden. Als ze nog altijd een slaapkamer delen, kan elk misschien een eigen bureau of boekenplank krijgen.
- Help elk kind zelf vrienden te maken. Misschien geeft dat in het begin wat problemen, vooral als ze nooit eerder vriendschap hebben gesloten, of zal een van de twee meer uitgenodigd worden dan de ander.
- Maak tijd vrij om het rapport van de kinderen te bekijken; zet zonodig de kookwekker om te laten zien dat u echt heel eerlijk bent.
- Zorg dat u elk kind apart feliciteert als het iets gepresteerd heeft. Sommige ouders (en onderwijzers) feliciteren het kind niet apart, uit angst de ander te kwetsen. Hoewel het waar is dat het tweelingkind dat het niet zo goed heeft gedaan als zijn broer, dit verkeerd kan opvatten, heeft het toch geen zin om hem te straffen, met andere woorden niet te prijzen. Net als elk kind vindt hij het heerlijk als er aandacht aan zijn prestatie wordt besteed. Dit kan koorddansen zijn, maar anders zou het toch niet eerlijk zijn?

Omgaan met onderwijzers

- Ga er niet van uit dat het schoolleven gewoon een afspiegeling is van wat er thuis gebeurt. Soms vechten tweelingen thuis, maar niet op school en omgekeerd. Zoals een kind van zeven zei: 'Het·kan niet altijd leuk zijn.'

- Stel uzelf open voor onderwijzers, bereid om eventuele probleempjes die gerezen zijn, te bespreken voordat het echt zorgen geworden zijn. Onderwijzers stellen dat op prijs en u zult uiteindelijk een betere relatie met hen hebben.
- Noem altijd medische problemen of moeilijkheden thuis die invloed kunnen hebben op het gedrag van de kinderen op school.
- Vergeet niet de onderwijzer(es) te vragen of ze de kinderen wel eens door elkaar haalt. U zult verbaasd zijn te zien hoe vaak onderwijzers een eeneiige tweeling verwarren – en ook twee-eiige tweelingen van dezelfde sekse. Er kunnen manieren zijn om hem of haar te helpen hen uit elkaar te houden.
- Probeer uit te zoeken wat er in de klas gebeurt. Zitten de kinderen bijvoorbeeld in verschillende groepen? Vraagt het kind wel eens hulp aan de onderwijzeres? Als dat zo is, is dat dan voor hemzelf of voor de ander? Wordt elk kind op zijn eigen waarden beoordeeld? U zult verbaasd zijn te ontdekken dat sommige onderwijzers het ene kind tegenhouden (met spellen, klokkijken, lezen of wat dan ook) als het andere nog niet klaar is.
- Wat gebeurt er in de pauze? Spelen uw kinderen alleen met elkaar of mengen ze zich ook onder de anderen?
- Overleg met de onderwijzer over eventueel huiswerk. U zult uw kinderen waarschijnlijk niet zo goed thuis kunnen helpen als u een tweeling hebt – en nog minder als u een drie- of een vierling hebt. Als u met elk kind 's avonds moet lezen, dan is het heel belangrijk voor de kinderen dat ze een verschillend boek hebben. Probeer ook dingen als projecten uit te zoeken. Uw kinderen zullen misschien kibbelen over wie het bibliotheekboek over vikingen mag lenen. Zorg dat de kinderen niet hetzelfde huiswerk krijgen, gewoon omdat ze een tweeling zijn, terwijl iedereen in de klas iets anders doet (en het is bekend dat zulke dingen gebeuren).
- Bij schoolreisjes moeten tweelingen van dezelfde sekse zoveel mogelijk in verschillende groepjes worden ingedeeld, alleen al omwille van de veiligheid.
- Regel verschillende afspraken voor elk kind op een ouderavond: misschien dat er een andere ouder tussen uw twee afspraken in kan gaan om de lijnen zuiver te houden.
- Vergelijk uw kinderen niet. Zelfs voor vastbesloten ouders is het heel moeilijk om het te vermijden, maar elk kind mag en moet als een zelfstandige persoon worden beschouwd.

Een meerling als individu behandelen is op school net zo belangrijk als elders, maar natuurlijk blijft het een tweeling, hoeveel of hoe weinig ze ook op elkaar mogen lijken. Ze zullen altijd weer heel veel aandacht trekken. En waarom zouden ze niet mogen genieten van het feit dat tweeling-zijn iets bijzonders is?

Hoofdstuk 12

Middelbare school

Welke keuzes u ook hebt gemaakt voor de basisschool van de kinderen, als ze naar de middelbare school gaan, moeten er opnieuw keuzes worden gemaakt, en moet er rekening worden gehouden met geheel andere omstandigheden – allemaal in de moeilijke tijd dat uw kinderen veranderen in wispelturige tieners.

Behalve het verstrekken van onderwijs, moet de middelbare school de tweeling ook de kans geven onafhankelijk van elkaar te worden, terwijl ze wel de genoegens beleven van hun speciale band.

U zou ze allebei naar de dichtstbijzijnde middelbare school kunnen sturen en daarmee basta. Dit mag dan uiteindelijk de juiste beslissing blijken, maar eerst moeten alle opties – en dat zijn er vele – onderzocht worden.

Dezelfde school

Dezelfde school is een logische keus voor heel veel meerlingen, vooral als ze allebei dezelfde belangstelling en begaafdheden hebben. Pubers hebben persoonlijke ruimte nodig – en tweelingen nog veel meer – maar een middelbare school, die vaak groter is dan een basisschool, zal die zonder problemen kunnen bieden zonder dat de kinderen naar verschillende scholen moeten.

Dezelfde school, dezelfde klas

Er kan simpelweg geen keus zijn, bijvoorbeeld omdat de school slechts één klas per jaargroep heeft, hoewel dit op een middelbare school vrij ongebruikelijk is. Waar echter twee of meer parallelklassen zijn, kan uw tweeling, als u het niet vraagt, uiteindelijk ook in dezelfde klas terechtkomen simpelweg op basis van hun geboortedatum of de plaats van hun achternaam in het alfabet!

In dezelfde klas zitten is niet altijd de ideale optie op de middelbare school. Net als op de basisschool zou er een onderlinge concurrentie tussen de kinderen kunnen zijn en zouden er onterechte vergelijkingen gemaakt kunnen worden. Pubers zijn vaak gevoeliger en hebben meer behoefte aan privacy dan jongere kinderen, en vaak doen ze het beter als ze ruimte hebben. Dit slaat vooral op tweelingen van hetzelfde geslacht, die duidelijke fysieke verschillen hebben.

Niets is echter helemaal zwart of wit, en dezelfde klas kan goed zijn als de kinderen onafhankelijk functioneren en even begaafd zijn. Bedenk echter wel dat slechts een van hen bovenaan (of onderaan) kan komen en dat kan een heel groot punt zijn op deze gevoelige leeftijd.

Dezelfde school, aparte klassen

Veel middelbare scholen hebben parallelle klassen voor elke leeftijdsgroep. En daarbij komt dat de vriendjes van de basisschool wellicht min of meer gelijk verdeeld worden over de verschillende klassen, waardoor het voor de tweeling makkelijker wordt om gescheiden te zijn.

> Mijn eeneiige tweeling is twee jaar geleden naar de plaatselijke scholengemeenschap gegaan en daar hebben we tot nu toe geen spijt van. Het is een enorme school waar veel gebeurt en zowel Richard als Magnus hebben heel veel armslag. Ze hebben er vrienden gemaakt – eigenlijk zaten ze in het begin allebei met kinderen in de klas die ze nog van de basisschool kenden. Tijdens de lunchtijd hebben ze allebei nog nevenactiviteiten: Richard gaat basketballen en Magnus gaat schaken.

In het middelbaar onderwijs kunnen meerlingen veel gemakkelijker worden gespreid over de diverse klassen, ook wanneer ze hetzelfde soort onderwijs volgen. Dit is dan ook het ideale moment om de twee- of meerlingen in aparte klassen te plaatsen. Als het een scholengemeenschap betreft, hebben ze alle kansen zich individueel te ontplooien naargelang hun begaafdheid.

In de zogenaamde tweede fase van hun studies is het echter wel belangrijk erop toe te zien dat de kinderen (als ze dezelfde schoolopleiding met dezelfde vakken hebben gekozen) niet altijd in hetzelfde groepje zitten. Juist omdat in deze tweede fase de zelfwerkzaamheid en de samenwerking met anderen zo belangrijk zijn, moet worden voorkomen dat de kinderen van een meerling samen bepaalde projecten opzetten. De kans bestaat dan al snel dat de een het werk van de ander overneemt of op een andere manier een ongewenst 'samenwerkingsverband' tussen de meerling ontstaat.

Scholengemeenschap

Afgezien van het feit of de kinderen tot een meerling behoren, biedt een brede scholengemeenschap onmiskenbare voordelen, omdat de leerlingen altijd van richting kunnen veranderen zonder dat zij daarvoor hun vertrouwde schoolomgeving hoeven te verlaten.

Een bijkomend voordeel kan dan zijn dat ze wel in verschillende richtingen zitten, maar toch vaak dezelfde leraren hebben, wat dan weer een zekere verbondenheid geeft. Ook hebben ze zo de kans elkaar toch weer op te zoeken in pauzes en tussenuren, waarbij ze ook elkaars vrienden kunnen leren kennen, maar steeds weer hun eigen leven kunnen leiden en er niet 'een van de tweeling' zijn. Sportdagen en gezamenlijke activiteiten op school bieden een twee- of meerling ook altijd weer de mogelijkheid elkaar op te zoeken als ze daar behoefte toe voelen.

Een middelbare school kiezen

Er zijn maar weinig gebieden die zo geïsoleerd liggen dat er niet meerdere scholen in de omgeving zijn; en u zult dus altijd diverse factoren moeten overwegen om tot een schoolkeuze te komen.

1 De school zelf

Er zijn veel verschillende soorten scholen, maar hoe moet u daaruit een keuze maken? Hoe komt u tot een beslissing waar het gaat om de toekomst van uw kinderen? Het probleem is dat u nooit van tevoren alle feiten kent, maar u kunt beginnen om samen met de kinderen de scholen bij gelegenheid te bezoeken. Vraag het personeel hoe men omgaat met tweelingen. Proef de sfeer op de school. Vinden de kinderen en u het er prettig? Als u het niet met elkaar eens bent, waar ligt dat dan aan?

U kunt ook ouders uit uw omgeving vragen hoe de verschillende scholen in de buurt zijn. Hoed u echter voor onjuiste roddelpraat, die er over elke school wel is. Dit is soms nutteloze informatie, vooral als het voorvallen van jaren geleden betreft.

Vraag de rapporten van de inspectie op en vergelijk examenresultaten met elkaar.

2 Logistiek

Hieronder vallen alle duidelijk praktische overwegingen, zoals afstand, reistijd en misschien financiën.

3 De kinderen

Het is moeilijk om altijd het beste voor de kinderen te willen, vooral als het er twee of meer van dezelfde leeftijd zijn. Als uw tweeling de hele basisschoolperiode samen is geweest, zou u nu wel eens geen duidelijk beeld kunnen hebben van hoe elk kind onafhankelijk functioneert. Voor elk kind moet u de volgende punten zorgvuldig afwegen:

- leertalenten
- motivatie
- belangstelling
- (on)afhankelijkheid van de ander
- sociale volwassenheid
- behoefte aan privacy (vaak groot bij meerlingen)
- mogelijke leermoeilijkheden of bijzondere behoeften
- uiterlijke gelijkenis met het andere tweelingkind

Misschien is het verkeerd te oordelen op lichamelijke verschijning, maar dat doen mensen in feite wel. Het kan ook het gedrag van de kinderen beïnvloeden; trucjes uithalen waarbij de ene helft van de eeneiige tweeling voor de andere doorgaat is een duidelijk voorbeeld.

Uw tweeling moet iets te zeggen hebben inzake zijn opleiding. Natuurlijk mogen de kinderen niet opgezadeld worden met de financiële aspecten van de nieuwe school, maar hun wensen spelen wel mee. Willen ze graag apart (of samen)? Wat vinden ze van de school in de buurt? Waar gaan hun vrienden naartoe?

Een grote school had besloten een tweelingkind in een klas te plaatsen waar vrienden van beide kinderen in zaten, terwijl de ander in een klas zou komen waar hij niemand kende. Een gesprekje met de directeur bracht daar al snel verandering in. Zonder al te veel problemen bleek elk van de kinderen geplaatst te kunnen worden in een klas waar hij vier of vijf van zijn klasgenoten al kende.

Belangrijke factoren op een middelbare school

Er is weinig onderzoek gedaan naar meerlingen op een middelbare school, maar er zijn veel verhalen van tweelingen, hun ouders en hun leraren die duidelijk maken dat bepaalde onderwerpen van tijd tot tijd opduiken.

Identiteit

Ook hier weer zullen veel leraren het lastig vinden de kinderen uit elkaar te houden, temeer daar ze hen maar enkele uren per week in de klas hebben. Dat de een misschien iets langer is of de ander mogelijk wat meer sproeten heeft, is bovendien geen duidelijk kenmerk als er maar een van de twee in de klas zit. Als mensen moeten vragen welk van de twee ze voor zich hebben, begint elk gesprek met: 'Wie ben jij?' Dan komt hun individualiteit en gevoeligheid in gevaar en wordt de communicatie erg mager.

Tegen de tijd dat meerlingen naar de middelbare school gaan, is het belangrijk dat elk kind zelfstandig kan functioneren en zich sterk voelt ten aanzien van de eigen identiteit, wat meestal het geval is. De veiligheid en de troost dat je er een van een tweeling bent, hebben een bijzondere bekoring, vooral voor een kind dat verlegen, teruggetrokken of minder begaafd is. Dit zorgt soms voor problemen. Bij sommige tweelingen kan het zo zijn dat de een de beslissingen blijft nemen terwijl de ander zich onzeker afzijdig houdt.

Het is bekend dat sommige tweelingen hun tweeling-zijn op de middelbare school hebben willen verbergen, mogelijk in een poging om zich los te maken. Twee twee-eiige jongens die verschillende scholen bezochten, deden dat bijna twee jaar heel effectief zonder ooit tegen iemand te zeggen dat ze een broer hadden, laat staan deel uitmaakten van een tweeling.

Privacy

Dit is gedurende de hele jeugd en de tienerjaren een onderwerp, maar het is vooral relevant op school. Als uw tweeling op dezelfde school zit, maar wel in verschillende klassen, zult u beleven dat een van de twee u alles over de ander vertelt: 'Natalie kreeg alweer straf' of 'Natalie is verliefd op Ben' en dat soort dingen. Natuurlijk vertellen niet alle tweelingen alles over elkaar, maar als dat wel gebeurt, kunt u ervan op aan dat Natalie dat niet leuk vindt.

Privacy over je schoolleven is heel wezenlijk – geen enkel kind heeft het recht te weten welke resultaten de ander heeft behaald en nog minder om die eruit te flappen zodra ze de deur binnenstappen. Of het nu goed nieuws of slecht nieuws is, elk kind moet zelf het moment mogen kiezen om het zijn ouders onder vier ogen te vertellen. Of meerlingen elkaars rapport mogen zien, verschilt per gezin. Het is duidelijk dat het alleen mag als de kinderen het daarmee eens zijn, en dat geldt ook voor examenresultaten.

> Alex had Kim zijn cijfers van het overgangsrapport verteld, maar Kim vertelde hem niet de zijne, want al was zijn eigen rapport ook heel goed, de cijfers waren niet zo geweldig. Het eindigde ermee dat de jongens zaten te mokken.

Elk kind heeft ook een eigen werkplek nodig, en het moet kunnen luieren als het daar zin in heeft, zonder dat zijn broer of zus daar met de priemende blik van een politieagent naast zit. Aparte slaapkamers zijn ideaal, maar niet elk gezin kan zich die luxe permitteren.

Een soort kamerscheiding in de slaapkamer kan een oplossing bieden, hoewel dit in de praktijk vaak een gordijn blijkt dat in een boze bui naar beneden getrokken wordt.

Gedrag

Rumoerige kinderen kunnen rustiger worden, maar ongehoorzaamheid kan tot in de middelbare-schooltijd blijven bestaan en is bij tweelingen vaak lastig aan te pakken. Soms is een van de twee eigenzinnig en volgt de ander gedwee om te voorkomen dat hij niet meetelt. Het resultaat is ongeveer hetzelfde en ze komen allebei in de problemen.

Soms hangen ze de clown uit, een andere keer misdragen ze zich in de klas – of vertonen gebrek aan concentratie – en dat vooral als de tweeling bij elkaar zit in bepaalde lessen, nadat ze al een jaar of meer apart hebben gezeten. Het kan een onbewuste reactie zijn op het feit dat ze weer bij elkaar zitten, maar vaak is het een weloverwogen manier om de aandacht te trekken.

Huiswerk

Zelfs als ze in verschillende klassen of op verschillende scholen zitten, kunnen tweelingen heel goed hetzelfde huiswerk hebben. Het kan heel verleidelijk zijn om ze elkaar te laten helpen, maar dat kan contraproductief werken. Elk kind moet leren zelfstandig te werken.

Er is gelegenheid om op bepaalde gebieden samen te werken, zoals het delen van boeken voor een project. Vreemd genoeg is dat vaak het punt waarover de meeste tweelingen enorm kunnen kibbelen!

> Een van de twee had drie bibliotheekboeken over bosbouw en de ander had er maar één. Ze waren allebei even jaloers en we werden getrakteerd op woedeaanvallen zoals we die in jaren niet meer hadden meegemaakt.

Ze kunnen echter ook goed samenwerken. Er zijn moeders die me vertelden dat hun tweeling elkaar dikwijls uit de problemen hielp. 'Twin-power' kan heel goed zijn als het gaat om het oefenen van Franse conversatie, of om elkaar te overhoren, maar hier schuilt een gevaar volgens een moeder (die zelf ook lerares is):

> Het is heel verleidelijk om ze het samen te laten doen, maar ik weet dat, ook al hebben ze elkaar, ouders ook betrokken moeten zijn bij het huiswerk en belangstelling moeten tonen.

Aan de andere kant kan het tot problemen leiden als de last van het huiswerk ongelijk verdeeld is over beide kinderen (misschien door verschillende manieren van lesgeven). Het kan zijn dat de ene op een dag meer huiswerk heeft en dat uiterst onredelijk vindt. Hij kan het niet af krijgen of hij vliegt erdoorheen zodat hij naast zijn broer voor de televisie kan gaan zitten.

Verschillend begaafd

Net als op de basisschool kan verschil in begaafdheid tot intense jaloezie tussen tweelingen leiden, om nog maar te zwijgen over het verdriet bij de ouders. De meeste mensen verwachten, bewust of onbewust, nog altijd dat een tweeling hetzelfde presteert op veel gebieden.

De nadelen van het vergelijken van meerlingen zijn al behandeld in de hoofdstukken 8 en 11. Dit kan op de middelbare school ook nog tot problemen leiden en soms worden die benadrukt door de lichamelijke en emotionele verwarring van de puberteit, vooral als ieder van de twee op een verschillend moment in de puberteit komt.

We zijn niet allemaal hetzelfde, maar iedereen heeft talenten. In het geval van een minder begaafd kind moeten die blootgelegd worden zodat zijn energie en zijn enthousiasme in banen kunnen worden geleid en zijn zelfrespect kan worden gevoed.

Verschillende begaafdheden kunnen positief werken en het gemakkelijker maken de tweeling als individu te behandelen, althans waar het huiswerk en beroepsopleiding betreft, maar er zijn momenten waarop het pijn kan doen:

> Matthew werd uitgekozen voor het schoolvoetbalteam en Andrew niet, hoewel hij dacht dat hij beter speelde. Dat was kennelijk niet zo en hij was zwaar teleurgesteld. Hij wist het echter te verwerken en hockeyt nu.

Sport en muziek zijn duidelijke uitlaatkleppen voor buitenschoolse energie, maar niet de enige. Bij een twee-eiige tweeling was een van de broers meer begaafd en veel atletischer. Zijn tweelingbroer bleek eigenlijk nergens goed in tot hij ontdekte dat hij goed kon goochelen. Nu is hij een populair amateur-goochelaar, die zich heeft gespecialiseerd in het begeleiden van feestjes voor kleine kinderen.

Examens

De spanning van het studeren voor en het afleggen van een examen is heel groot voor elk kind. Bij tweelingen kan een dubbele dosis examenstress heel veel invloed op het hele gezin hebben. En dan zijn er de resultaten. Je moet natuurlijk iemand die het goed gedaan heeft, feliciteren, ook al lijkt het oneerlijk omdat een van de twee de meeste lof krijgt. Het zou nog oneerlijker zijn om ze allebei gelijk te prijzen als ze niet gelijk gepresteerd hebben. Bovendien zult u niet degene willen prijzen die er veel minder aan gedaan heeft.

Voor de kinderen die denken dat hun resultaten net zo goed moeten zijn als die van hun tweelingbroer of -zus, kan de druk om te presteren enorm groot zijn. Als ze verschillend begaafd zijn, kan het zelfs onmogelijk blijken. Zo kan het gebeuren dat een meisje hoort dat ze uitstekende resultaten behaald heeft, en dat het hart haar in de schoenen zakt omdat ze zich zorgen maakt over de cijfers van haar tweelingzus. Ze voelt zich schuldig omdat ze weet dat haar zusje het niet zo briljant gedaan kan hebben als zij.

Daarom proberen tweelingen wel eens om niet zo heel goed te presteren. Er kan ook een element van omgekeerd snobisme meespelen: er zijn tieners, vooral jongens, die het niet 'cool' vinden om al te goed te scoren.

Hoewel de examentijd eindeloos lijkt, komt er toch een einde aan. Zoals een ouder zegt: 'De resultaten komen, goed of slecht. En het leven gaat door.'

Houding van de leraar

Als ouder verwacht je dat leraren deskundig zijn op alle gebieden van de opvoeding, maar dat is niet altijd het geval. Net als alle deskundigen – advocaten, artsen, enzovoort – hebben leraren hun eigen belangen en ze zijn niet altijd even begaan met elk onderwerp of elke leerling.

Veel leraren hebben weinig of geen ervaring met meerlingen op school. Ouders moeten er daarom op voorbereid zijn dat ze leraren de juiste weg moeten wijzen, bij voorkeur op een rustige en tactvolle manier (je vangt meer vliegen met stroop dan met azijn).

Keuzes voor de toekomst

Er is weinig over dit onderwerp gepubliceerd en er zijn geen duidelijke regels voor ouders. Het zou veel gemakkelijker zijn als uw tweelingkinderen tijdens en na de schoolperiode hun eigen weg gingen en verschillende wegen zouden kiezen. Dan zou niemand hen of hun prestaties meer vergelijken.

> Het was een schok voor me te ontdekken dat slechts een van onze zestienjarige zoons met ons mee wilde, toen we naar het buitenland werden overgeplaatst. Zijn broer wilde naar kostschool en verdergaan in de muziek. Ik denk dat ik niet klaar was voor zo'n plotselinge en ingrijpende scheiding, maar als ik eerlijk ben, heb ik altijd al geweten dat ze verschillende voorkeuren hadden. En ik ben er trots op dat Mark in staat was die beslissing te nemen.

Heel veel tweelingen kiezen echter dezelfde richting na hun eindexamen. Sommige zijn echt geïnteresseerd in dezelfde dingen. Een van een tweeling bijvoorbeeld – ondertussen van middelbare leeftijd – onderwijst Japans in Oxford en zijn eeneiige tweelingbroer is professor in de Chinese taal- en letterkunde in Cambridge. Beiden houden zich ook bezig met oosterse religies. Er zijn heel veel broers en zusters, die niet tot een tweeling behoren, die ook dezelfde belangstelling hebben en er is geen gebrek aan kinderen die in de voetsporen van hun ouders treden.

In een poging de kinderen op te voeden tot individuen is het belangrijk om hen niet met dwang te scheiden. Verschillende keuzemogelijkheden leiden vaak tot heel veel ellende als blijkt dat de verkeerde richting gekozen is. Net als voor elk kind geldt ook voor een tweeling dat de kinderen de keuzes maken die bij hen passen, in plaats van iets te kiezen dat bij anderen past. Er is echter een element van kans en timing in het kiezen van een vervolgopleiding; soms hangt het er van af wie zijn formulier het eerst heeft ingeleverd.

Als uw kinderen dezelfde beroepsopleiding lijken te kiezen, kunt u het beste proberen uit te vinden waarom dat is in plaats van meteen te proberen hen van gedachten te doen veranderen. Hebben ze al hun mogelijkheden onderzocht? Hebben ze inderdaad dezelfde belangstelling? Of zijn ze bang voor een leven als volwassene waarin ze van elkaar gescheiden zijn? Hebben ze tot dusver goede kansen gehad, dan lijkt dat niet het geval te zijn. Een verschillende opleiding kan echter heel traumatisch zijn als een tweeling voordien nooit gescheiden is.

Tweelingen hoeven niet altijd van elkaar verwijderd te raken als ze verschillende opleidingen volgen. Zelfs meerlingen op ver van elkaar verwijderde scholen kunnen veel met de ander(en) bellen en brengen meer vrije tijd en vakanties met elkaar door dan met hun ouders. Het kan zelfs een opluchting zijn dat u niet alle vuile was krijgt in het weekend, maar sommige ouders, broers of zussen van tweelingen kunnen zich een beetje aan de kant gezet voelen en het kan een poosje duren voordat ze eraan gewend zijn.

Wat kunnen ouders doen?

Er zijn ouders van middelbare-schoolleerlingen die hun handen in wanhoop heffen en denken dat het te laat is om hun kinderen te veranderen. In een enkel opzicht is dat misschien waar, maar u kunt nog altijd heel goed de ideeën uit het vorige hoofdstuk toepassen. Toch hoeft u dat misschien niet allemaal te doen: veel tweelingen kunnen heel goed zelfstandig functioneren en hebben geen problemen zoals leermoeilijkheden: ze dobberen zonder grote schommelingen door de middelbare school. Er zijn ouders die ontdekken dat zelfs eeneiige tweelingen in hun tienerjaren steeds meer gaan verschillen en verrassend andere persoonlijkheden worden. Het enige wat u hoeft te doen, is met de eer gaan lopen.

Als u het niet al geprobeerd hebt, doe het dan nu:

- elk kind zoveel mogelijk privacy geven;
- zoveel mogelijk ruimte geven (eigen bureau, kamer of wat er maar kan);
- hen aanmoedigen niet te kibbelen om cijfers, vrienden, enz.;

- hen als individu behandelen – niet roepen om 'de tweeling' als er maar een van beiden bedoeld wordt;
- vriendelijk en ondersteunend zijn: laat elk kind vertellen hoe het zich voelt;
- iets zoeken waarin elk kind goed is, maar hen niet dwingen om afzonderlijke keuzes te maken omwille van de keuze – meerlingen, en vooral eeneiige, zullen vaak dezelfde interesses hebben;
- voorkomen dat ze zich opwinden als ze het aloude imitatiespel spelen, zolang het maar niet in de klas is;
- gemakkelijk omgaan met onbelangrijke onderwerpen: er zijn dingen die u nu rood doen aanlopen van boosheid, maar die u over een jaar waarschijnlijk niets meer doen;
- tot elke prijs vergelijken voorkomen; probeer vooral niet om de ene te laten gehoorzamen door te klagen dat zijn broer zich altijd zoveel beter gedraagt;
- met hen instemmen als ze klagen dat het leven oneerlijk is – het is waar en dat is moeilijk te accepteren.

Ouderavonden

Ouderavonden kunnen voor ouders van meerlingen een duurzaamheidstest zijn; ook voor ouders met eenlingen is het moeilijk om rond te rennen in een poging alle leraren die avond te zien en te onthouden wat er gezegd is. Hier enkele suggesties van tweelingouders:

- Neem een blocnote en een pen mee. U zult zich na een paar verschillende leraren niet meer herinneren wat er is gezegd over één kind (en de punten die u wilt bespreken), maar met twee- of meerlingen hebt u echt iets nodig om uw geheugen te ondersteunen.
- Hebt u een partner, dan kan hij of zij misschien de leraren van het ene kind bezoeken terwijl u met die van het andere spreekt.
- Ga zo mogelijk naar verschillende avonden, of regel het zo dat u bepaalde leraren op een ander moment kunt spreken – misschien voor of na schooltijd.
- Kunt u niet iedereen spreken die u wilt zien, richt u dan op de leraren die voor elk kind het belangrijkste zijn. U zou van tevoren uw dilemma's aan de school kunnen uitleggen en het advies vragen aan degene die u op de ouderavond beslist wilt spreken.
- Zelfs als de kinderen dezelfde leraren hebben, moet u zich altijd beperken tot het bespreken van één kind tegelijk, net als dat op de basisschool het geval was. (Veel van de adviezen uit hoofdstuk 11 zijn nog altijd van toepassing op de middelbare school.)

Hoofdstuk 13

Puberteit en tienerjaren

Adolesco is Latijn voor 'ik word groot'. Adolescentie of puberteit, het proces van groei naar volwassenheid, kan ook ouders jaren bezighouden. Toen mijn tweeling een jaar werd, zag ik eindelijk een eind aan de continue zorg voor de baby's en ik herinner me dat ik heel tevreden tegen een vriend zei dat het eerste jaar met een tweeling het ergste is. Hij had zelf ook een tweeling en was het niet met me eens. 'Met een tweeling,' antwoordde hij, 'zijn de eerste twintig jaar het ergste.'

Het werd gekscherend gezegd, maar er zit een kern van waarheid in. Voor heel veel ouders van tweelingen is de puberteit een periode waarin hun kinderen verder uit elkaar groeien en zich verzetten tegen het tweeling-zijn. Dit kan een enorme verandering voor de ouders zijn, die vaak in dit stadium ophouden de ouders van een tweeling te zijn. Sommigen zullen het missen en verlangend terugkijken naar de tijd waarin de tweeling nog baby's waren.

Ondertussen wordt de pubertweeling geconfronteerd met niet alleen het breken met de ouderlijke zorg, maar ook met het feit dat hij gaat breken met de ander. Alle tekenen wijzen erop dat hoe eerder dit proces begint, en hoe meer elk kind wordt behandeld als individu op zich, des te gemakkelijker de puberteit is. Hoe voorbeeldig de opvoeding tot nu toe ook is verlopen, u kunt er toch niet op rekenen dat u een gemakkelijke tienertijd met hen zult beleven.

Misschien is de kern van de puberteit dat gevoelens heel dubbelzinnig zijn. Terwijl de tweeling zich aan de ene kant mogelijk verzet tegen het tweeling-zijn, zullen de kinderen aan de andere kant de speciale band nog altijd waarderen.

Wat is puberteit?

De tienerjaren zijn ook voor eenlingen moeilijk. Er bestaat niet zoiets als groeipijn. Onthoud echter dat fysieke groei geen pijn doet, maar emotionele groei hels veel pijn kan doen. Als u zich uw eigen tienerjaren niet meer kunt herinneren, bedenk dan dat het een periode is van enorme hormonale en emotionele veranderingen, die gepaard gaan met toenemende sociale druk en druk op school.

- Tieners staan heel kritisch tegenover zichzelf. Eén enkel puistje kan een ramp van nationale omvang zijn. Ze zijn ook altijd heel kritisch ten opzichte van anderen en vooral tegenover volwassenen.
- Ze hebben goedkeuring nodig, maar als ouder moet u zich hoeden die te geven. De gemiddelde tiener wil niet dat zijn moeder vindt dat hij er 'heel goed' uitziet – hij wil er liever zo bijlopen als zijn kameraden en dus afgrijzen en ongenoegen oproepen.
- Tieners kunnen vertwijfeld naar de toekomst kijken. Een echte depressie komt in deze leeftijdsgroep zeker voor, maar veel meer jonge mensen maken zich gewoon zorgen over de rest van hun leven (en misschien terecht, gezien de niet altijd positieve voorspellingen).
- Pubers kunnen van het ene moment op het andere veranderen. Niet allemaal natuurlijk, maar de schommelingen in ideeën en emoties kunnen heel ingrijpend lijken.
- Tieners kunnen heel bezitterig zijn en u zult elk van de tweeling veel meer horen over '*mijn* kamer', '*mijn* cd's', enzovoort.
- Misschien zijn het de schommelende hormonen die tieners zo opvliegend maken. Wat de reden ook is, de meest triviale dingen kunnen op hun zenuwen werken – en op de uwe uiteraard.
- Ondertussen worden ze van alle kanten gebombardeerd met beelden en berichten die suggereren dat ze er goed moeten uitzien, super cool moeten zijn, slank en ga zo maar door.
- De puberteit komt op een moment dat veel ouders het heel moeilijk vinden om ermee om te gaan. Als uw tweeling geboren werd toen u vijfendertig was, wat niet ongewoon is, zult u tijdens hun tienerjaren in de vijftig zijn, en misschien geconfronteerd worden met de problemen van de overgang, ontslag of naderend pensioen.
- Het aantal scheidingen neemt toe, dus misschien moet u wel alleen voor uw tienertweeling zorgen met alle praktische en emotionele zorgen die een alleenstaande ouder plagen.

Praktische problemen van een tienertweeling

Puberteit

Tweelingen (en drielingen) worden vaak op verschillende momenten volwassen. Het is normaal dat meisjes twee jaar eerder in de puberteit zijn dan jongens. Het gebeurt vaak dat het meisje van een gemengde tweeling al veel volwassener lijkt in uiterlijk en houding, maar ook ranker dan haar tweelingbroer, omdat bij haar de groeispurt al begonnen is en bij haar broer nog niet. Tussen elf en dertien jaar kan ze zowel langer als volwassener worden dan haar broer.

Tweelingen van dezelfde sekse, zelfs eeneiige tweelingen, kunnen ook op verschillende momenten in de puberteit komen. Er kan een periode van zes maanden of een jaar tussen zitten voordat ze in hetzelfde fysieke stadium zijn. Dit heeft veel gevolgen:

- Als een tweeling niet even oud lijkt te zijn, verdwijnt het effect van de uiterlijke tekenen van het tweeling-zijn.
- Het effect van een meer volwassen uiterlijk is dat mensen verwachten dat je je ook volwassener zult gedragen.
- Degenen die later in de puberteit komen (vooral jongens), lijken vaker last te hebben van gebrek aan zelfvertrouwen.
- De puberteit maakt een kind heel gevoelig voor zijn lichaam. Tweelingen in de puberteit hebben heel veel behoefte aan privacy, zeker als ze in verschillende ontwikkelingsstadia zijn.
- Een tweelingkind in de puberteit kan zich heel bewust worden van het feit dat hij veel minder aantrekkelijk (of minder rijk bedeeld) is dan zijn of haar tweelingbroer of -zus van dezelfde sekse.

Identiteit

Eigenwaarde stoelt voornamelijk op identiteit – probeert niet elke puber 'zichzelf te vinden'? Zelfs als ze het tot nu toe fijn vonden om op elkaar te lijken, vinden tweelingkinderen in de puberteit het vaak belangrijk om anders te zijn. Als ze voorheen altijd bepaalde kleren gedeeld hebben, is nu het moment gekomen om daarmee te stoppen.

Dit zal niet altijd lukken. Een vader merkt op: 'Mijn dochters denken dat ze verschillend gekleed zijn, maar ze lopen allebei altijd in een zwarte spijkerbroek, zodat het wel een uniform lijkt.'

In een poging niet op elkaar te lijken, gingen de twee 17-jarige meisjes van een eeneiige tweeling allebei naar een andere kapper en vroegen om hun prachtige lange haren af te knippen tot een stijl die bij hen paste. Ze kwamen uiteindelijk allebei met hetzelfde kapsel thuis.

Zelfstandigheid

Bij een tweeling van dezelfde sekse zal de dominantste van de twee alle beslissingen blijven nemen en de leiding nemen, ten nadele van de ontwikkeling van de ander. De dominante is vaak (hoewel niet noodzakelijk) degene die fysiek meer ontwikkeld is.

Dominantie kan in de puberteit veranderen. Soms wil de ene zich losmaken, terwijl de andere dat niet wil – een situatie die net zo pijnlijk kan zijn als het verbreken van elke andere relatie. Het is vaak de minst dominante die in de tienerjaren wil loskomen van zijn broer of zus. Ondertussen kan het tot nu toe dominante tweelingkind zich onzeker gaan voelen zonder de voortdurende aanwezigheid en stille steun van de ander.

Bij jongen-meisjetweelingen kan de jongen zich beschermend gaan opstellen ten opzichte van zijn tweelingzus, en zich gaan gedragen als haar chaperon en soms zelfs de bewaker van haar zeden, ook al verzet ze zich daartegen. Ze kan de aanwezigheid van haar broer ook als positief ervaren: u zult haar waarschijnlijk toestaan om later thuis te komen of te komen op plekken die u zeker verboden zou hebben als ze daar alleen naartoe gegaan zou zijn. Zoals een meisje zegt: 'Mijn broer ging vaak naar dezelfde feestjes en onze ouders vonden dat geweldig. Maar ze wisten niet dat hij meestal stomdronken was.'

Of ze nu wel of niet van hetzelfde geslacht zijn, het kan handig zijn om tweelingen toe te staan samen uit te gaan – er schuilt immers veiligheid in grotere aantallen. Dit is echter niet altijd goed voor hun individuele ontwikkeling en kan die bij een van hen of bij allebei verhinderen.

Een meisje van een eeneiige tweeling was altijd de leider, ging om met losbandige lieden, die vaak in de problemen kwamen. Omdat ze niet achter wilde blijven, ging haar veel introvertere zusje altijd mee – ongelukkig als ze bij hen was, maar ook ongelukkig alleen.

Vriendschappen

Er zijn mensen, waaronder gezinstherapeut Audrey Sandbank, die erop gewezen hebben dat tweelingen vaak later beginnen met afspraakjes dan eenlingen: niet verkeerd, zou u denken, omdat kinderen tegenwoordig toch al zo snel groot worden. Dit is mogelijk een gevolg van het feit dat tweelingen elkaar hebben als gezelschap en daarom minder behoefte hebben aan anderen. De tijd zal echter wel komen.

Het kan heel moeilijk zijn om vrienden te maken, van welke sekse dan ook. Heel veel ouders van tienertweelingen zeggen dat, hoewel hun kinderen heel veel vrienden hebben, ze niet een of twee hartsvriend(inn)en kennen. Misschien dat buitenstaanders zich liever niet mengen in de speciale relatie die een tweeling vaak heeft. Als een van hen een beste vriend(in) heeft, kan een heftige jaloezie het gevolg zijn, waarbij de ander zich buitengesloten kan voelen of misschien zal proberen ertussen te komen en de beste vriend(in) te delen.

Problemen van alleenstaande ouders

Het is voor twee ouders al zwaar genoeg om om te gaan met de ups en downs van een tiener, dus hoe moet één ouder twee of meer pubers begeleiden?

Degenen met een eenoudergezin zullen het een hele klus vinden om kinderen groot te brengen zonder een duidelijke voorbeeldfunctie van de andere sekse. Alleenstaande ouders kunnen zich eenzaam voelen, sociaal geïsoleerd zijn en in verarmde omstandigheden verkeren.

Het is moeilijk voor een ouder alleen te proberen zijn of haar visie over te brengen zonder een partner die hem of haar daarin kan steunen. In het geval van een tweeling kan het vooral heel moeilijk zijn om consequent en resoluut te zijn als je wordt geconfronteerd met de stortvloed aan eisen van meer dan één nukkige puber. Geen wonder dat er momenten zijn waarop het gemakkelijker is toe te geven en 'ja' te zeggen dan 'nee' tegen twee of meer tegendraadse tieners.

Aan de andere kant wordt de jongleeract die alleenstaande ouders moeten opvoeren, ook zijn beloond. Consequent omgaan met uw kinderen is minder een probleem: er is immers niemand die uw gezag kan ondermijnen of zal proberen u over te halen terug te komen op uw beslissingen!

Kinderen van alleenstaande ouders zijn vaak zeker niet losgeslagen, maar veel volwassener in hun emoties, heel ondersteunend tegenover hun ouder en ze kunnen heel begrijpend zijn. Eenoudergezinnen staan vaak bekend om de nauwe ouder-kindrelatie en gezinnen met tweelingen vormen daarop geen uitzondering. Wanneer een alleenstaande ouder deze moeilijke tijd eenmaal achter zich heeft, kan hij of zij vaak heel trots zijn op de tweeling en het feit dat hij of zij hem alleen heeft opgevoed. Maar het kan pijnlijk zijn om de kinderen te laten gaan.

Wat kunnen ouders doen om pubers te helpen?

Alle jongeren zijn verschillend en in zekere zin is de puberteit een onbekend gebied, maar er is een aantal manieren om de dingen eenvoudiger te maken:

- Voorkom dat u de tweeling etiketteert (niet dat u het ooit zou doen, toch?).
- Geef elk tweelingkind zoveel mogelijk privacy. Dit houdt ook in emotionele privacy, de zekerheid dat er naar hem geluisterd wordt zonder dat zijn tweelingbroer of -zus in de buurt is of het achteraf hoort. Hoed u voor tieners die luistervinkje spelen.
- Buit de tweelingrelatie niet uit. Vele jaren lang zullen de kinderen elkaar intuïtief begrepen hebben (een van mijn kinderen zei vaak: 'Vraag het maar aan mij – ik ken Oliver beter dan wie ook.'), maar in de puberteit en daarna is het belangrijk dat u niet de een iets vraagt met de bedoeling het de ander te vertellen.

- Ga er niet van uit dat ze verantwoordelijk zijn voor elkaars fysieke of emotionele welzijn. Het is niet beslist noodzakelijk een fout van de een dat zijn tweelingbroer of -zus van streek is.
- Laat de tweelingkinderen hun eigen relaties aangaan. Het feit dat ze een tweeling zijn, heeft vele voordelen en u moet uw tieners misschien helpen om de nadruk te leggen op de positieve kant ervan. Probeer in elk geval niet hen te benijden. U zult waarschijnlijk niemand winnen door te zeggen: 'Als ik op jouw leeftijd een tweelingzus had gehad, zou ik dat enig gevonden hebben en zeker niet steeds over haar geklaagd hebben.'
- Ga er niet van uit dat uw tweelingkinderen altijd dezelfde voor- en afkeuren hebben. Ook al zijn ze eeneiig, de puberteit is een periode waarin smaken ingrijpend kunnen veranderen. Kies niet automatisch hetzelfde sinterklaas- of kerstcadeau voor hen.
- Heel veel tweelingen willen op deze leeftijd (en meestal zelfs al vroeger) een eigen verjaardagsfeest, op verschillende dagen en met andere gasten. Aan de andere kant vinden velen het niet erg om een verjaardag te delen, in tegenstelling tot wat veel ouders lijken te denken. U kunt het hen beter vragen dan dingen te veronderstellen.
- Het gevoel van eigenwaarde van tieners kan enorm vergroot worden als ze meer verantwoordelijkheid krijgen, zoals een parttime baantje of een krantenwijk. Tweelingen kunnen soms eerder dan eenlingen op jongere broers en zusjes passen of bij andere gezinnen op de kinderen passen.
- Wees niet te kritisch of onnodig veroordelend. Kinderen hebben regels nodig, maar u kunt ze het best zoveel speelruimte geven als mogelijk is. Bewaar uw boosheid voor werkelijk buitensporig wangedrag.
- Zijn uw kinderen nog altijd engelachtig, laat u dan niet verleiden tot de gedachte dat ze altijd de perfecte tweeling zullen blijven. Misschien komt de puberteit met het bijbehorende afzetten bij hen gewoon iets later dan bij anderen.
- En ten slotte: ouders van tienertweelingen adviseren anderen altijd om hun gevoel voor humor te bewaren. Door het van de vrolijke kant te bekijken, kan iedereen de nare kanten van de puberteit te boven komen. Zijn ze eenmaal volwassen, dan zult u zeker het prettige gevoel hebben dat u het gehaald hebt, maar u zult zich tegelijk een beetje verdrietig voelen. Als u altijd thuis geweest bent, probeer dan nu andere dingen te vinden die uw belangstelling kunnen opwekken. Het kan er ook toe leiden dat u voor de kinderen boeiender wordt – je weet maar nooit!

Hoofdstuk 14

Speciale situaties, speciale behoeften

Het hebben van een tweeling is meestal een grappige zaak ondanks de uitdagingen. Veel moeders hielden door de tijden heen vol met de gedachte dat ze eigenlijk alles konden opbrengen zolang de kinderen maar gezond waren.

Helaas zijn er gezinnen waarin een van de kinderen in zekere mate gehandicapt is, of sterft. Dit hoofdstuk is bedoeld voor de gezinnen waarin dat het geval is. Niet elke bijzondere behoefte kan hier aan de orde komen, maar ik hoop dat er iets in staat dat de meeste ouders in die situatie kan helpen.

Speciale behoeften

Hoewel het grootste deel van de meerlingen helemaal gezond is, is het uiteindelijke aantal gehandicapte kinderen bij twee- en meerlingen hoger dan bij eenlingen. De voornaamste redenen zijn:

- vroeggeboorte
- groeiachterstand in de baarmoeder ('klein voor hun tijd'-kinderen)
- soms complicaties tijdens de zwangerschap (bijvoorbeeld tweeling-transfusiesyndroom en pre-eclampsie)
- de vooruitgang in neonatale zorg waardoor kwetsbare baby's meer kans hebben om te overleven

Er zijn deskundigen die zeggen dat het tweelingproces zelf een factor zou kunnen zijn die meespeelt bij handicappen, wat meer voorkomt bij eeneiige (MZ) dan bij twee-eiige (DZ) tweelingen. Dit kan zijn, hoewel de theorie op dit punt nog erg speculatief is.

Verschillende handicaps

Net als bij andere kinderen is het aantal handicaps dat een tweeling kan treffen, heel groot, van onbeduidend tot ernstig en van zeldzaam tot vrij veel voorkomend.

Terwijl sommige omstandigheden zo ongewoon zijn dat ze zich maar bij enkele gezinnen in het land voordoen, komen andere veel vaker voor, zoals:

* spastische verlamming (het risico zou bij tweelingen drie keer zo groot zijn en bij drielingen wel tien keer zo groot);
* diverse aangeboren hartafwijkingen zoals ventrale of septale afwijkingen ('gat in het hart') en verkeerd liggen van de grote vaten;
* vertraagde geestelijke ontwikkeling of leerproblemen.

Als een tweelingkind, zelfs bij een eeneiige tweeling, een handicap heeft als gevolg van een aangeboren afwijking, heeft het andere kind het vaak niet. De medische term voor deze situatie is discordantie. Het tegenovergestelde, concordantie, betekent dat beide tweelingen hetzelfde kenmerk hebben. Een concordante tweeling hoeft echter niet noodzakelijk in dezelfde mate te zijn aangedaan: het ene kind kan gezonder zijn dan het andere.

Vreemd genoeg komt discordantie vaker voor bij verder eeneiige tweelingen, vooral als het gaat om een aangeboren hartafwijking. Ook bepaalde erfelijke aandoeningen als spierdystrofie treffen niet altijd beide kinderen, zodat duidelijk eeneiige tweelingen niet strikt identiek zijn.

Een theorie die sommige afwijkingen bij tweelingen misschien zou kunnen verklaren, is dat de splitsing van het bevruchte eitje bij een eeneiige tweeling invloed heeft op de organen in het middenrif (zoals het hart, de slokdarm, enz.). Misschien komt dit omdat het ene tweelingkind uiteindelijk minder cellen van de splitsing krijgt.

Gevolgen voor het gezin

Wat de aard of de onderliggende oorzaak ook is, een handicap kan invloed hebben op het hele gezin. De aanwezigheid van een gezonde tweeling betekent vaak dat een probleem eerder opgepakt wordt dan anders het geval zou zijn. Een achterstand in praten of lopen bij een van de baby's is bijvoorbeeld vrij duidelijk als de ander zich met horten en stoten ontwikkelt.

De effecten gaan duidelijk veel verder. Als slechts een van de twee gehandicapt is, kan de aanwezigheid van een gezond broertje of zusje van precies dezelfde leeftijd vaak gevoelig en pijnlijk de nadruk leggen op hoe het had kunnen zijn – of, zoals sommige ouders zeggen, hoe het had moeten zijn.

De ouders

Als een kind dat gezond was, ziek wordt, voelt dat als een verlies. De ouders zullen ook verdrietig zijn om het verlies van het tweelingschap. Veel ouders zeggen dat het veel pijn doet een gezonde tweeling te ontmoeten en sommigen gaan heel ver om dit zo mogelijk te voorkomen.

Er zijn moeders die het verliezen van hun status als ouder van een tweeling heel heftig ervaren. Hoewel enkele ouders heel ver gaan om de uiterlijke gelijkenis van de tweeling te bewaren (door dezelfde kleren bijvoorbeeld), willen andere zichzelf of derden niet herinneren aan het tweeling-zijn. De overeenkomsten die een bijna onvermijdelijk aspect van het tweeling-zijn vormen, kunnen heel zwaar zijn.

De ouders van een gehandicapt kind kunnen zich net heel schuldig of boos voelen. Deze emoties zijn wellicht irrationeel en zelfs onproductief, maar wel begrijpelijk. De woede gericht aan het adres van de medici kan groter zijn als de kinderen zijn verwekt na een vruchtbaarheidsbehandeling.

Soms zullen ouders moeilijk kunnen geloven dat de rest van de tweeling of drieling echt gezond is. Vooral in de eerste tijd gaan ze herhaaldelijk met de gezonde kinderen naar de dokter om het zeker te weten. Dit wordt op den duur minder: de ouders gaan geloven dat het kind gezond is of moeten hun aandacht besteden aan het zieke kind.

De last die een gehandicapt kind met zich meebrengt, is vele malen groter als het een van een tweeling is, omdat het al zo druk is. Met twee gehandicapte baby's zal een moeder (want zij staat meestal in voor de verzorging) niet kunnen omgaan. Er is dan onvermijdelijk weinig tijd over voor de ouders zelf. Tekort aan tijd en energie, vaak ook aan geld, leidt tot ernstige beperkingen van wat een gezin kan doen. De logistieke problemen kunnen uitmonden in sociale isolatie. Dit is moeilijk voor elke ouder, maar vooral misschien voor een moeder die tot nu toe haar eigen carrière had.

Veel van de hulp die een gezin met speciale behoeften krijgt, is gericht op het zieke kind en de moeder. Vaders staan meestal aan de zijlijn, hoewel zij ook bepaalde behoeften hebben. Ook al zal hij aarzelen om zich te uiten, toch kan een vader zich ook boos, schuldig, bedrogen of overweldigd voelen. Hij kan zelfs ongeruster zijn dan zijn partner: zoals een moeder uitlegde, kreeg haar man nauwelijks de kans om naar de speciale school te gaan of artsen te bezoeken om te zien hoe goed zijn gehandicapte zoon het deed. Een vader moet vanaf het eerste moment bij alles betrokken worden en steun krijgen in elke vorm die hij acceptabel vindt.

Er zijn ouders van gehandicapte tweelingen die, naar het lijkt, hun kinderen fysiek verwijten maken, vooral als een van de twee gehandicapt is. Dit kan de moeilijke situatie alleen nog maar erger maken. Wreedheid tegenover kinderen is moeilijk te begrijpen en gemakkelijk te veroordelen, maar degenen onder ons met gezonde kinderen kunnen niet inschatten hoe groot de druk is.

Het gezonde tweelingkind

Ouders van een gehandicapte tweeling gaan vaak heel ver om eerlijk tegenover beide kinderen te blijven. Dit is vooral heel moeilijk omdat tijd een schaars artikel is en het, wat ze ook doen, gewoon nooit genoeg lijkt. Het is duidelijk dat de gezonde van de twee minder aandacht zal krijgen, maar het kind zal het niet begrijpen. Waarom zou zijn broers eerste woordje of wankele stapje zo overdreven toegejuicht worden, terwijl hij al eeuwen geleden veel meer dan dit deed zonder één waarderend woord?

Het gezonde tweelingkind zal zich uitleven in opscheppen of in een andere manier van aandachttrekkerij, of misschien zal het (niet vreemd) terugvallen in de ontwikkeling tot zijn gedrag lijkt op dat van het gehandicapte tweelingkind.

Later zal het gezonde tweelingkind zich soms schuldig voelen, niet alleen om zijn eigen vervelende gedrag, maar misschien om de lichamelijke gesteldheid van zijn tweelingbroer of -zus, alsof het daar in zekere zin verantwoordelijk voor is. Het kind zal zich schuldig voelen omdat het de gezonde overwinnaar is, of het kan onder druk staan om te helpen bij de verzorging van het tweelingkind (hoewel dat nooit mag gebeuren).

Er zijn echter ook gezonde broers en zusters, die zich opvallend goed aangepast hebben en eroverheen stappen:

Ik heb mijn best gedaan om eerlijk te zijn, maar ik weet dat ik daar niet altijd in geslaagd ben. Het is onvermijdelijk dat ik veel meer tijd en moeite heb besteed aan mijn zieke tweelingkind, dat diverse malen aan zijn hart geopereerd moest worden. Wat David (het gezonde kind) betreft: hij heeft het geaccepteerd en hij is geweldig geweest. Maar hij heeft nooit iets ander gekend.

Als een van de kinderen gehandicapt is, is het automatisch anders. Het kan in deze omstandigheden een voordeel zijn als het kind noch zijn tweelingbroer of -zus hen als tweeling beschouwt:

We hebben er Robert nooit op kunnen betrappen dat hij zichzelf zag als een van een tweeling, maar we hebben er ook nooit op gehamerd. Hij beschouwde zichzelf in geen enkel opzicht als een tweelingbroer van zijn broer, afgezien dan van het feit dat ze op dezelfde dag jarig zijn. Ze waren in alle opzichten verschillend: fysiek, vanwege Marks slokdarmproblemen en door zijn leermoeilijkheden.

In dit geval is Robert een ondersteuning voor zijn mindervalide broer, maar er zijn ook tweelingen die zich werkelijk in verlegenheid gebracht voelen door de medische toestand van de ander. Ze kunnen dan inderdaad voor hun vrienden verzwijgen dat ze een tweeling zijn.

Er zijn enkele gezonde tweelingkinderen die door de gebeurtenissen snel groot worden. Ze mogen echter nooit verantwoordelijk gesteld worden voor de speciale behandeling van hun tweelingbroer of -zus. Soms nemen ze wel eens taken op zich die beter bij een ouder kind passen en kunnen ze heel beschermend zijn ten opzichte van het mindervalide tweelingkind. Ook hier is het verschil tussen het gezonde kind en het zieke een duidelijke factor. Misschien is het ook veelbetekenend dat het gezonde kind vaker door verschillende vrienden en familieleden wordt verzorgd en het gehandicapte kind altijd door de moeder. Soms leidt het uitbesteed-zijn daadwerkelijk tot aanhankelijkheid, maar in andere gevallen leert het kind snel omgaan met de scheiding.

Om praktische redenen zijn uitstapjes vaak beperkt. Ook al is het goed toegankelijk, dan nog zal een bezoek aan een museum ongeschikt zijn voor een gehandicapt kind, iets dat het gezonde tweelingkind spijtig zal vinden. Vele jaren lang zullen eentonige, langdurige bezoeken aan de polikliniek het enige uitstapje zijn, achter zijn gehandicapte broer of zus aan.

Een gezond tweelingkind zal dolgraag eens naar een pretpark willen, net als zijn klasgenoten, maar daar kan op dit moment geen sprake van zijn. Vakanties zijn vaak beperkt tot een kort verblijf dicht bij huis en ook dan moet het er altijd heel rustig aan toe gaan. Een gezin met een drieling die speciale verzorging nodig heeft, koos voor de zekerheid altijd een camping in de buurt van een ziekenhuis met een eerstehulpafdeling.

Onderzoek heeft uitgewezen dat de meeste ouders het niet zo moeilijk vonden om het gezonde tweelingkind uit te leggen wat er aan de hand was, maar dat ze het heel moeilijk vonden om ermee om te gaan. Het overgrote deel van de ouders meende dat de handicap ook invloed had gehad op het gezonde kind en dat dat vaak te weinig aandacht kreeg, en soms ook minder cadeautjes.

Het gezonde tweelingkind had een enkele keer problemen, hetzij gedragsstoornissen (eten, slapen, woede-uitbarstingen, enz.) of fysieke klachten als astma en eczeem. Gezien de beperkte opzet van het onderzoek is het onmogelijk te weten of deze klachten beduidend meer voorkomen bij tweelingen met een gehandicapte tweelingbroer of -zus, maar het zou kunnen.

Er is een geval bekend waarbij vrienden en hulpverleners die thuis kwamen, het gezonde kind negeerden. Enkele ouders zeiden dat de hulpverleners niets begrepen van de betekenis van het tweeling-zijn. Een kinderarts zou een moeder van een tweelingkind met hersenverlamming verteld hebben dat het 'geen enkel verschil mocht maken' of het er een van een tweeling was. De resultaten van dit onderzoek wijzen uit dat sommige hulpverleners in gebreke blijven en ook beter de weg zouden kunnen aangeven voor een gezin met een meerling met speciale behoeften.

Hulp zoeken

Het is niet allemaal somberheid troef voor gezinnen die speciale behoeften hebben, zoals het volgende aantoont:

> Mijn drieling – alle drie meisjes – werden na 27 weken geboren en hebben drie maanden in de couveuse gelegen met ernstige aandoeningen. Onze oudste dochter Katie was op dat moment drie jaar oud en we betrokken haar overal bij. Ze begreep het – haar poppen hadden vaak hartproblemen en ze legde ze op ventilatoren gemaakt van bouwstenen. Mensen gruwden ervan, maar het was haar manier om ermee om te gaan. Nu is het negen jaar later. De drielingkinderen hebben allemaal een bijzondere verzorging nodig, maar alle vier de meisjes hebben zich eraan aangepast en spelen gezellig met elkaar. Ook in de slechtste dagen, toen ik te horen kreeg dat een of meer kinderen konden sterven, was ik hoopvol en bleef ze vasthouden. Nu prijs ik mezelf gelukkig.

Er kunnen ook voordelen aan verbonden zijn als een tweelingkind een bijzondere verzorging nodig heeft. Het gehandicapte kind wordt gestimuleerd en aangemoedigd door zijn vaste maatje en heeft een voorbeeld om na te streven, omdat het gezonde tweelingkind vaak inzicht, inlevingsvermogen en begrip heeft. Desalniettemin zal niemand zich alle moeilijkheden wensen die een gehandicapt kind in het gezin met zich meebrengt.

Gezinnen met een of meer meerlingen die speciale verzorging nodig hebben, moeten informatie vergaren over de handicap zelf, over financiële en praktische hulp en over emotionele en sociale ondersteuning op lange termijn. Hulp van diverse groeperingen en instellingen ligt binnen handbereik.

Artsen en andere deskundigen spelen een duidelijke rol in het regelen van zaken als verwijzingen naar specialisten, psychotherapie, speciale diëten en aanpassingen in huis (bijvoorbeeld via een ergotherapeut). Hoewel veel artsen ook de steun en toeverlaat van een gezin vormen, zijn sommige niet zo goed in staat de handicap zelf uit te leggen: de aard, de oorzaken en de langetermijnverwachtingen.

> De kinderarts zei alleen maar: 'Ik denk dat een van de kinderen het syndroom van Down heeft.' Daarna ging hij de kamer uit. Wat bedoelde hij met 'ik denk'? Ik moest het zeker weten. Ik moest ook zeker weten wat er van James zou worden en wat voor

soort leven hij zou hebben. De hoofdverpleegkundige was niet erg bemoedigend. Ze vertelde me dat ik niet veel meer kon verwachten dan een kasplant. Gelukkig is dat helemaal niet het geval. Zowel onze zieke zoon als zijn tweelingbroer beginnen dit jaar op een gewone basisschool.

Patiëntenverenigingen en zelfhulpgroepen doen goed werk met het verspreiden van informatie in elke mogelijke vorm. In veel gevallen steunen ze ook het gezin door een gewillig oor, een netwerk van lokale groepen en informatie te bieden over de vele mogelijkheden waarvoor men in aanmerking komt.

Gespreksgroepen spelen een aanvullende rol doordat ze het bewustzijn van publiek en deskundigen wekken en onderzoek stimuleren (en vaak financieren).

Zodra dat kan, zouden ouders contact moeten zoeken met de betreffende gespreksgroep, maar dat is niet altijd mogelijk. In sommige gevallen wordt er geen duidelijke diagnose gegeven of krijgt het gezin te horen dat de diagnose zo zeldzaam is, dat er in het hele land slechts enkele patiënten met deze aandoening zijn en dat het onwaarschijnlijk is dat ze ooit een kind met dezelfde aandoening zullen kunnen ontmoeten. In België kunnen ouders in deze gevallen terecht bij het Centrum voor Zeldzame Ziekten – zie Adressenlijst achteraan.

Er is een aantal manieren mogelijk waarop ouders met zieke en gehandicapte kinderen hulp kunnen aanvragen, maar de verwijzing daarnaar gaat veelal via consultatiebureaus. Veel gezinnen met een gehandicapte tweeling ondervinden veel steun van vrienden, familie en vrijwilligers. Een moeder vertelt hoe gelukkig ze was dat ze kennisgemaakt had met een ander gezin dat een tweeling had van een jaar ouder met dezelfde handicap:

> Ik wist dat ik, welke moeilijkheden zich ook zouden voordoen, kon praten met iemand anders, die niet alleen begreep wat het was, maar precies datzelfde stadium al had doorgemaakt – en overleefd.

Speciaal of bijzonder onderwijs

Het gebeurt vrij regelmatig dat een tweeling op schoolleeftijd bijzonder onderwijs nodig heeft. Die behoefte kan licht of ernstig zijn, tijdelijk of permanent, maar moet zo gestuurd worden dat het kind er zo goed mogelijk bij gedijt. Het hele proces legt de nadruk op partnerschap tussen de ouders en de instanties en deskundigen die erbij betrokken zijn. Een belangrijk principe is dat er rekening moet worden gehouden met de wensen van de ouders. Dit hoeft echter niet noodzakelijk te betekenen dat hun wensen ook ingewilligd worden.

Voor een kind dat speciaal onderwijs nodig heeft, zijn er diverse stadia van beoordeling, te beginnen met het moment waarop het vermoeden ontstaat dat bijzonder onderwijs nodig is. Dit kan variëren van slecht tellen tot verstoord gedrag – en soms gebeurt het ook wel dat begaafde kinderen bijzonder onderwijs nodig hebben.

Als een tweeling overlijdt

De dood van beide kinderen is vanzelfsprekend een tragedie en het is niet moeilijk dat als zodanig te beschouwen. We verwachten normaal gesproken eerder te zullen sterven dan onze kinderen, zodat het, net als alle sterfgevallen in de jeugd, 'verkeerd' is als het andersom gaat.

> Mijn beide kinderen stierven binnen vijftien uur na de geboorte. Heel lang had ik het gevoel dat ook in mij iets gestorven was. Dat was ik.

Het verlies moet beleefd worden, verwerkt worden en uiteindelijk, misschien pas jaren later, geaccepteerd worden – hoewel je, zoals wel wordt gezegd, een sterfgeval nooit helemaal kunt verwerken. Het zit in je.

Hoe tragisch de dood van beide kinderen ook is, het betekent dat zich niet de tegenstrijdige emoties zullen voordoen die ouders kennen als een kind van hun meerlingen overlijdt en de ander(en) blijft leven.

De rest van deze paragraaf heeft betrekking op het verlies van een van de tweelingkinderen (of drielingkinderen), niet omdat de dood van beide (of alle) baby's minder belangrijk is, maar omdat de problemen voor het gezin anders zijn.

De dood van een tweelingkind is op verschillende manieren anders. Ten eerste is het overlevende kind een constante herinnering aan het verlies. Hoe kan het gezin blij zijn met zijn leven, maar ondertussen de dood van het andere kind verwerken? Ten tweede moet het kind wel verzorgd worden door zijn ouders, hoeveel verdriet zij ook hebben. Ten derde zullen veel goedbedoelende mensen de omvang van het verdriet van de ouders onder deze omstandigheden niet kunnen begrijpen en vaak denken dat een moeder die een tweelingkind heeft verloren, blij moet zijn dat ze nog een kind over heeft.

Bestudering van dit terrein toont aan dat het verlies van een tweelingkind voor de ouders geheel niet gemakkelijker is, zoals veel mensen zouden denken, maar dat het veel moeilijker wordt om te dragen, omdat ze moeten doorgaan met het dagelijkse leven en vooral met de zorg voor het andere kind. Dit maakt dat het rouwproces, dat net zo noodzakelijk is als wanneer een zwangerschap uitmondt in een miskraam of een doodgeboren kindje, wordt uitgesteld.

Helaas begrijpen ook de hulpverleners van ouders die een tweelingkind verloren hebben het dikwijls ook niet goed en maken zij pijnlijke opmerkingen in de richting van 'kop op'.

Het is dan ook niet verbazingwekkend dat ouders van een overleden tweelingkind de neiging hebben niet zoveel met hulpverleners over hun verdriet te praten als ouders die een eenling verloren hebben.

Toch kan de behoefte van die ouders groter zijn. Onderzoekers wijzen erop dat moeders die een pasgeboren tweelingkind verloren hebben, een grotere kans hebben een jaar later geestelijke problemen te krijgen dan ouders die hun enige kind verloren hebben. Een ander recent onderzoek toont aan dat een ouder die een tweeling bij de bevalling heeft verloren, meer kans heeft zich verward en boos te voelen dan een ouder die een eenling verloren heeft.

Een deel van het verdriet is volgens de betrokken ouders te wijten aan het verlies van de trots en het speciale gevoel dat gepaard gaat met een twee- of meerling binnen het gezin. Een moeder van wie een van de tweelingkinderen overleden is, blijft zichzelf zien als moeder van een tweeling, zoals Elizabeth Bryan heeft aangetoond. Zo is ook de moeder van een drieling waarvan er een overleden is, nog altijd de moeder van een drieling: ze is niet zomaar 'gedegradeerd' tot moeder van een tweeling.

Niet-verwerkt verdriet van de ouders is moeilijk voor de overlevende kinderen, vooral voor het tweelingkind, dat tal van emotionele reacties moet doormaken (zoals later in dit hoofdstuk besproken zal worden). Een rouwende moeder kan het moeilijk vinden te voldoen aan de eisen die de kinderverzorging stelt en zal misschien niet in staat blijken het overlevende tweelingkind zo goed mogelijk te verzorgen, maar haar partner en zijzelf moeten door het verdriet heen, door de verschillende stadia van de weg die voor hen het meest geschikt is. Als u in die situatie zit, dan is het beste advies om de omvang van uw verlies niet te onderschatten of te proberen het proces te versnellen.

James Hollis, een psychotherapeut volgens Jung, schrijft in zijn boek *The Middle Passage* dat verdriet over het algemeen de gelegenheid biedt de waarde te beseffen van wat er gebeurd is. Omdat u iets meegemaakt hebt, kan het niet helemaal verloren gaan. Het is er, zegt Hollis, het blijft in de botten en het geheugen bewaard, en het blijft het leven dat komt begeleiden.

Het leven van het tweelingkind dat later overlijdt, écht beleven lijkt essentieel om het verlies te kunnen verwerken. Als een tweelingkind doodgeboren wordt of als heel klein baby'tje sterft, is het verlies niet minder reëel, maar er is in elk geval weinig gelegenheid om het kindje levend mee te maken. Wat kunt u doen om zowel het kind als het tweeling-zijn te respecteren?

Voor de bevalling overleden

Hoewel er weinig kans is om iets tastbaars van de baby voor zijn overlijden te bewaren, zijn er wel manieren waarop ouders zijn bestaan kunnen concretiseren:

- Er zou een foto kunnen worden gemaakt van een echoscopie, bij voorkeur een heel vroege waarop allebei de baby's nog in leven zijn, maar als dat niet kan, een echoscopie waarop ze beiden te zien zijn.

- Het ziekenhuispersoneel zal er misschien niet aan denken dat u het kindje graag wilt zien en misschien vasthouden. Als u en uw partner een poosje alleen willen zijn met de baby, zeg dat dan.

- Foto's of tekeningen worden vaak gekoesterd als herinnering. Tegenwoordig kunnen twee of meer afzonderlijke foto's zo gemonteerd worden dat er een gezinsfoto ontstaat. Als een kindje lang voor de bevalling is overleden, zult u deze foto's misschien niet aan anderen willen laten zien, maar sommige kunstenaars kunnen een fraaie compositietekening of -schilderij maken van afzonderlijke foto's van de baby's (of zelfs foetussen).

- Door de overleden baby een naam te geven, maakt u het voor de familie gemakkelijker om over hem of haar te praten. Misschien kunt u beter geen naam kiezen die duidelijk verband houdt met het overlevende kind (bijvoorbeeld Margriet en Roosje).

- Mogelijk kunt u een begrafenisdienst verzorgen.

- Ook als het stoffelijk overschot er niet meer is, zullen sommige geestelijken bereid zijn een doodgeboren kindje te dopen (soms ook baby's die technisch gezien een miskraam zijn). Dit kan een grote troost voor de ouders zijn.

- Er kan een of andere vorm van herdenkingsdienst worden gehouden. Dit hoeft beslist niet meteen te gebeuren – het kan zelfs jaren later.

- U zou het bestaan van het kindje op een tastbare manier kunnen vormgeven door bijvoorbeeld een boom te planten of een plaquette te maken.

- U en uw partner moeten een gesprek over de baby met vrienden en familie niet uit de weg gaan. In de loop der tijd zult u er ook met het overlevende tweelingkind over moeten praten.

De meeste van deze suggesties hebben betrekking op het overlijden op een willekeurig moment in de zwangerschap, hoewel de dood van een van de kinderen vroeg in de zwangerschap een bijzondere complicatie oplevert. Als een tweelingkind voor 20 weken overlijdt (of selectief geaborteerd wordt) terwijl de ander blijft leven, wordt dit gezien als een miskraam. Veel ouders vinden het echter prettiger te weten dat beide baby's als tweeling ingeschreven staan en als u dat vraagt, is dat vaak mogelijk.

De dood van een baby of kind
Zo'n sterfgeval vindt vaak plaats in het ziekenhuis, vooral op de couveuseafdeling, waar het personeel wel ervaring heeft in het omgaan met verdrietige en rou-

wende ouders, hoewel misschien minder met het omgaan met de dood van een tweelingkind.

Als een twee- of meerlingkind gaat sterven, moeten de ouders aangemoedigd worden zoveel mogelijk tijd met deze baby door te brengen. Later is er tijd genoeg voor de overlevende baby('s). Er zullen altijd ziekenhuizen zijn waar het personeel wellicht suggereert dat de moeder zich moet richten op de gezondste van de twee. Toch wensen ouders vaak achteraf dat ze ook meer aandacht hadden besteed aan het zieke kindje in plaats van het over te laten aan de zorgen van een vriendelijke verpleegkundige.

Er zijn veel manieren waarop een ouder aandacht aan het bestaan van de baby kan besteden:

- Foto's kunnen goed doen, bij voorkeur van beide of alle baby's samen. Ook nadat een van de kinderen is overleden, kunnen er foto's van allemaal samen worden genomen. Er zijn maar weinig medische redenen om dit niet te doen. Soms kan verplegend personeel dit nog wel eens schokkend vinden, maar ouders ervaren het meestal niet als macaber.
- Andere nuttige aandenkens zijn het polsbandje uit het ziekenhuis, het kaartje van het wiegje, een lokje haar of zelfs een voet- of een vingerafdruk. U zult er nu nog niet naar willen kijken en misschien ook niet de waarde ervan inzien, maar mettertijd kan dit soort aandenkens waardevolle schatten worden.
- Zoals altijd maakt het geven van een naam het mogelijk over het kindje te praten, nu en in de toekomst – vooral, als de tijd daar is, met het kind dat is blijven leven.
- Hebt u een tweeling van dezelfde sekse, dan kan door de zygositeit te bepalen duidelijk worden of de kinderen eeneiig (monozygotisch) zijn. Dit kan soms op verzoek worden geregeld als u daar bijtijds om vraagt.
- Het contact met het verplegend personeel in het ziekenhuis kan het enige contact zijn met mensen die uw baby in leven hebben gezien. Het gebeurt wel dat een ouder, waarvan een van de kinderen is overleden, nog vijf jaar later op de verjaardag van de tweeling teruggaat naar het ziekenhuis.

Hulp voor de getroffen ouders

Veel moeders die een baby of een kind verloren hebben, wordt geadviseerd dat te verwerken door te proberen zo snel mogelijk weer zwanger te worden. Zwangerschap en bevalling echter, de antitheses van de dood, vereisen een goede rouwverwerking. Hoewel de volgende baby meestal heel erg wordt gekoesterd – en er heel veel over wordt getobd – is het een slecht idee om meteen weer aan een zwangerschap te beginnen, ook al zijn alle baby's overleden.

Er is gelukkig een aantal hulpverlenende instanties op dit gebied, die bovendien gespreksgroepen organiseren. Ook jaren na het verlies van een tweelingkind blijken sommige ouders nog hulp te zoeken, maar er is gebleken dat het nooit te laat is om een dergelijk verlies te verwerken.

Zoals het op het gebied van kinderverzorging wel vaker gaat, staan mannen meestal aan de zijlijn of zijn ze ondervertegenwoordigd. Hoewel ook vaders hulp aangeboden krijgen, vinden moeders het gemakkelijker om daar gebruik van te maken. Soms is de reactie van een vader heel anders dan die van zijn partner, maar het is in elk geval heel moeilijk voor hem zijn gevoelens te uiten. Zelfs in deze moeilijke tijden zijn er voor hem maar weinig aanvaardbare manieren om zijn hart te luchten. Op kantoor zullen collega's er niet over peinzen het onderwerp ter sprake te brengen in het bijzijn van de getroffen vader of te vragen hoe het gaat. Hij zal zijn vrienden en familie er ook niet mee willen opzadelen. Echte mannen huilen immers niet. Of wel?

Het overlevende tweelingkind

Kinderen voelen emoties meteen en de langetermijneffecten van de dood op een overlevend kind, vooral als het er een van een tweeling is, kunnen vernietigend zijn. De band tussen tweelingen is vaak de sterkste van alle menselijke verbintenissen en het zou vreemd zijn als dat niet het geval was.

Ook een kind dat zijn tweelingbroer of -zus op heel jonge leeftijd heeft verloren, kan daar heel erg door geraakt zijn. Het lijkt vreemd, maar er zijn mensen die een doodgeboren tweelingbroer of -zus hebben gehad, die hebben gezegd dat ze zich altijd incompleet hebben gevoeld – lang voordat ze wisten dat ze er een van een tweeling waren. Ze lijken opgelucht te ontdekken dat ze ooit een tweelingbroer of -zus hadden, al is het maar enkele maanden in de baarmoeder.

Deskundigen zijn het erover eens dat het verkeerd is om te proberen een jong kind af te schermen van de dood in een gezin. Hoewel een kind nog geen idee zal hebben van de dood, moet het op een bepaald moment wel weten dat het een tweelingbroer of -zus gehad heeft, het liefst voordat het dat van iemand anders hoort. Ouders zijn vaak verbaasd te zien hoe goed kinderen dit opnemen. Het overlevende kind kan heel trots zijn op zijn tweeling-zijn en sommige kinderen willen dit nieuws meteen aan hun beste vriend(in) vertellen.

Als een kind op het moment van overlijden oud genoeg is, kan de begrafenis of de rouwdienst een belangrijke manier zijn om afscheid te nemen. Ook heel jonge kinderen kunnen hierbij betrokken worden door hun eigen speciale rol te spelen – door een lied te kiezen om te zingen of een boeketje op de kist te leggen. Ze moeten dat mogen doen en zo nodig worden aangemoedigd als ze dat willen, hoewel ze zich er niet toe gedwongen moeten voelen.

Op welke leeftijd zijn tweelingbroer of -zus ook sterft, het kind dat overblijft zal zich wellicht schuldig voelen. Soms omdat het denkt dat het niet voor de ander gezorgd heeft, maar het kan ook een algemeen schuldgevoel zijn omdat het zelf nog leeft. Een meisje vertelde dat niet alleen haar doodgeboren tweelingbroer, maar ook zij niet had mogen leven. Dat is de reden waarom zij, zoals haar ouders haar vertelden, met opzet een lelijke naam had gekregen.

Ouders moeten heel goed opletten dat ze niets zeggen dat ervoor zorgt dat het overlevende kind zich verantwoordelijk voelt. Heel veel kan worden voorkomen door niets te zeggen over de overbevolking van de baarmoeder, voedselgebrek of bijvoorbeeld de suggestie dat als mama niet afgeleid geweest was door Ben, Anne waarschijnlijk niet onder de aanstormende auto was gelopen.

Dit kan het geval geweest zijn, waardoor de houding en de emoties van de ouders mogelijk gekleurd zijn. Het overlevende kind kan zich waardeloos, maar ook schuldig voelen. Dit is vooral waarschijnlijk als het overlevende kind van een jongen-meisjetweeling, in de ogen van een of beide ouders, de 'verkeerde' sekse is.

Als de helft van een tweeling kan het overlevende kind denken dat het nu van minder waarde is. Soms idealiseren ouders het overleden kind en belasten onbewust het kind dat nog in leven is:

> Op de een of andere manier voelde ik me tweedehands, zelfs voordat mijn broer stierf (toen hij vijf was). Hij was altijd ziekelijk, maar klaagde nooit. Ik was gezond en zorgde altijd voor moeilijkheden – althans zo zag mijn moeder dat. Ik realiseer me nu dat het voor haar heel moeilijk moet zijn geweest. Ik voelde me zelfs nog slechter nadat hij overleden was, want ze bleef maar vertellen hoe perfect hij was, 'heel anders dan zij'.

Natuurlijk is de oorzaak van wangedrag bij het overlevende kind overduidelijk. Het overlevende kind kan moeilijk in de omgang zijn als het zijn eigen emotionele onrust moet verwerken. In het omgaan met zijn eigen verdriet en verwarring kan het dingen doen die zijn ouders verdriet doen, zoals praten met zijn overleden tweelingbroer of -zus, diens plaats aan de eettafel innemen of slechts de helft opeten van het eten dat voor hem staat.

Soms zal het overlevende tweelingkind zelf flirten met de dood, vooral als het proces in enig opzicht is verheerlijkt. Een jongetje van zes wilde beslist op de weg voor het huis staan; misschien is het tekenend dat dit rond Pasen gebeurde. Zijn tweelingbroer was niet om het leven gekomen bij een ongeluk, maar, zo legde hij uit, hij wilde doodgaan zodat Jezus hem kon meenemen naar zijn broer.

Wat de doodsoorzaak ook geweest mag zijn, sommige moeders laten regelmatig het overlevende kind medisch controleren uit angst het ook nog te verliezen. Bij een ziekte als leukemie kunnen ouders het ongelooflijk vinden dat het overlevende kind het lot van zijn tweelingbroer of -zus is ontgaan – ze vragen zich af hoe lang dat zal duren. Soms zijn dergelijke zorgen logisch, maar soms ook niet.

Het overlevende kind kan soms deskundige hulp van een kinderpsychiater nodig hebben en het kan raadzaam zijn om het te verwijzen naar een kliniek die gespecialiseerd is in het behandelen van kinderen met traumatische stress. Ook de ouders hebben hulp nodig voor hun emoties. Wordt het niet opgelost, dan zal hun eigen verdriet het allemaal veel moeilijker maken voor het overlevende kind.

Met de dood is zelden alles voorbij en het maakt geen einde aan het tweeling-zijn. Kinderen hebben er vaak voordeel van als de herinnering aan hun overleden tweelingbroer of -zus levend gehouden wordt en ze zijn hun ouders daar in latere jaren vaak dankbaar voor. Ouders mogen hun kinderen er niet van weerhouden om over het overleden tweelingkind te praten. Er zijn ook kinderen die op speciale dagen naar het graf willen om er bloemen te brengen of gewoon na te denken, maar het vraagt tact om dit te doen op gepaste tijdstippen zonder voor de ander jaarlijks het feestgevoel van zijn verjaardag te bederven.

Hoe oud het kind ook was toen het overleed en ondanks de inspanningen van de ouders, overlevende kinderen zullen vaak het gevoel hebben dat ze de helft van een geheel zijn. Misschien is dit een unieke kant van het tweeling-zijn.

Het overgebleven tweelingkind als volwassene

Ik denk dat als je je leven samen begonnen bent, het de bedoeling was dat je bij elkaar bleef.

Onderzoek toont aan dat diepbedroefde kinderen over het algemeen in hun latere leven meer kans hebben op een psychiatrische aandoening, vooral depressies. In de jaren '80 van de vorige eeuw deed psychotherapeut Joan Woodward onderzoek bij overlevende tweelingkinderen. Ze ondervroeg 219 volwassenen van wie sommigen in hun jeugd een tweelingbroer of -zus hadden verloren, en anderen op een later moment. Woodward zelf verloor haar eeneiige zus Pamela toen ze drie jaar oud was. Meer dan 80 procent van de tweelingen in haar onderzoek vond dat de dood van het tweelingkind een vergaand of uitgesproken effect op hun leven had gehad. De dood van een lid van een eeneiige tweeling of een tweeling van dezelfde sekse zou nog ernstiger gevolgen hebben. Misschien verrassend is dat degenen die in hun prille jeugd of bij de bevalling een tweelingkind hadden verloren, soms treurden om het leven.

Sommige van de onderwerpen die uit de studie tevoorschijn kwamen, hebben betrekking op het liefhebben van het overgebleven kind. Vaak was er sprake van schuld, bijvoorbeeld omdat ze de ander niet voldoende hadden beschermd, en soms was er sprake van een gevoel van tekortschieten. Het overlevende kind heeft het gevoel dat het, hoeveel het ook bereikt in het leven, nooit genoeg voor twee kan doen.

Veel volwassen tweelingen die alleen achtergebleven waren, hadden problemen in hun relaties met andere mensen. Misschien probeerden ze heel sterk het hechte van de band tussen tweelingen met iemand anders te dupliceren en mislukte dat. Woodward stelde vast dat sommige volwassen tweelingen bijzonder eenzaam waren, terwijl andere een hechte band meden en zichzelf als eenzaam typeerden.

De schok van het verlies van een tweelingkind in de jeugd werkt het hele leven na, maar je bent je daar niet altijd van bewust. Het is een prettig idee dat ik nu in contact kan komen met andere tweelingkinderen die alleen overgebleven zijn en eenzelfde emotionele reactie hebben gehad. Mijn ouders hebben het nooit gehad over mijn tweelingbroer, die op 5-jarige leeftijd plotseling overleed. Ik kan me voorstellen dat ze in een schoktoestand hebben verkeerd en het lange tijd hebben ontkend, waardoor ze alle herinneringen te pijnlijk vonden. Het gevolg is dat ik geen herinneringen aan mijn broer heb – afgezien van één foto – en nu zijn mijn ouders allebei overleden.

Wat er gebeurt met een tweeling, is een boeiende, hoewel pijnlijke vraag. Omdat tweelingen zo nauw verbonden zijn, kan een achtergebleven tweelingkind het moeilijk vinden om het over 'ik' te hebben in plaats van over 'wij'. Er zijn overlevende tweelingkinderen die ontdekken dat hun eigen identiteit onder druk komt te staan. Iedereen die onlangs een pijnlijk verlies geleden heeft, kan de overleden persoon als het ware vanuit zijn ooghoeken zien. In het geval van een tweelingkind dat alleen achterblijft, kan een blik in de spiegel vaak al een steeds weerkerende herinnering aan de pijn zijn. Het kan zeer pijnlijk zijn als anderen je verwarren met de eeneiige tweelingbroer of -zus.

Sommige mensen biedt het geloof soelaas, vooral degenen die ervan overtuigd zijn dat ze ooit met de ander herenigd zullen worden, maar wat de religieuze overtuiging ook is, de meeste achtergebleven tweelingen vinden het belangrijk een soort gedenkteken te maken. Dat kan in concrete zin een plaquette of een grafsteen zijn, maar ook in de vorm van het vernoemen van een van de eigen kinderen naar de overleden tweelingbroer of -zus.

Voor degenen wiens tweelingbroer of -zus doodgeboren is, kan de overlijdensverklaring een geruststellende en tastbare herinnering aan de tweeling zijn. Al dit soort dingen kan helpen bij de verwerking van de pijn dat je niet langer deel van een tweeling bent.

Hoofdstuk 15

Volwassen tweelingen

Hoewel mensen heel weinig weten over volwassen tweelingen, blijven ze het toch fascinerend vinden. Een tweeling die veel aandacht trekt, is David en Frederick Barclay, een eeneiige tweeling die nu in de zestig is. Samen hebben ze een bescheiden hotelketen vanaf de grond opgebouwd en als gevolg van hun succes wordt hun naam vaak genoemd op de financiële bladzijde van de kranten: ze kochten bijvoorbeeld het Ritz Hotel in Londen voor zo'n 120 miljoen euro. Ze bezitten diverse dagbladen en behoren tot de rijkste mannen van Engeland (en zeker de rijkste tweelingen). Wat het meest tot de publieke verbeelding spreekt, is echter de nauwe en exclusieve band die er tussen hen zou bestaan – ze zijn heel teruggetrokken en geven zelden een uitgebreid interview. Beiden zijn in het verleden getrouwd geweest, men veronderstelt dat ze nog altijd dezelfde pakken met krijtstreep dragen en ze wonen nu samen in afzondering op een Kanaaleiland.

Ook Norris en Ross McWhirter vormen zo'n uiterst succesvolle tweeling, die op vele terreinen samenwerkte en uitblonk. Na hun studie in Oxford trokken ze naar Fleet Street en kregen al snel opdracht het *Guinness Book of Records* samen te stellen, dat in 1955 voor het eerst verscheen. Helaas kwam Ross McWhirter om het leven bij een bomaanslag door de IRA.

De gebroeders Kray vormden een bijzonder beruchte tweeling, die om totaal verschillende redenen bekend werd. Op de begrafenis van gangster Ronnie Kray in maart 1995 stonden op de krans van witte chrysanten van zijn eeneiige tweelingbroer Reggie (45 minuten jonger) de woorden: 'Aan mijn andere helft'. Zoals Reggie later zei, was met Ronnie een deel van hemzelf gestorven.

'Ik kan me niet voorstellen hoe het is te leven zonder mijn tweelingbroer of -zus', is een veelgehoorde opmerking van tweelingen. Zoals tweelingen niet zonder de ander kunnen, kunnen eenlingen zich niet voorstellen wat het is om een van een tweeling te zijn. Psychologen beseffen zo langzamerhand dat veel volwassen tweelingen beïnvloed zijn op een manier die andere stervelingen maar nauwelijks kunnen begrijpen.

Ondanks de wijdverbreide aandacht die volwassen tweelingen ten deel valt, is er nog altijd weinig systematisch onderzoek naar het onderwerp gedaan. Algemeen wordt gedacht dat een tweeling meer is dan gewoon twee mensen die toevallig op hetzelfde moment geboren zijn, maar wat het precies is? Vaak wordt verondersteld dat er tussen tweelingen een mysterieuze psychische band bestaat – en soms blijkt dat inderdaad het geval te zijn (een punt dat in diverse boeken is uitgewerkt).

Hoe volwassen tweelingen zichzelf zien

Hoe zijn volwassen tweelingen? Er is geen eenduidig antwoord op deze vraag mogelijk. Tussen sommige tweelingen is er niet meer dan tussen broers en zussen, terwijl er eeneiige tweelingen zijn die als volwassene nog altijd een heftige en exclusieve relatie hebben, bij elkaar wonen, een slaapkamer delen, dezelfde kleren en hetzelfde kapsel hebben, bij hetzelfde bedrijf werken en elkaars zin afmaken in een gesprek. Er zijn stellen die de dagelijkse dingen verdeeld hebben in die zin dat slechts een van hen de krant koopt of bijvoorbeeld de brieven post, en dat kunnen dan karweitjes worden die de ander niet meer kan.

Het zijn echter de uitzonderingen die opvallen. De meeste volwassen tweelingen vallen ergens tussen deze extremen in. Over het geheel genomen lijkt de nauwste band te bestaan tussen eeneiige tweelingen, hoewel het niet duidelijk is waarom. Is dat zuiver omdat ze genetisch gelijk zijn of komt het doordat hun ouders hen als eenheid opgevoed hebben als gevolg van hun gelijkende uiterlijk?

Tweelingen die een afkeer van elkaar hebben

Het gros van de mensen verwacht van tweelingen dat ze elkaar op de een of andere manier aanvullen, maar toch zijn er tweelingen voor wie het tweeling-zijn een benauwende ervaring is; het is een groot nadeel om voortdurend met elkaar vergeleken te worden en het leidt tot moeilijkheden bij het zelfstandig worden, ook als jonge volwassene. Dit zou vooral gebeuren als een van de twee afhankelijk is van de ander en voortdurend naar zijn tweelinghelft kijkt om hulp of advies, wat voor zowel de leider als de volgeling heel ongezond kan zijn.

Redenen waarom sommige tweelingen niet met elkaar overweg kunnen, zijn onder meer:

- voortdurend vechten;
- problemen bij het ontwikkelen van de eigen identiteit; ze kunnen zelfs op familiefoto's niet te onderscheiden zijn;

- extreme gelijkenis: de rest van de wereld bestaat uit verschrikkelijk veel eenlingen;
- onaangename vergelijkingen: het ene tweelingkind kan zich voortdurend minderwaardig voelen, zoals de donkerder gekleurde broer van een tweeling van gemengd ras. Hoewel het de donkerdere jongen stoorde, leken beide jongens de zogenaamde meerderwaardigheid van de blankere jongen als vanzelfsprekend te beschouwen tot ze volwassen waren;
- voorkeur van de ouders: het lievelingetje lijkt op te bloeien terwijl zijn tweelinghelft het gevoel heeft in zijn schaduw te leven.

Ook al kunnen tweelingen niet in alles even goed met elkaar overweg, toch zullen toevallige waarnemers en kennissen denken dat ze, op basis van het tweelingzijn, wel goede maatjes moeten zijn. Dit kan heel kwetsend zijn – bedenk eens hoe het is om voortdurend te worden aangezien voor iemand die je niet kunt uitstaan!

Soms omschrijft een volwassen tweeling zich wel eens als 'te dicht bij elkaar om het prettig te laten zijn'. Sommigen vinden de aanwezigheid van de ander die zo op hem lijkt, onaangenaam. Bestaat niet de gevleugelde uitspraak dat we allemaal anders zijn? Tweelingen vinden het misschien moeilijk om samen te zijn *omdat* ze ongeremd naar elkaar toe zijn, waarbij ze dingen zeggen die ze nooit tegen iemand anders zouden zeggen.

Er zijn er die deze rivaliteit tot ver na de middelbare leeftijd houden, waarbij ze met elkaar wedijveren over huizen en dingen als de school- en sportprestaties van hun kinderen. Dit kan ook gebeuren bij niet-tweelingen, hoewel het het meest voorkomt bij tweelingen van dezelfde sekse. Soms zijn inspanningen gedoemd te mislukken, omdat een van de twee een minder goed betaalde baan heeft en zich gewoon eenzelfde leefstijl als de ander niet kan veroorloven.

Hebben veel volwassen tweelingen problemen? Nee, natuurlijk niet. De meesten leiden een heel normaal leven – en zijn niet meer of minder evenwichtig dan welke eenling ook, maar daar hoor je hen zelden over. Dit is een van de problemen bij de poging uit te zoeken hoe tweelingen over hun tweeling-zijn denken. Zoals Elizabeth Bryan zegt over de tweelingen van alle leeftijden die naar haar kliniek komen: 'Ik zie de probleemgevallen. Mensen komen niet naar me toe om te vertellen dat het allemaal zo goed gaat.' Zo gaat dat op vele onderzoeksgebieden: degenen die reageren, hebben vaak een boodschap uit te dragen.

Het is geen punt om een tweeling te zijn
Er zijn enkele paren die werkelijk niets lijken te geven om het feit dat ze een tweeling zijn.

Het is niet meer of minder dan de band tussen welke kinderen ook. Het is gewoon een gegeven.

'Ik mag hem heel graag en we gaan intens met elkaar om,' zegt een vrouw over haar tweelingbroer, 'maar niet intenser dan met wie ook. Eigenlijk kan ik wel zeggen dat ik meer heb met mijn oudere broer dan met mijn tweelingbroer.'

Het is leuk om een tweeling te zijn

Twee eeneiige tweelingmeisjes, nu beide arts, vinden het nog altijd heel leuk om een tweeling te zijn, hoewel de een de leider is en de ander volgt. Hun stemmen lijken vooral heel erg op elkaar en de meeste mensen verwarren ze aan de telefoon, maar niet in persoon. De jongste van de twee lijkt het minder leuk te vinden – zij was altijd de volgelinge.

We zijn nog altijd heel dik met elkaar

Veel tweelingen vinden hun tweeling-zijn een voortdurende bron van plezier en steun door het hele leven heen. De eerste die meestal de successen of mislukkingen van de tweeling hoort, is meestal de ander, misschien omdat van hem verwacht wordt dat hij kan inschatten hoeveel plezier of verdriet iets doet. Een lid van een tweeling die op haar veertigste wordt geconfronteerd met ontslag, ervaart haar twee-eiige zuster, hoewel die in een ander land woont, nog altijd als heel betrokken en ondersteunend.

Overzicht van tweelingen

Mary Rosambeau, afgestudeerd psychologe, sociaal werkster en moeder van een tweeling, heeft onderzoek gedaan onder honderden tweelingen in hun tienerjaren en daarna. Onder de geënquêteerden waren vele eeneiige tweelingen, die vooral iets te vertellen hadden over hun tweeling-zijn, terwijl twee-eiige tweelingen dat veel minder zullen hebben ervaren. Deze afwijking – of zelfselectie – onder respondenten betekent dat de percentages en cijfers niet betrouwbaar zijn, maar toch zijn de resultaten van Rosambeaus onderzoek heel boeiend.

Enkele van de voordelen die tweelingen noemden, zijn:

- iemand naast je hebben, min of meer een boezemvriend(in);
- een vertrouweling hebben, iemand tegen wie je heel oprecht kunt zijn;
- iemand hebben die je begrijpt, wat het ook betreft;
- speciaal zijn;
- sociaal populair zijn (hoewel tweelingen dat niet zullen zijn als ze de hele tijd vechten!);
- elkaar beschermen, een eenheid vormen thuis, in de klas of op het speelterrein;

- praktische zaken: klusjes samen doen, helpen bij het huiswerk;
- iemand om mee te tennissen of bordspelletjes te doen;
- de voordelen van concurrentie (ooit gaven drie atletes, die achteraf pas een drieling bleken te zijn, concurrentie op als een van de voornaamste redenen voor hun doorzettingsvermogen en succes).

Er zijn, volgens de tweelingen zelf, ook nadelen, zoals:

- sociale onwetendheid: jongen-meisjetweelingen wordt vaak gevraagd of ze bijvoorbeeld eeneiig zijn (de fout die Shakespeare beging met Viola en Sebastiaan is welbekend, ook onder geleerden van de Universiteit van Oxford);
- aandacht trekken om de verkeerde reden: zuiver en alleen gewaardeerd worden om het tweeling-zijn in plaats van als individu, of als een soort fenomeen aangestaard worden;
- 'de tweeling' worden genoemd – zoals een tiener me vertelde: 'Het ergste was om aan de telefoon te worden geroepen als "tweeling", ook al moest maar een van ons het gesprek aannemen';
- oneerlijke of onverschillige vergelijkingen, vooral bij de fysieke verschijning of examenresultaten – 'Zij is de mooiste', zei een jonge vrouw. 'Dat is ze altijd geweest. Maar ik ben nu wel degene die getrouwd is!';
- op de een of andere manier verantwoordelijk zijn voor de ander – voor zijn gevoelens als hij genegeerd wordt, voor zijn veiligheid als ze samen spelen;
- afhankelijk zijn van elkaar;
- materiële ongelijkheid;
- gebrek aan tijd en aandacht van de ouders.

Het is opvallend dat de nadelen die volwassen tweelingen belangrijk vinden, vaak dezelfde zijn als de punten die kinderen noemen. Sommige daarvan kunnen in hun voordeel veranderd worden. Hoewel iemand waarschijnlijk niet veel zal kunnen doen aan maatschappelijke onwetendheid en vooroordelen, bevinden ouders zich tegenwoordig in een goede positie om zich bewust te zijn van de problemen waarmee de tweeling te maken krijgt en de kinderen te helpen zoveel mogelijk voordeel uit het tweeling-zijn te halen.

De andere sekse

Het kan voor een buitenstaander moeilijk zijn in het sociale leven van een tweeling betrokken te worden, en dit kan heel veel emotionele en romantische relaties beïnvloeden. Het is moeilijk om binnen te dringen in het hechte dat tussen een tweeling bestaat en, of het nu wel of niet een tweeling van dezelfde sekse is, de mogelijke partners kunnen het gevoel hebben dat ze de toestemming van de andere helft van de tweeling nodig hebben voordat een relatie kan uitgroeien. Tweeling- (en drieling)meisjes zeggen vaak dat een vriendje het met hen allemaal goed moet kunnen vinden. De gedachte daaraan kan mogelijk geïnteresseerde jongens afschrikken.

René Zazzo veronderstelde dat tweelingen vaker later trouwen dan eenlingen en heeft ontdekt dat velen helemaal niet trouwen, misschien uit een gevoel van loyaliteit met de ander. Therapeute Audrey Sandbank wijst erop dat de verwachtingen aangaande het huwelijk heel hooggespannen kunnen zijn. In feite hebben velen van ons, tweeling of niet, vrij hoge verwachtingen van het huwelijk, maar vooral voor tweelingen kan het irreëel zijn aan te nemen dat een band ontstaat zo diep als die van het tweeling-zijn.

Er is een anekdotisch bewijs dat de voortgaande hechte relatie tussen tweelingen de echtgenoten van de tweeling het gevoel heeft buitengesloten te zijn. Zoals een vrouw stelt:

> Ik was eigenlijk degene die mijn tweelingbroer voorstelde aan zijn aanstaande vrouw, die een collega van me was. Nog vele jaren na hun huwelijk was het duidelijk dat mijn schoonzuster heel jaloers op me was. En het is niet zo dat mijn broer en ik ooit onafscheidelijk waren.

Dit zegt misschien meer over de veronderstellingen van de schoonzuster wat betreft de relatie tussen de tweeling dan over de tweeling zelf.

Als slechts een van de twee trouwt of een langdurige relatie aangaat, kunnen daar problemen uit voortkomen omdat de ander zich feitelijk buitengesloten voelt. Het kan een verwijdering tussen de tweeling tot gevolg hebben. Vaak is dat ongelukkige gevoel tijdelijk, en in de loop van de tijd zal de andere tweelinghelft zijn eigen weg wel vinden. Soms zoekt de overgebleven tweelinghelft haastig ook een partner en dat kan iemand zijn die helemaal niet bij hem past: een noodsprong wellicht.

Aan de andere kant is de tweelinghelft die alleen komt te staan soms eerder opgelucht dan boos omdat hij alleen is:

> Eigenlijk nemen het huwelijk en de verhuizing van een van de twee ook een aantal van de nadelen van het tweeling-zijn weg, waardoor het als een bevrijding gezien kan worden.

Soms spelen andere ongewone facetten in de relatie van de tweeling met anderen een rol:

- Jong volwassen tweelingen kunnen vriendjes of vriendinnetjes een poets bakken. Zoals een jongen van negentien zegt:

> Toen ik een afspraakje had met een meisje dat ik eigenlijk niet zo zag zitten, heb ik mijn eeneiige broer er een keer op afgestuurd. Ze had het niet door, maar dat zou op termijn wel gebeurd zijn. Hij vond het een giller om dit grapje met haar uit te halen!

Soms trouwt een tweeling met een andere tweeling. Het is niet helemaal duidelijk waarom dat gebeurt, maar we hebben wel de neiging om mensen die op ons lijken als partner te kiezen.

- Tweelingen, meestal van hetzelfde geslacht, kunnen zich tot dezelfde persoon aangetrokken voelen. In feite gebeurt dit veel minder vaak dan je zou denken en misschien iets minder vaak dan het eenlingbroers en -zussen overkomt. Veel tweelingen zeggen dat ze nooit dezelfde persoon aantrekkelijk zouden vinden, omdat ze een verschillende smaak hebben, maar het zou ook een uiting van een onuitgesproken taboe kunnen zijn, zoals het geval is bij incest.
- Er zijn mensen die in een bigamische relatie met beide tweelinghelften tegelijk stappen. Op de universiteit deelde een student ooit een aantal maanden het bed met beurtelings twee eeneiige zusjes, een situatie waarvan een van hen op de hoogte was en ze accepteerde, terwijl de andere (die de meest dominante van de twee zou zijn) onwetend bleef. En er is het geval van ten minste één vrouw die met twee eeneiige broers het bed deelde. Toen ze op de televisie dit verhaal vertelde, was het duidelijk dat ze de mannen als een eenheid beschouwde. Hoe serieus dergelijke relaties zijn? Dat is voor buitenstaanders niet in te schatten.

Deden de ouders van de volwassen tweeling het goed?

Deze vraag is relevant voor veel ouders van meerlingen in deze tijd. Ook hier is weer niet één antwoord te geven en er is op dit gebied geen officieel onderzoek gedaan. Het lijkt terecht om uit de overdaad aan anekdotes en waarnemingen die beschikbaar zijn, op te maken dat tweelingen die vanaf hun prille jeugd zijn geholpen uit te groeien tot individu, het het beste doen als onafhankelijke volwassene. Bijvoorbeeld:

> Ik vond dat mijn moeder, die ons het grootste deel van onze jeugd alleen opgevoed heeft, het heel goed deed en heel veel inzicht had. Ze maakte individuen van ons, zodat we allebei opgroeiden met een flinke dosis eigenwaarde. En ik ben haar daar dankbaar voor, want het zal niet gemakkelijk geweest zijn.

Diverse psychotherapeuten hebben vastgesteld dat soms op volwassen leeftijd duidelijk wordt dat dingen beter waren gegaan als de ouders zaken anders hadden aangepakt:

> De mijne zouden het, eerlijk gezegd, beter hebben kunnen doen. Ik dacht dat onze opvoeding voor die tijd normaal was, maar terugkijkend denk ik dat mijn ouders het zo fantastisch vonden om een eeneiige tweeling te hebben dat ze niet begrepen dat we ons los van elkaar moesten ontwikkelen en los moesten komen van hen. We werden eerder als Siamese tweeling behandeld. En ik vond dat we veel langer als baby behandeld zijn dan wanneer we als eenling waren geboren, omdat we zo lief waren.

Niet alles is echter verloren. Volwassen tweelingen kunnen misschien niet zelfstandig functioneren, maar zijn nog wel te helpen.

Wat denken kinderen van nu?

Dertig jaar geleden was men zich niet zo bewust van de behoeften van twee- of meerlingen, dus misschien is het niet vreemd dat er enkele als volwassene vaak langdurige problemen hebben gehad. Er is echter veel veranderd. Er zijn om te beginnen meer meerlingen geboren. De medische zorg is verbeterd, de opvoeding is minder star en er is nog nooit zoveel informatie beschikbaar geweest als tegenwoordig. Als je bedenkt hoeveel onderzoek er nu gedaan wordt naar onderwerpen die met meerlingen samenhangen, wordt duidelijk dat de kinderen van vandaag veel beter af zijn – zowel psychisch als medisch – dan een aantal decennia geleden. Het zou echter verkeerd zijn om zelfgenoegzaam te reageren op de uitdagingen waar een gezin mee te maken krijgt. Audrey Sandbank geeft aan dat de problematiek rond tweelingen die zij in de familietherapie ziet, ongeveer dezelfde zijn als die waarmee zij twintig jaar geleden worstelde.

Adviezen van volwassen tweelingen

Gelukkig zijn maar enkele van de volwassen tweelingen die ik gesproken heb, heel kritisch over hun eigen ouders, maar een aantal wilde wel graag wat adviezen kwijt aan ouders van jonge tweelingen. Met verontschuldigingen voor de herhaling, want hoewel de punten die zij aan de orde stelden ook terugkomen in de verschillende hoofdstukken in dit boek, vond ik ze toch belangrijk genoeg om ze op te nemen.

- Kleed ze niet hetzelfde, misschien alleen als ze heel klein zijn.
- Geef ze zodra dat mogelijk is – en zodra ze dat willen – een aparte slaapkamer.
- Wees zo mogelijk rechtvaardig.

- Vermijd hardvochtige (en vaak onnodige) vergelijkingen.
- Help hen om zowel op school als thuis zelfstandig te handelen.
- Geef hen de vrijheid om zichzelf te zijn.

Dit laatste punt komt van Audrey Sandbank, die vindt dat een tweeling keuzes moet mogen maken, zodat de kinderen zelf kunnen beslissen of ze bij elkaar of alleen willen zijn.

Tweelingverschijnselen en onderzoeken naar tweelingen

Tweelingen die voor adoptie vrijgegeven zijn, worden niet langer bij verschillende gezinnen geplaatst als dat voorkomen kan worden. Ooit was dat wel het geval, vaak zonder dat een van de betrokken partijen wist dat er sprake was van een tweeling. Dit heeft ertoe geleid dat een aantal tweelingen gescheiden is opgevoed, soms in heel verschillende huishoudens en vele jaren onwetend van het feit dat ze ergens een tweelingbroer of -zus hadden. In sommige gevallen ontdekte de tweeling pas op volwassen leeftijd (hoewel er ook zijn die het eerder vermoedden) dat ze tot een tweeling behoorden en deden dan pogingen met hun broer of zus verenigd te worden.

Er zijn enkele griezelige gevolgen bekend. De zogenaamde 'Jim-tweeling' uit Ohio in de Verenigde Staten behoort tot de bekendste voorbeelden van verbazingwekkende overeenkomsten tussen tweelingen die apart zijn opgegroeid. Beide jongens werden in 1939 geadopteerd en kregen van het adoptiegezin allebei de naam Jim. Dit is niet zo opvallend, maar er waren enkele verbazingwekkende overeenkomsten tussen de kinderen. Toen ze elkaar rond hun 40ste ontmoetten, ontdekten de beide Jims dat ze hun zoons allemaal dezelfde namen hadden gegeven, ze waren allebei getrouwd met een vrouw die Linda heette, waarvan ze later gescheiden waren, waarna ze allebei met een Betty getrouwd waren. Ze hadden beiden dezelfde gewoonten, waaronder nagelbijten, en meer ongewone eigenschappen zoals het neerleggen van liefdesbriefjes overal in huis. Ze dronken dezelfde soort bier, rookten hetzelfde merk sigaretten, hadden dezelfde hobby's en sportieve belangstelling, en leden aan dezelfde kwalen.

Vele jaren hebben psychologen van de Universiteit van Minnesota tweelingen bestudeerd, ook tweelingen die los van elkaar waren opgegroeid. In 1983 richtte professor Thomas Bouchard jr. het Minnesota Center for Twin and Adoption Research op. Deze instelling kent diverse doelen: enkele educatieve, andere zijn gericht op hulp aan tweelingen die hun andere helft proberen te vinden. Het Center is gevestigd in Minneapolis, wat op zich interessant is. Minneapolis en de naburige stad St. Paul werden om geografische redenen heel lang Tweelingstad genoemd, hoewel St. Paul wordt beschouwd als de hoofdstad van Minnesota.

Tweelingen die van elkaar gescheiden zijn, verschaffen wetenschappers waardevolle inzichten in het relatieve belang van natuur en voedsel, en werpen ook vragen op over extrasensorische perceptie (buitenzintuiglijke waarneming) of psychische communicatie. Een van de projecten van het Center is onderzoek naar tweelingen die gescheiden zijn opgevoed. In dit programma worden volwassen tweelingen een week lang diepgaand onderzocht om de genetische en omgevingsfactoren die verantwoordelijk zijn voor diverse medische en psychologische feiten, te verklaren.

Een aantal van de overeenkomsten die zijn geconstateerd toen tweelingen elkaar ontmoetten, zoals in het geval van de Jim-tweeling, zijn frappant, maar enkele zouden gewoon toeval geweest kunnen zijn. Hoe groot is bijvoorbeeld de kans dat twee ongehuwde mensen op een koude dag dezelfde jas dragen? Er is natuurlijk een kans dat ze dezelfde jas toevallig gekozen hebben, vooral als het een type is dat op grote schaal verkrijgbaar is. Als u uw kleren bijvoorbeeld koopt bij een grote winkelketen, dan zult u niet zo heel erg hoeven zoeken naar iemand anders – mogelijk van dezelfde leeftijd – die hetzelfde draagt.

Het zou kunnen zijn dat als bij tweelingen sprake is van dergelijke overeenkomsten, die diepgaand bekeken en belangrijk geacht worden, maar dat voor het overige dergelijke toevalligheden mogelijk worden genegeerd, omdat ze niet interessant genoeg zijn.

Er zijn vele tweelingregisters op de wereld en ze zijn allemaal gericht op verschillende aspecten van onderzoek. De Louisville Twin Study in Kentucky is een langetermijnonderzoek over groei en mentale ontwikkeling, die 30 jaar geleden is gestart en op grote schaal wordt aangehaald. Voorts is er het register van volwassen tweelingen van het Institute of Psychiatry in Londen, waarmee in 1969 werd gestart en dat, naar men hoopt, antwoord zal geven op enkele belangrijke vragen over geestelijke gezondheid.

In Nederland kent men het Nederlands Tweelingen Register (NTR), dat onderdeel is van de Vrije Universiteit van Amsterdam. Het NTR onderzoekt in hoeverre erfelijke en omgevingsinvloeden een rol spelen bij zaken als lichaamsbouw, gedrag, intelligentie en dergelijke. Het NTR is er trouwens ook voor drie- en vierlingen.

In België bestaat sinds 1964 het Oost-Vlaamse Meerlingenregister, dat wordt samengesteld op initiatief van de V.Z.W. Twins. Deze vereniging ter ondersteuning van het onderzoek bij en voor tweelingen bepaalt bij tweelinggeboorten in Oost-Vlaanderen systematisch de zygositeit en heeft in het verleden al uitgebreid onderzoek gedaan naar de overerving van het krijgen van dizygotische tweelingen. Momenteel loopt er een onderzoek naar de cognitieve ontwikkeling van schoolgaande tweelingen.

De gegevensbank over tweelingen van het St. Thomas Hospital in Londen bevat informatie over 1200 tweelingen en breidt snel uit. Onlangs werd Gemini, het eerste medische onderzoeksbedrijf gebaseerd op tweelingonderzoek, opgericht door Australische en Britse artsen, waaronder die van het St. Thomas. Een van de onderzoeksgebieden is osteoporose (botontkalking), dat een op de drie vrouwen en een op de twaalf mannen treft. Een ander gebied is osteoartropathie, een gewrichtsziekte.

Reumatologen van het St. Thomas Hospital hopen duidelijk te maken in welke mate osteoartropathie genetisch bepaald is en in welke mate het voortkomt uit het milieu (bijvoorbeeld gewone ouderdomsslijtage). Eeneiige tweelingen zijn genetisch niet te onderscheiden, dus worden verschillen tussen hen veroorzaakt door milieufactoren. Dit is een boeiend en uiterst nuttig project, waaraan tweelingen hun bijdrage kunnen leveren. Het zal niemand verbazen dat een enorm aantal volwassen tweelingen, zowel eeneiige als twee-eiige, vrijwillig heeft meegewerkt aan dit en ander onderzoek.

Het is alleen terecht erop te wijzen dat de klassieke 'tweelingonderzoeksmethoden' die zijn beschreven, enkele valkuilen vertonen:

- Zelfs als twee mensen dezelfde genen hebben, hoeven die niet beslist op precies dezelfde manier tot uiting te komen. Een gen kan in feite slapend of inactief zijn. We weten dat dit gebeurt bij bijvoorbeeld het X-chromosoom.
- Samen opgegroeid zijn of heel lang bij elkaar wonen, maakt mensen op vele manieren gelijk – zowel fysiek als psychologisch – zodat een aantal overeenkomsten tussen eeneiige tweelingen die samen zijn opgegroeid, het gevolg kan zijn van de gemeenschappelijke omgeving. Als deze factor genegeerd wordt, zou het belang van de genen overgewaardeerd kunnen worden.
- Er bestaan aandoeningen, zoals diabetes of hoge bloeddruk, die zijn beïnvloed door achtergebleven groei in de baarmoeder. Daarom zijn deze kwalen, die vaker lijken voor te komen bij bepaalde tweelingen, mogelijk niet genetisch bepaald – het prenatale milieu zou ervoor verantwoordelijk kunnen zijn.

Dit zijn allemaal factoren waarmee rekening gehouden moet worden. Ze ontkrachten onderzoeken niet en ik zou niet willen dat ze op enige manier afbreuk doen aan het belangrijke werk dat nu wordt verricht, of aan toekomstig onderzoek waarvan we nu nog niet eens kunnen dromen, dat niet alleen licht zou kunnen werpen op tweelingen, maar ook op het leven zelf.

Aanhangsel

Chorionisme

Een van de nieuwste en mogelijk meestbelovende toepassingen van ultrasone golven ligt in het opsporen van wat bekendstaat als chorionisme: of een tweeling in de baarmoeder twee chorionvliezen heeft of slechts een. De meeste tweelingen hebben er twee en worden dichoriaal genoemd, terwijl een klein deel monochoriaal is.

Er bestaat een verschil tussen zygositeit (eeneiig zijn) en chorionisme, ook al realiseren vele artsen zich dit niet! Alle twee-eiige (dizygotische of DZ) en ongeveer een derde van de eeneiige (monozygotische of MZ) tweelingen zijn dichoriaal, waardoor de rest vanzelfsprekend monochoriaal is.

Of eeneiige tweelingen nu monochoriaal of dichoriaal zijn, hangt af van het moment waarop het bevruchte eitje zich deelt:

- als dat gebeurt binnen drie dagen na de bevruchting, is de tweeling dichoriaal;
- als het eitje zich na drie dagen splitst, is de tweeling monochoriaal.

Hoe weet je dat?

Als een tweeling dichoriaal is, is er tussen de tiende en veertiende week van de zwangerschap op de echo een klein, wigvormig gebied (het lambdateken) te zien tussen de twee dooierzakken. Soms kan het ook iets later te zien zijn, maar dat is niet betrouwbaar.

Waar gaat het om?

Veel van de tweelingzwangerschappen die mislopen, zijn monochoriaal (tweeling-transfusiesyndroom (zie hierna) is de voornaamste doodsoorzaak). Als er slechts één chorion is, kan het raadzaam zijn de zwangerschap nog nauwletten-

der te volgen, met elke veertien dagen een echo tot ten minste 24 weken. Ondertussen kan de meerderheid van de vrouwen – degenen met een dichoriale
tweeling – er zeker van zijn dat ze in de lage-risicogroep vallen. Veel academische
ziekenhuizen kunnen tegenwoordig chorionisme vaststellen, maar het is nog niet
overal routine.

Is uw tweeling monochoriaal?

Tenzij het ziekenhuis chorionisme kan vaststellen, kunt u het niet zeker weten,
maar uw tweelingzwangerschap is zeker dichoriaal – en minder riskant – als:

- de placenta's gescheiden zijn, of;
- u een jongen en een meisje draagt.

Tweeling-transfusiesyndroom (of transfuseur-transfusé-syndroom of rood-wittweeling)

Dit is een zeldzame, maar gevaarlijke complicatie bij sommige zwangerschappen
met een eeneiige (monozygotische of MZ) tweeling. Ze treft zwangerschappen
met slechts één chorion (zie boven).

Alle monochoriale placenta's hebben bloedstromen die onderling verbonden
zijn. Er ontstaan problemen als er bloed van de ene baby naar de andere vloeit;
het is eigenlijk een bloedtransfusie, die voor beide baby's slecht kan uitpakken.

Wat kan er gebeuren?

De zogenaamde donor staat bloed af aan het tweelingkind. Naarmate de zwangerschap voortschrijdt, wordt deze baby kleiner, krijgt bloedarmoede, kan krim-
pen en heeft mogelijk hersenletsel.

Ondertussen wordt de ontvanger, die meer bloed krijgt, groter en roder. Hij
kan een hartafwijking hebben en zal meestal meer vruchtwater produceren, wat
uiteindelijk leidt tot polyhydramnion. Eigenlijk is het feit dat een vrouw zich niet
prettig voelt door polyhydramnion vaak het eerste teken dat er iets mis is. (Meer
over polyhydramnion, zie hoofdstuk 2).

Dat is wat er gebeurt bij een volledig tweeling-transfusiesyndroom. Gelukkig
is het effect van dit verschijnsel bij de meeste baby's veel minder en kan er alleen
enige afwijking in grootte of kleur zijn. Er wordt wel gezegd dat de bijbelse tweeling Jacob en Ezau ook slachtoffer was van het tweeling-transfusiesyndroom, wat
het feit verklaart dat Jacob zo bleek was en Ezau zo rood.

Het is waarschijnlijk dat bij zo'n 15 procent van de monochoriale zwangerschappen – oftewel zo'n 1 op de 30 zwangerschappen – in enige mate sprake is
van het tweeling-transfusiesyndroom met onderlinge bloedstromen.

De diagnose stellen

Als uw tweeling monochoriaal is, kan de zwangerschap regelmatig met echoscopie worden gecontroleerd op het tweeling-transfusiesyndroom. Maar wat als u niet weet of de kinderen monochoriaal zijn, omdat het ziekenhuis er wellicht niet naar kijkt? Als er twee placenta's zijn, of als de baby's van verschillend geslacht zijn, hoeft u zich geen zorgen te maken: dan zijn ze dichoriaal en zullen ze niet het tweeling-transfusiesyndroom hebben.

Als u niet weet of er sprake is van monochorionisme, moet u niet in paniek raken, maar letten op vroege symptomen zoals een gevoel van onbehaaglijkheid of een snel uitdijende buik. Vraag uw gynaecoloog dit soort symptomen serieus te nemen om de gevolgen van een ernstig onbehandeld tweeling-transfusiesyndroom te voorkomen. Onderneem actie als dat nodig is. Het tweeling-transfusiesyndroom is nog altijd zeldzaam en er zullen misschien een of twee deskundigen zijn die iets over deze aandoening weten. U zult het hen – of uzelf – niet gemakkelijk vergeven als u uw kinderen verliest omdat er niet op tijd de juiste aandacht aan geschonken werd.

Behandeling

Helaas kan een ernstige vorm van tweeling-transfusiesyndroom fataal zijn voor de kinderen, maar er zijn tegenwoordig twee veelbelovende nieuwe manieren om het te behandelen. Beide zijn nog in het stadium van ontwikkeling. Ze zijn niet overal mogelijk en worden sporadisch toegepast, en dan nog bij zwangerschappen die negatief beïnvloed worden door de aandoening. De voornaamste methodes zijn:

- Amniodrainage, waarbij ongeveer eens per week een hoeveelheid vruchtwater wordt afgetapt middels vruchtwaterpunctie. Zo wordt eerder het gevolg van het tweeling-transfusiesyndroom behandeld dan de oorzaak.
- Laserbehandeling van de verbonden aderen, waardoor de kanalen gestremd worden. Dit wordt tussen de 15de en de 28ste week van de zwangerschap gedaan door middel van een fijne lasersonde.

Beide vormen van behandeling worden onder plaatselijke verdoving uitgevoerd en uw partner kan daar meestal bij aanwezig zijn. Hoewel nog in een pril stadium, lijkt de lasertherapie op dit moment in het voordeel te zijn. Er zijn over de hele wereld enkele honderden behandelingen uitgevoerd. Het lijkt erop dat zelfs in ernstige gevallen de laserbehandeling een kans van 70 procent geeft op in elk geval één gezonde baby en een kans van 50 procent op twee gezonde baby's. De kinderen kunnen ook gezonder blijven dan na een amniodrainage.

Selectieve abortus

Deze behandeling is erop gericht selectief het leven van één foetus van een tweeling (of drieling) te beëindigen, waarbij de ander(en) in leven blijven.

Hoewel deze behandelingsmethode al vanaf het eind van de jaren '70 om verschillende ernstige redenen wordt toegepast, weet het gemiddelde paar weinig over selectieve abortus. Waarschijnlijk horen de meeste mensen pas voor het eerst over selectieve abortus als er bij een van de baby's een ernstige of zelfs dodelijke aandoening is geconstateerd. Dit is op zich een ontdekking die heel veel verdriet bezorgt op een uiterst emotioneel moment. Het is vooral heel moeilijk om op zo'n moment te moeten kijken naar feiten en cijfers en toch zal het paar een ingrijpende beslissing moeten nemen gebaseerd op hun kennis en hoe ze met de situatie kunnen omgaan.

Bij een tweelingzwangerschap waar bij slechts één baby een afwijking wordt geconstateerd, zijn er drie keuzemogelijkheden:

1 De zwangerschap kan zonder enige ingreep worden voortgezet in de wetenschap dat één baby waarschijnlijk ernstig gehandicapt ter wereld zal komen. In sommige gevallen kan de gezonde baby ook aan risico's worden blootgesteld doordat hij de baarmoeder moet delen met het tweelingkind – niet omdat de aandoening besmettelijk is, maar omdat de gehandicapte baby een mechanisch effect kan hebben. Dit kan vooral gebeuren in het geval van anencefalie (een zeer ernstige hersenafwijking).

2 De hele zwangerschap kan worden afgebroken, waarbij de vermoedelijk gezonde baby met het zieke kind verloren gaat.

3 De zwangerschap kan selectief beëindigd worden. (Voor degenen die technische details willen hebben, zie het gedeelte hierna 'De procedure zelf'.)

De beslissing

Onder begeleiding van de specialist moeten u en uw partner samen beslissen wat de juiste actie is in het licht van de exacte diagnose. Een baby die waarschijnlijk snel na de geboorte zal sterven, vergt mogelijk het uiterste om te dragen. Toch zijn dat heel andere problemen dan die van een baby die opgroeit met voortdurende pijn of die, mogelijk tientallen jaren lang, een enorme last voor zijn ouders, en voor zijn tweelingbroer of -zus, zal vormen. Stel uw arts zoveel vragen als u wilt en schrijf de antwoorden op, zodat u ze later nog weet.

Uw eigen religieuze achtergrond en uw gezinssituatie, waaronder mogelijke verplichtingen tegenover andere kinderen, moeten ook een rol spelen in de besluitvorming. De arts kan niet voor u beslissen, maar u wel de informatie geven die u nodig hebt en mogelijk als klankbord voor uw overpeinzingen dienen. Het

geloof van de arts mag uw beslissing niet beïnvloeden. Mocht uw dokter princi-
piële bezwaren hebben tegen selectieve (of totale) abortus, dan is het raadzaam u
– indien u er een andere mening over abortus op nahoudt – naar een andere arts
te laten verwijzen.

Naaste familie en vrienden kunnen steun geven, maar ze begrijpen niet altijd
de mengeling van gevoelens die heel natuurlijk zijn in een dergelijke situatie. Het
is voor sommige mensen moeilijk te begrijpen dat iemand die uitzicht heeft op
een baby (waar eigenlijk de meeste zwangerschappen toe leiden) nog iets meer
zou verlangen. Als u wilt, kan de specialist u misschien in contact brengen met
een ander stel dat ook voor deze beslissing heeft gestaan.

De procedure zelf

Een selectieve abortus wordt uitgevoerd tussen de 18de en de 22ste week van de
zwangerschap of later. De voornaamste reden dat dit niet eerder wordt gedaan, is
dat de afwijking waarschijnlijk niet voor de 18de week wordt vastgesteld.

Ten eerste moet de echoscopie bevestigen dat de foetussen elk hun eigen
placenta hebben. Als de tweeling monochoriaal (zie blz. 230) is, zal er sprake zijn
van een gezamenlijke bloedstroom en kan er geen selectieve abortus worden uitgevoerd vanwege het grote risico dat beide kinderen als gevolg daarvan zullen
overlijden.

Als men veronderstelt dat de foetussen dichoriaal zijn, worden via echoscopie
de afwijkende foetus en diens placenta gelokaliseerd. Nog steeds met behulp van
echoscopie wordt er een fijne naald zorgvuldig in de onderbuik van de vrouw en
in de afwijkende vrucht gestoken. Er wordt lokale anesthesie toegepast; deze is
100 procent succesvol en werkt meteen.

De andere baby wordt gecontroleerd om zeker te weten dat met hem alles goed
is. Als u resusnegatief bent, zult u in dit stadium een anti-D-injectie krijgen om
complicaties vanwege resusincompatibiliteit te voorkomen, net alsof u een miskraam hebt gehad, een totale abortus of zelfs bevallen bent.

Meteen daarna zult u voelen dat in dat deel van uw buik niet meer geschopt
wordt. In de daaropvolgende weken zal de dode foetus verschrompelen, hoewel
er meestal nog wel enige restanten worden gevonden bij de bevalling.

En de andere baby? Men neemt aan dat er een kans van 5 tot 10 procent bestaat dat deze zwangerschap uitloopt op een miskraam. Hoe later deze abortus
wordt uitgevoerd, des te groter het risico zou zijn, dus zal er regelmatig een echoscopie worden gemaakt om de zwangerschap te volgen.

Meer dan vijftien jaar ervaring met selectieve abortus in ziekenhuizen over de
hele wereld geeft aan dat de aanwezigheid van de dode foetus naast het overlevende kind weinig lichamelijke problemen veroorzaakt. Deze toestand heeft veel

weg van de vele gevallen waarin de natuur een baby uit een meerlingzwanger-schap voor de bevalling afstoot. Vroeggeboorte blijkt een risico te zijn, maar dat is bij een tweelingzwangerschap toch al het geval, en het is niet duidelijk of het risico beduidend groter is na een selectieve abortus.

Emoties

Het is heel normaal dat u zich verdrietig voelt en treurt om de verloren baby, ook omdat u uw rol als tweelingouder moet opgeven. Uw reactie zal niet meteen dui-delijk zijn. Het zou kunnen gebeuren dat u pas ten volle uw verlies beseft als de gezonde, overlevende baby is geboren. Tegen die tijd zullen anderen, waaronder sommige gynaecologen, denken dat u er wel een beetje 'overheen' bent en gericht zijn op de zorg voor uw gezonde baby. Ze willen niet onattent zijn, maar zo kan het wel overkomen.

U zult misschien wel in staat zijn het verlies van u af te zetten, maar dat kan niet iedereen. Onverwerkt verdriet kan een enorme berg blijken die u verhindert om de draad van het gewone leven weer op te pakken en vooral de zorg voor de baby die, als alles goed geweest was, een gezond maatje had gehad.

Het kan helpen, zoals het anderen geholpen heeft, de overleden baby op een tastbare manier als individu te beschouwen:

- Misschien wilt u het kindje na de bevalling zien. Als dat zo is, vraag het dan van tevoren. Het personeel kan ervan uitgaan dat u dat niet wilt.
- U zult later misschien een foto van de foetus willen hebben, of misschien een tekening op een kopie van de echoscopie. Als u uw overleden kindje na de be-valling niet wilt zien, kunt u altijd nog vragen of iemand er een foto van wil maken – voor het geval dat.
- Door uw overleden kindje een naam te geven, kunt u het benoemen en dat zou u en uw partner kunnen helpen wat gemakkelijker over hem te praten. Be-denk dat het, zoals dat ook het geval is bij een tweeling die leeft, misschien be-ter is om de overlevende baby geen naam te geven die past bij die van de an-der.
- Als u dat wilt, kan er een begrafenis of een rouwdienst worden gehouden.
- Misschien kan begeleiding u en uw partner helpen om te verwerken wat er ge-beurd is. Neem daarvoor contact op met een van de hulpverlenende instanties die in de Adressenlijst vermeld staan.

Er komt een moment dat u uw kind zult willen vertellen dat het nog een twee-lingbroer of -zus heeft gehad. De emotionele aspecten op lange termijn van een selectieve abortus bij het overlevende kind zijn niet bekend, maar het is wellicht beter om open te zijn naar de rest van het gezin toe. Vaak komen dingen toch uit en dan wilt u liever niet dat het kind het hoort van iemand anders. Ook zonder dat ze weten dat ze een tweelingbroer of -zus hebben gehad, kunnen kinderen zich op de een of andere manier bewust zijn van het feit dat ze voor de geboorte een maatje hadden (meer hierover in hoofdstuk 14).

U hoeft een jong kind uiteraard niet een gedetailleerde beschrijving te geven van de manier waarop de andere helft van de tweeling is gestorven. Het is voldoende te vertellen dat het kindje ziek was en niet lang genoeg heeft geleefd om geboren te kunnen worden. Dit vraagt heel veel fijngevoeligheid. Het overlevende kind heeft misschien behoefte aan de verzekering dat het op geen enkele manier kan helpen wat er gebeurd is.

Foetusreductie bij zeer grote meerlingzwangerschappen

Dit wordt ook wel multifoetale zwangerschapsreductie genoemd. Bij deze procedure wordt een drieling, een vierling of nog grotere aantallen beperkt tot een tweeling (of zelfs een eenling) om de kans op handicaps te beperken en daarmee de kans op een gezonde baby te vergroten. (Voor degenen die de details willen weten, wordt de techniek beschreven bij 'De procedure zelf'.)

Er zijn vele ethische overwegingen en u zult foetusreductie niet willen overwegen als u gewetensbezwaren hebt tegen abortus. Ook onder artsen die zelf abortus toepassen, heersen verschillende meningen. Er zijn gynaecologen die van mening zijn dat er geen enkele rechtvaardiging bestaat voor het ingrijpen in een zwangerschap die zich voorspoedig ontwikkelt, ongeacht het aantal embryo's. Zoals ik echter al eerder heb gesteld, brengen mensen normaal gesproken niet meer dan één kind per keer ter wereld. Er zijn specialisten die vinden dat het beperken van een drieling tot een tweeling (of zelfs een eenling) heel verstandig is en ook te rechtvaardigen, omdat meerlingen, ook tweelingen, het vaak minder goed doen dan één baby.

Beide zijn uitersten. De meeste gynaecologen zitten daar ergens tussenin, vooral omdat de kansen voor twee- en drielingen nog steeds beter worden. Ze zouden bereid zijn een vier-, vijf- of zeslingzwangerschap te beperken uitgaande van de gedachte dat met minder foetussen de kans op een aantal kinderen dat 'mee naar huis' genomen kan worden, groter is.

De beslissing

Alleen u en uw partner kunnen beslissen wat juist is in uw omstandigheden en gezien uw sociale, emotionele en financiële bronnen, zult u moeten beslissen zonder het voordeel van de wijsheid achteraf. Het is een gok. Als u niets doet, zou u uiteindelijk een aantal mooie, gezonde baby's kunnen hebben, maar u kunt er ook een paar of allemaal verliezen. Vier- en meerlingen hebben een grotere kans op overlijden of handicaps, voornamelijk omdat de kinderen meestal klein en prematuur zijn.

De procedure zelf

Als u daarmee akkoord gaat, wordt een foetusreductie rond de twaalf weken of later uitgevoerd. Dit wordt ook gedaan als u een vruchtbaarheidsbehandeling hebt ondergaan. Daarom wordt regelmatig een echo gemaakt, waardoor u lang voor de twaalfde week weet hoeveel baby's u draagt. Het is zeker zinvol even te wachten voor er foetusreductie wordt gedaan, niet alleen om uzelf tijd voor de beslissing te gunnen, maar omdat er voor de twaalfde week kans bestaat op een natuurlijke abortus.

De beslissing welke foetussen geaborteerd worden, wordt meestal genomen op technische gronden, afhankelijk van het feit welke het best bereikbaar zijn. Verder zijn de principes vrijwel dezelfde als bij selectieve abortus, zoals die eerder in dit Aanhangsel beschreven is.

Met behulp van echoscopie wordt er een naald door de onderbuik in de borst van de foetus gestoken, waardoor lokale anesthesie wordt geïnjecteerd. Deze werkt meteen. Als er meerdere foetussen moeten worden geaborteerd, wordt de procedure in twee keer uitgevoerd met een week tussenruimte. Foetusreductie kan ook via de baarmoedermond worden toegepast, maar dit is minder gebruikelijk.

Technisch gezien ligt de kans op succes tegen de 100 procent en zijn complicaties niet gebruikelijk. Regelmatig wordt er een echoscopie gemaakt om een oogje te houden op de voortgang van de rest van de zwangerschap. Er lijken enkele fysieke bijverschijnselen te bestaan, afgezien van het risico van een miskraam, maar onderzoek wijst uit dat dit risico niet groter is dan de kans op een miskraam bij de meeste meerlingzwangerschappen.

Omdat de procedure vroeg in de zwangerschap wordt toegepast, is er bij de bevalling minder van te zien dan bij een selectieve abortus.

Emoties

De rest van de zwangerschap kan er een zeker verdriet of zelfs schuldgevoel, hoe ongefundeerd ook, optreden. U en uw partner zullen zich ongemakkelijk voelen bij het idee dat u hebt besloten tot abortus van een of meerdere foetussen, vooral als de 'keus' welke mochten overleven min of meer willekeurig is geweest. Misschien kan het helpen daar eens over te praten met een deskundige.

Veel drie- of meerlingzwangerschappen zijn het resultaat van vruchtbaarheidsbehandelingen, een feit dat sommige ouders en hun artsen verdrietig en boos maakt. Het zou duidelijk beter zijn om deze meerlingzwangerschappen te voorkomen door bijvoorbeeld een nauwgezetter volgen van de effecten van een vruchtbaarheidsbehandeling. Door foetusreductie echter zal de kans dat u uw doel zult bereiken, vergroot worden: in elk geval één gezonde baby van uzelf. Psychologisch onderzoek in de Verenigde Staten wijst uit dat 96 procent van de gezinnen die gekozen hebben voor foetusreductie, dezelfde beslissing weer zou nemen.

Basisuitzet voor baby's

Als u al een kindje hebt, zult u wel ongeveer weten wat er zoal verkrijgbaar is en wat u echt nodig hebt, wat niet hetzelfde is. Bij meerlingen zult u uiteraard verschillende zaken extra nodig hebben en misschien minder geld tot uw beschikking hebben. Er is ook minder ruimte voor leuke dingetjes als sokjes, wantjes en schoentjes.

Kleding
U hebt in elk geval nodig:

hemdje: twee voor elke baby
kruippakje: drie voor elke baby
jasje: twee voor elk
mutsje: een voor elk (voor de winter of als de baby's heel klein zijn)
wollen dekentje: een voor elk
beddenlakentje: twee voor elk

Dit is echt het absolute minimum. Hoe meer u van deze zaken hebt, des te gemakkelijker het wordt. Zorg dat alle kleding machinewasbaar is.

Andere handige zaken zijn *omslagdoeken* (een per kind) en een aantal *slabben* voor elk kind (u kunt badstoffen of katoenen doekjes gebruiken). Die zijn er ook om lakentjes of dekentjes te beschermen.

Uitzet

Babybad (bij voorkeur op een standaard)
Aankleedtas of -mat (bij voorkeur allebei)
Babyfoon (kan heel handig zijn)

Bed: u komt de eerste zes weken misschien wel met één ledikantje toe, afhankelijk van hoe groot uw tweeling is. Ze kunnen met de voetjes naar elkaar slapen –

op die manier kunnen ze elkaar wel schoppen, maar zullen ze minder snel in elkaars gezichtje krabben. Of ze kunnen naast elkaar slapen. Om verwarring 's nachts te voorkomen is het in dat geval handig elke baby zijn eigen plek te geven, bijvoorbeeld Daniel rechts en Sam links.

In verband met wiegendood wordt soms echter afgeraden de kinderen in één bedje te laten slapen. U kunt dus het beste al vanaf het begin een tweede bedje aanschaffen. U hebt het later toch nodig.

Autostoeltje voor elk kind, als u een auto hebt. Babystoeltjes die achteruit kijken zijn ideaal voor de hele kleintjes. Meestal hebben ze een hendel, zodat ze heel gemakkelijk kunnen worden opgepakt en als een mandje meegenomen kunnen worden, ook als de baby ligt te slapen. In huis kan een autostoeltje ook dienen als wipstoeltje, dat u anders apart zou moeten kopen (en dat u zeker nodig hebt voor elke baby). Zet een babystoeltje niet voorin de auto als u een airbag op de passagiersplaats hebt: in noodgevallen zal deze zo krachtig opengaan dat de nek van de baby zou kunnen breken.

Babydraagzak: handig als u en uw partner allebei een baby willen dragen, maar een potentieel gevaar voor uw rug als u van plan bent zelf twee baby's tegelijk te gaan dragen. Het kan de enige manier zijn om zonder hulp bijvoorbeeld per bus te reizen, maar de twee kinderen zullen al snel te zwaar worden en wat een redelijk gewicht leek toen u van huis ging, kan een kwartier later niet te torsen zijn.

Kinderwagen: u hebt er een nodig als u te voet weg wilt. Een poosje komt u nog wel toe met één wagen, als u er al een had, maar al snel zullen de kinderen daarvoor te groot zijn. Een grote tweelingwagen kan een hele tijd mee, maar heeft als nadeel dat hij waarschijnlijk niet in de auto past. Een alternatief is een dubbele buggy – er zijn modellen met een kuipstoeltje die geschikt zijn voor hele kleintjes – maar die is misschien niet meer tegen zijn taak opgewassen als de kinderen peuters geworden zijn en, omdat ze heel klein zijn, geeft een buggy minder bescherming als een kinderwagen.

Tweedehands kopen is vaak voordelig als het om tweelingspullen gaat. Als u de spullen op deze manier koopt, of ze leent van vrienden, kijk dan wel of alles veilig en schoon is en goed onderhouden. Als het gaat om een ledikantje, zou u bijvoorbeeld een nieuw matrasje kunnen kopen. Een goede tweelingkinderwagen die u tweedehands koopt, heeft nog altijd een zekere restwaarde als u hem niet meer nodig hebt. Tweedehandskleertjes kunnen vaak ruw aanvoelen, maar nog heel goed zijn.

Het goede nieuws? Dit hebt u niet echt nodig:

- pyjama's voor de baby's
- stootkussens voor het ledikantje (het staat leuk, maar een baby kan erin vast komen te zitten en later kan een beweeglijk kind erop klimmen en zo uit het ledikantje vallen)
- hoofdkussentjes (vanwege de kans op verstikking)
- speciale dekentjes voor de kinderwagen (vouw gewoon een ledikantdekentje dubbel)
- een aankleedtafel (een aankleedkussen op een ladenkastje is veel handiger. Het aankleedkussen heeft ook oplopende zijkanten waardoor de baby niet zo gemakkelijk van het kastje kan rollen. Dit is een veelvoorkomend ongeluk omdat de aandacht van de moeder afgeleid kan worden door het andere kind.)
- babywiegjes (daar groeien ze heel snel uit en ze kosten, omdat u er waarschijnlijk twee gekocht heeft, dubbel zoveel).

Wiegendood

Wiegendood is zeldzaam, maar het komt iets vaker voor bij twee- en meerlingen, vooral als de kinderen prematuur zijn of een laag geboortegewicht hebben. Het is goed iets te weten over wiegendood en wat u kunt doen om het risico te verkleinen. Desalniettemin overleeft het overgrote deel van kleine baby's het eerste jaar zonder enig probleem, dus maak u niet al te veel zorgen.

Wiegendood treft kinderen onder een jaar en meestal onder de zes maanden. Hoewel niemand echt de oorzaak kent, veronderstelt men dat oververhitting en ernstige infectie – waar pasgeboren baby's nog niet immuun voor zijn – belangrijke facetten zijn. Recent onderzoek heeft de nadruk gelegd op maatregelen om wiegendood te voorkomen en deze lijken effect te hebben.

Wat u kunt doen

- Laat uw baby's altijd op de rug slapen tenzij de arts dit om een speciale reden afgeraden heeft. Op de zij kan ook, hoewel een baby kan doorrollen op zijn buik, tenzij u het onderliggende armpje uitgestrekt legt. Gebruik geen opgerolde handdoeken. Zorg dat het hoofdje van de baby niet helemaal bedekt kan worden door het beddengoed.
- Rook niet tijdens of na de zwangerschap. Houd de kinderen weg uit rokerige ruimten en vraag bezoekers in uw huis niet te roken.
- Laat de baby's niet te warm slapen. De ideale kamertemperatuur ligt rond de 18°C. Koop zonodig een kamerthermometer. Tenzij het buiten uitzonderlijk koud is, kan de centrale verwarming 's nachts wel lager worden gezet.

- Kleed de kinderen nooit te dik aan, vooral niet als ze ziek zijn of koorts hebben. Vermijd schapenvellen, kruiken en elektrische dekens.
- In sommige landen, zoals Nieuw-Zeeland, is in campagnes ter voorkoming van wiegendood gepleit voor borstvoeding als preventieve maatregel. Het zou kunnen beschermen, maar het is niet bewezen.
- Als u denkt dat een van de kinderen zich niet goed voelt, vraag dan medisch advies.

Ouders vragen wel eens naar een apneu-alarm, dat is bedoeld om af te gaan als de baby stopt met ademhalen. De mening van de artsen op dit moment is dat deze alarmering op zich niet voldoende is om een leven te redden dat door wiegendood wordt bedreigd. Er kan sprake zijn van vals alarm of het apneu-alarm kan, zoals ook wel eens gebeurt, geen alarm geven waardoor een onterecht gevoel van zekerheid ontstaat. Hoewel een apneu-alarm nuttig kan zijn, mag het niet zonder medisch toezicht worden gebruikt.

Bel 112 (voor Nederland) of 100 (voor België) of ga meteen naar het ziekenhuis (eerstehulpafdeling) als een baby

- stopt met ademhalen;
- blauw wordt;
- heel suf is of niet wakker wil worden.

Na de wiegendood

Als er in het gezin een kind is gestorven aan wiegendood, zult u willen weten of dit ook met het overlevende tweelingkind kan gebeuren. Het is belangrijk om dat kind goed in de gaten te houden, dus zal het meestal een paar dagen ter observatie in het ziekenhuis worden opgenomen om nog een tragedie te voorkomen. Er is ook een iets hoger risico van wiegendood bij een eventueel volgende baby.

Wiegendood komt niet vaak voor, maar is een verschrikkelijke ervaring. Als ouder zult u willen weten wat er gebeurd is, maar het is niet altijd mogelijk antwoord op die vraag te geven. Hoewel het begrijpelijk is dat u de laatste dagen en uren van uw baby zult willen natrekken, mag u het zichzelf niet verwijten.

Bij een twee- of meerling zijn er ook andere complexe onderwerpen die meespelen bij wiegendood (zie hoofdstuk 14). Voor hulp bij het verwerken van een kind dat overleden is aan wiegendood, zie de Adressenlijst.

ADHD (Attention Deficit Hyperactivity Disorder)

De officiële term is ADHD, maar het wordt ook hyperactiviteit genoemd of, preciezer, aandachtstekortstoornis met hyperactiviteit.

ADHD komt mogelijk overal ter wereld voor, maar de diagnose wordt veel vaker gesteld in de Verenigde Staten en Australië. Mogelijk wordt de diagnose in sommige landen sneller gesteld.

ADHD behoort tot dezelfde categorie als dyslexie, ME (myalgic encephalomyelitis, ook wel vermoeidheidsziekte genoemd) en voedselallergie: alle aandoeningen die moeilijk aantoonbaar zijn en soms worden geacht het product te zijn van overactieve fantasie. Zo kunnen kinderen met ADHD een behandeling mislopen.

Wie heeft het?

Men gaat ervan uit dat tussen de 2 en 10 procent van alle kinderen last heeft van ADHD, afhankelijk van het feit of de milde gevallen meegeteld worden. Meestal hebben drie keer zoveel jongens als meisjes last van deze aandoening. De genen spelen een belangrijke rol: een broertje of zusje van iemand met ADHD heeft 30 tot 40 procent kans om de aandoening ook te ontwikkelen, terwijl als de ene van een eeneiige tweeling het heeft, het andere tweelingkind het in 90 procent van de gevallen ook heeft. Tweelingen hebben toch al een bijzonder hoge kans op ADHD. Professor David Hay uit Australië trof ADHD bij tweelingen tweemaal zoveel aan als bij eenlingen. Het verschil tussen tweelingen en eenlingen deed zich voor bij beide geslachten, maar ADHD kwam vaker voor bij jongens, waarbij 16 procent van de tweelingjongens er vatbaar voor bleek te zijn. Tweelingen met leesproblemen zouden volgens dit onderzoek meer ADHD-symptomen hebben. Waarom ADHD bij tweelingen meer voorkomt, is niet bekend en wordt verder onderzocht. ADHD kan in families overgaan van de ene generatie op de andere. Oma kan zeggen dat een klein kind net zo is 'als papa toen hij klein was'.

Symptomen

Karakteristieke verschijnselen zijn:

- gebrek aan aandacht en concentratie
- overactiviteit met voortdurende onrust
- wanorde
- gebrek aan sociale vaardigheden
- onhandigheid
- verstorend gedrag

In milde gevallen kan ADHD moeilijk vast te stellen zijn: alle jonge kinderen vertonen in zekere mate deze eigenschappen. U zou bijvoorbeeld niet verwachten dat een kind van vijf jaar zo ordelijk is als een volwassene, of zich zo lang kan concentreren als een student aan de universiteit. Tweelingen schijnen zich vooral moeilijk te kunnen concentreren, maar dit kan ook komen omdat ze elkaar onderbreken en afleiden.

Meestal komen symptomen van ADHD in de peutertijd of de voorschoolse jaren aan het licht, of anders vroeg op de basisschool. Soms blijken baby's die in de baarmoeder heel actief waren, later ADHD te hebben.

ADHD kan leerprestaties en gedrag serieus beïnvloeden en leiden tot langdurige onvoldoende schoolprestaties. Omdat kinderen met ADHD zich niet lang kunnen concentreren en vaak domme fouten maken, doen ze het dikwijls slecht op school. Er zijn kinderen met ADHD die het wel goed doen in bepaalde vormen van werken, zoals projecten, die een hoge mate van organisatie en netheid vereisen.

De meesten zijn helemaal niet dom, maar hun gedrag kan soms belachelijke vormen aannemen. Omdat het voor hen moeilijk kan zijn om vrienden te maken, hebben ze mogelijk een minderwaardigheidscomplex.

Er zijn kinderen met ADHD die daarbij problemen hebben met taal (bijvoorbeeld met spraak, het begrijpen van lange instructies of het beantwoorden van open vragen). Er is in sommige gevallen ook een verband tussen ADHD en dyslexie, waardoor het nog moeilijker is om mee te kunnen op school.

De symptomen verbeteren vaak in de tienerjaren, maar dan hebben een lage eigendunk en slechte schoolprestaties vaak al hun stempel achtergelaten.

De diagnose stellen

Soms is de diagnose heel duidelijk of heeft iemand als de huisarts, de schoolarts of de onderwijzer deze al als mogelijkheid geopperd. Na een consult bij een kinderarts, een kinderpsychiater of een onderwijspsycholoog zal meestal duidelijk zijn of uw kinderen ADHD hebben.

De diagnose wordt gesteld door te praten met de ouders, en de kinderen te observeren met daarbij soms nog speciale vragenlijsten. Er bestaat geen laboratoriumtest voor ADHD. Er zijn speciale hersenscans waarmee kleine afwijkingen kunnen worden vastgesteld, maar deze worden alleen in onderzoekssituaties gebruikt en zijn nog niet bruikbaar op grote schaal.

Het is belangrijk om ADHD te onderkennen, maar ook om vast te stellen dat er geen sprake van is en het werkelijke probleem elders ligt, bijvoorbeeld als een gezin uiteenvalt, het andere tweelingkind speciale verzorging behoeft, er sprake is van intens verdriet of als een kind op school gepest wordt. Om het nog ingewikkelder te maken kan ADHD natuurlijk ook voorkomen naast een van deze bijkomende problemen.

Wat is de oorzaak?

Niemand kent precies de oorzaak van ADHD, maar één ding is zeker: het is niet de fout van de ouders. Kinderen ontwikkelen de aandoening niet omdat ze niet voldoende werden gedrild of omdat ze het verkeerde eten kregen. Op het moment lijkt het erop dat kinderen met ADHD zo geboren zijn – misschien zijn de spiegels van chemicaliën die boodschappen doorgeven in de hersenen (de zogenaamde neurotransmitters) iets anders dan bij andere kinderen, maar dit is zuiver speculatief.

Omgaan met ADHD

Nadat de diagnose is gesteld, is de belangrijkste stap om het te accepteren, maar het is niet altijd gemakkelijk om van een kind te houden zoals het is, vooral niet als het anders is dan de andere kinderen in het gezin. Kinderen met ADHD kunnen heel moeilijk zijn en hebben vaak niet veel vrienden, zodat het gezin waarschijnlijk de enige bron van aangename gevoelens is. Het is belangrijk om het kind te laten merken dat je van hem houdt, maar tegelijk heel resoluut te zijn in de omgang, duidelijke grenzen te stellen en een dagelijks patroon te ontwikkelen. Dit zal niet voldoende zijn om het probleem op te lossen, maar het helpt wel.

Het eten is in sommige gevallen een factor. Een of enkele levensmiddelen, zoals bepaalde kunstmatige kleurstoffen, kunnen een rol spelen; het kan soms helpen om deze uit het voedselpatroon te schrappen. In enkele gevallen kan een beperkter voedselpatroon nuttig zijn. Het is echter belangrijk om heel terughoudend te zijn in deze benadering. Een kind in de groei op een strikt dieet zetten, kan meer kwaad dan goed doen. Een dieet dat meer weglaat dan het verboden middel kan het beste worden gevolgd onder begeleiding van een diëtiste.

Er zijn medicijnen die een goede uitwerking hebben bij veel kinderen met ADHD. Dit zijn vreemd genoeg stimulerende medicijnen als methylfenidate en dexampfetamine. Als ze aanslaan, kan het effect heel opvallend zijn, maar ze moeten beslist regelmatig ingenomen worden. Ze onderdrukken symptomen eerder dan dat ze de toestand genezen. Het belangrijkste is dat ze onder toezicht van een specialist gegeven moeten worden.

De patiëntenvereniging levert duidelijke informatie en voorlichting (zie Adressenlijst).

Een beleidsplan voor scholen

Voordat hun kinderen op de basisschool beginnen, zou ouders moeten worden gevraagd naar hun ontwikkeling en hun behoeften en hoe ze het beste op school kunnen worden voorbereid. In de tijd dat de kinderen op school zitten, moeten ouders en onderwijzend personeel hun vorderingen en de onderwijskundige bagage steeds weer opnieuw bekijken. Het kan moeilijk zijn om beide kinderen te helpen bij het leerproces ('s avonds met allebei lezen bijvoorbeeld). Misschien kan er afgesproken worden dat niet beide kinderen op dezelfde avond een lees-oefening moeten doen.

Individualiteit

Twee- en meerlingen hebben hun eigen persoonlijkheden en emotionele behoef-ten. Volwassenen en kinderen moeten leren de tweeling van elkaar te onder-scheiden en hen bij naam te noemen. Ze moeten als individu gerespecteerd wor-den en nooit worden aangesproken als 'de tweeling' of 'de drieling', enz.

- Beschouw elk kind als individu.
- Vergelijk kinderen nooit ten nadele van elkaar.
- Plak geen etiket op een kind, zoals 'de slimme', 'de ondeugende'.
- Spreek voor elk kind een verschillend moment af voor een oudergesprek en be-perk u dan ook tot dat ene kind.
- Geef zo mogelijk elk kind een eigen brief mee naar huis en verwacht dat elk kind zelf het antwoord, geld, enz. mee terug brengt.
- Wees u ervan bewust dat de kinderen en de ouders de vorderingen met elkaar zullen vergelijken, of ze nu in dezelfde klas zitten of niet. Het is belangrijk dat een kind niet zijn zelfvertrouwen verliest, vooral niet waar het gaat om lezen.

Scheiden/bij elkaar houden

Twee- of meerlingen in gescheiden klassen plaatsen vereist zorgvuldige afweging en gesprekken met ouders en de kinderen zelf. Er zijn kinderen die nooit ge-scheiden mogen worden. Een soepele benadering is vereist, evenals begrip voor het feit dat kinderen worden geconfronteerd met een dubbele scheiding als ze naar school gaan: van de ouders en van de ander.

Als twee- en meerlingen gescheiden worden, is het dikwijls het dominante kind dat onzeker wordt en het andere dat openbloeit. Als ze bij elkaar in de klas zitten, hebben ze geen privacy en zullen ze hun schoolverhalen moeten delen.

Positief denken

Twee- en meerlingen onderhouden een speciale band. Ze hebben geleerd om te delen en op hun beurt te wachten. Ze zijn vaak veel zelfstandiger en kunnen zich goed aan- en uitkleden. Ze zijn bijzonder en mensen geven hen bijzondere aan-dacht. Met begrip en steun waar dat nodig is, zullen twee- en meerlingen zich ontwikkelen tot individuen met hun eigen vermogens, terwijl ze zullen genieten van het feit dat ze tot een meerling behoren.

Literatuur

Bruinse, H.W. & Visser, G.H.A., *Meerlingen*. Maarssen: Elsevier/De Tijdstroom, 1997.

Bryan, Elizabeth, *De tweeling of drieling, of meer*. Lisse: Swets & Zeitlinger, 1995.

Clegg, Averill & Woollet, A., *Tweelingen: praktische adviezen van ouders*. Antwerpen: Kosmos, 1987.

De Vos, Cora, *Onderzoek voor de geboorte, de (on)mogelijkheden van opsporing van aangeboren afwijkingen*. Utrecht: Het Spectrum, 1998.

De Waard, Frits, *Over tweelingen gesproken...*, Soesterberg: Aspekt, 2000.

Duijvelaar, Lenny & Geluk, Anjo, *Het tweelingenboek: zwangerschap, bevalling, het eerste jaar, verdere ontwikkeling, drie-, vier-, vijflingen*. Utrecht: Kosmos-Z&K, 1999.

Schiet, Marga, *Tweelingen*. Houten: Van Holkema & Warendorf, 1995.

Folders en brochures

Wegwijzer voor aanstaande Meerlingouders. Almere: Nederlandse Vereniging voor Ouders van Meerlingen.

Meerlingzuigeling: Voeding en verzorging. Almere: Nederlandse Vereniging voor Ouders van Meerlingen.

Meerlingkinderen, een vak apart! Almere: Nederlandse Vereniging voor Ouders van Meerlingen.

Rondom zwangerschap. J. Van Bochove, R. Van Vlijmen. Amsterdam: De Boekerij, 1994.

Boeken voor kinderen

Klompmaker, Nynke, *Ik ben veel liever zoals wij*, Rotterdam: Lemniscaat, 2000.

Ter Haar, Jaap, *Saskia en Jeroen*, diverse delen, verschenen bij Van Holkema & Warendorf.

Dragt, Tonke, *Verhalen van de tweelingbroers: vrij naar Balbinase balladen*. Amsterdam: Leopold, 1998.

Van Hout, M., *Anna en de tweeling*, Kimio, 1999.

Adressenlijst

Nederland

Nederlandse Vereniging voor Ouders van Meerlingen
Postbus 14
1300 AA Almere
Tel. 036-531 80 54
website: www.nvom.net

Meerlingentelefoon 078-615 57 81

Nederlands Tweelingen Register
Vrije Universiteit Amsterdam
Van der Boechortstraat 1
1081 BT Amsterdam
Tel. 020-444 87 87

Vereniging Samenwerkende Ouder- en Patiëntenorganisaties VSOP
Tel. 035-602 81 55
Deze instelling verwijst door naar adressen van de diverse organisaties.

Lokale of regionale RIAGG, Kruisvereniging of Thuiszorg
Adres en telefoonnummer in de telefoongids of de Gouden Gids

Balans, landelijke vereniging voor ontwikkelings-, gedrags- en leerproblemen
Tel. 030-225 50 50
Patiëntenvereniging voor ADHD

Vereniging Keizersnede Ouders
Tel. 0252-230 772

Stichting Selese
Tel. 030-233 17 77
Voor hulp bij postnatale depressie

Stichting Borstvoeding Natuurlijk
Tel. 0343-57 66 26

Stichting Hulp met Huilkindjes
Tel. 0165-365 636

Werkgroep van Ouders van een Overleden kind
Postbus 418
1400 AK Bussum

Vereniging van Ouders van Wiegendoodkinderen
Tel. 033-475 14 87

Stichting Korrelatie
Tel. 030-233 13 35

Opvoedtelefoon 06-821 22 05

Rent All Babyservice
Antwoordnummer 10516
5060 WB Oisterwijk

België
V.Z.W. Twins
Vereniging ter Ondersteuning van het
  Wetenschappelijk Onderzoek bij en
  voor Tweelingen
De Pintelaan 185 PB 91
9000 Gent
Tel. 09-240 29 14

Twin-telefoon 09-234 07 19

Kind en Gezin
Hallepoortlaan 27
1060 Brussel
Tel. 02-533 12 11
Fax 02-534 02 70
website: http://kindengezin.be

Bond van Grote en Jonge Gezinnen
Troonstraat 125
1050 Brussel
Tel. 02-507 88 11

VBBB (Vereniging voor Begeleiding
  en Bevordering van Borstvoeding)
Tel. 03-677 13 18
website: http://www.vbbb.be

Centrum voor Zeldzame Ziekten
Tel. 03-646 75 14
website: http://users.pandora.be/zeld-
zame ziekten

Vereniging voor Ouders van Couveuse-
  kinderen
Tel. 016-22 44 43
Tel. 03-238 91 46

Consultatiebureaus voor Levens- en
  Gezinsvragen (FCLG)
Tel. 02-511 86 56

Vereniging Kind en Ziekenhuis
Tel. 02-356 98 49

Zelfhulpgroep Postnatale Depressie
Tel. 011-54 30 58

Centrum voor Ontwikkelingsstoornis-
  sen Oost-Vlaanderen
Tel. 09-240 57 48

Vlaamse Vereniging van SIDS-ouders
  (wiegendood)
Tel. 059-26 83 96

Register